HISTORIAS DE LA
BIBLIA
ILUSTRADAS

HISTORIAS DE LA
BIBLIA
ILUSTRADAS

**Más de 200 historias del Antiguo y el
Nuevo Testamento para toda la fammilia**

p

Índice

Introducción a la Biblia 8–9

El Antiguo Testamento

El Nuevo Testamento

Referencia bíblica

Introducción a la Biblia

La Biblia: conjunto de libros

La palabra *Biblia* procede del término griego homónimo y significa «libros». La Biblia no es una única obra, sino muchos libros escritos con estilos diferentes. Se divide en el Antiguo y el Nuevo Testamento (*testamento* significa «acuerdo»). El Antiguo Testamento contiene libros sobre la Ley de Dios, libros históricos, poéticos, sapienciales y proféticos. El Nuevo Testamento contiene libros sobre la vida de Jesucristo, la historia de los primeros cristianos, cartas y un libro de profecías.

Monje medieval trabajando
Durante la Edad Media, los monjes reproducían a mano muchas biblias ilustradas.

Los escritores de la Biblia

La Biblia tiene una doble autoría. Los autores principales fueron escritores procedentes de países, profesiones y clases sociales diferentes: reyes (como David y Salomón), profetas (como Isaías y Ezequiel), un recaudador de impuestos (Mateo), un médico (Lucas) y apóstoles (como Pablo). Pero el autor esencial es Dios: la Biblia contiene el mensaje que este escribió por medio de diferentes personas en distintas épocas.

Las lenguas originales

Las principales lenguas originales de la Biblia son el hebreo y el griego. La mayor parte del Antiguo Testamento estaba escrita en hebreo, aunque también había textos en arameo. El Nuevo Testamento estaba escrito en griego, la lengua hablada y escrita comúnmente durante el Imperio Romano en los siglos I y II d.C.

El mensaje bíblico

El mensaje central de la Biblia es la salvación del pueblo de Dios. El Antiguo Testamento habla sobre el pueblo elegido por Dios (el de Israel) y de su relación con este. Describe el problema de la desobediencia humana y la búsqueda de una solución por parte de Dios mediante la promesa del Mesías. El Nuevo Testamento describe el cumplimiento del plan de salvación elaborado por Dios a través de la llegada de su Hijo, Jesús, aquel que los cristianos consideran el Mesías: su vida, muerte, resurrección y ascensión, y el desarrollo de la iglesia, el pueblo redimido de Dios.

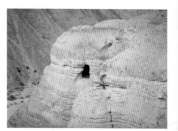

Las cuevas de Qumran
Muchos de los manuscritos del mar Muerto fueron hallados en cuevas de la zona de Qumran en 1947. Se cree que estos antiguos manuscritos eran los restos de la biblioteca de los esenios, una antigua comunidad judía.

La Biblia y la arqueología

La arqueología es el estudio científico de las culturas y los pueblos antiguos a través del descubrimiento, el estudio y la interpretación de restos del pasado. Los arqueólogos trabajan localizando y datando estos restos (cerámicas, inscripciones, armas, herramientas, monedas, etc.).

Se han descubierto muchos restos en Palestina y otros países vecinos. Se han conservado edificios importantes (como el teatro de Éfeso, donde fue juzgado el apóstol Pablo) y textos como las cartas de Amarna, del siglo XIV a.C., o los manuscritos del mar Muerto. Todo ello nos aporta datos sobre la gente, los lugares y las ideas de la época bíblica. A través de estos descubrimientos se tiene una imagen de cómo era la vida entonces.

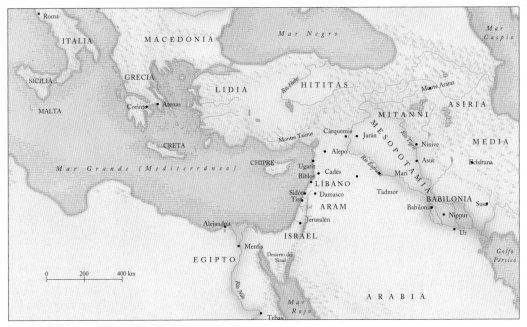

Las tierras de la Biblia

Todos los acontecimientos de la Biblia tuvieron lugar en Oriente Próximo. El Antiguo Testamento se centra en Israel y otros países del norte y el este, mientras que el Nuevo Testamento lo hace en Israel y algunos países del noroeste de Europa.

Un conjunto de libros

La Biblia está formada por un conjunto de 66 libros diferentes que se dividen en dos grandes partes: el Antiguo Testamento y el Nuevo Testamento.

ANTIGUO TESTAMENTO

LA LEY

- GÉNESIS
- ÉXODO
- LEVÍTICO
- NÚMEROS
- DEUTERONOMIO

HISTORIA

- JOSUÉ
- JUECES
- RUT
- 1.º SAMUEL
- 2.º SAMUEL
- 1.º REYES
- 2.º REYES
- 1.º CRÓNICAS
- 2.º CRÓNICAS
- ESDRAS
- NEHEMÍAS
- ESTER

POESÍA

- JOB
- SALMOS
- PROVERBIOS
- ECLESIASTÉS
- CANTAR DE LOS CANTARES

PROFECÍA

- ISAÍAS
- JEREMÍAS
- LAMENTACIONES
- EZEQUIEL
- DANIEL
- OSEAS
- JOEL
- AMÓS
- ABDÍAS
- JONÁS
- MIQUEAS
- NAHUM
- HABACUC
- SOFONÍAS
- AGEO
- ZACARÍAS
- MALAQUÍAS

NUEVO TESTAMENTO

HISTORIA

- MATEO
- MARCOS
- LUCAS
- JUAN
- HECHOS

CARTAS

- ROMANOS
- 1.ª CORINTIOS
- 2.ª CORINTIOS
- GÁLATAS
- EFESIOS
- FILIPENSES
- COLOSENSES
- 1.ª TESALONICENSES
- 2.ª TESALONICENSES
- 1.ª TIMOTEO
- 2.ª TIMOTEO
- TITO
- FILEMÓN
- HEBREOS
- SANTIAGO
- 1.ª PEDRO
- 2.ª PEDRO
- 1.ª JUAN
- 2.ª JUAN
- 3.ª JUAN
- JUDAS

PROFECÍA

- APOCALIPSIS

LA BIBLIA

El Antiguo Testamento

He aquí la historia de la creación,
de la llamada de Abraham y la promesa
del Señor de hacer de los descendientes
de Abraham una gran nación, Israel.
El Antiguo Testamento cuenta la historia
de este pueblo y de cómo Dios se
manifestó a través de él, revelando
cada vez más su carácter y propósito.

Porque tú eres un pueblo consagrado a Dios.
De entre todos los pueblos que hay sobre la faz de
la Tierra, Él te ha elegido a ti para que seas su pueblo,
su preciada posesión.
(Deuteronomio 7:6)

El Antiguo Testamento

El Antiguo Testamento contiene 39 libros: libros sobre la Ley, históricos, poéticos, sapienciales y proféticos. Estos fueron escritos por diferentes autores durante un largo periodo de tiempo. El Antiguo Testamento está lleno de historias de amor, de esperanza, de relaciones familiares, celos, ira y desobediencia. Se divide así:

Los libros de la Ley

Los cinco primeros libros, conocidos como el *Pentateuco*, describen el origen de la cultura y el pueblo judíos. El Génesis, sobre los orígenes de la humanidad, se remonta a la creación y relata la primera desobediencia a Dios y la elección que este hace de Abraham y sus descendientes. El Éxodo describe cómo Dios libera a su pueblo de la esclavitud en Egipto bajo el liderazgo de Moisés. El Levítico agrupa leyes sobre el culto israelita, sobre todo sobre los sacrificios que deben hacerse a Dios. Los Números relata la peregrinación de los israelitas por el desierto durante cuarenta años. El Deuteronomio recoge los discursos de Moisés a los israelitas cuando estaban a punto de entrar en la Tierra Prometida.

Los libros históricos

Son doce libros sobre la historia de los israelitas y abarcan aproximadamente desde el año 1200 al 400 a.C. El de Josué narra cómo los israelitas tomaron la Tierra Prometida tras morir Moisés. Jueces relata la desobediencia del nuevo pueblo a Dios y su elección de los líderes o «jueces». Rut es una historia de amor y lealtad. Los dos libros de Samuel abarcan la historia de Israel desde el último juez, pasando por el líder Samuel, hasta el primer rey de Israel, Saúl, sucedido por el rey David, «uno de los hombres de Dios». Los dos libros de los Reyes narran el reinado de Salomón y la posterior división en el reino del norte (Israel) y el del sur (Judá). Después Israel cayó en manos de los asirios y Judá (Jerusalén), en las de los babilonios. Los hechos de los dos libros de Crónicas discurren paralelos a los del segundo libro de Samuel y a los de los Reyes. Esdras relata la reconstrucción del templo de Jerusalén y Nehemías su reconstrucción de las murallas de Jerusalén. Ester fue una judía coronada reina de Persia que logró salvar a su pueblo del exterminio.

Cronología del Antiguo Testamento

a.C. — 2000, 1900, 1800, 1700, 1600, 1500, 1400, 1300, 1200, 1100, 1000, 900, 800, 700, 600, 500, 400, 300, 200, 100, 0 — d.C. — 100

- c 1950 Nace Isaac, hijo de Abraham
- c 1820 Pelea de Jacob y Esaú
- c 1750 José es vendido como esclavo
- c 1720 Entrada a Egipto
- c 1350 Nacimiento de Moisés
- c 1280 Éxodo
- c 1240 Travesía del río Jordán
- c 1160 Gedeón vence a los madianitas
- c 1120 Muerte de Sansón
- c 930 División del reino
- c 860 Lucha de Elías en el monte Carmelo
- c 750 Amós presagia la caída de Israel
- c 722 Caída de Samaria (fin de Israel)
- c 620 El rey Josías reforma el culto de Judá
- c 587 Judá exiliado en Babilonia
- c 538 Regreso a Jerusalén
- c 470 Ester frustra los planes de Amán
- c 450 Esdras regresa a Jerusalén
- c 323 Muerte de Alejandro Magno
- c 250 Traducción al griego del Antiguo Testamento
- c 167 Rebelión de los macabeos en Judá
- c 63 Pompeyo toma Jerusalén
- c 4 Nacimiento de Jesús
- c 30 Crucifixión de Jesús
- c 70 Destrucción de Jerusalén

PATRIARCAS

DESARROLLO DEL PUEBLO EN EGIPTO

DESIERTO

PERIODO DE LOS JUECES

MONARQUÍA UNIDA

ISRAEL

JUDÁ

EXILIO

RESTAURACIÓN BAJO EL IMPERIO PERSA

GOB. MACEDONIO

GOBIERNO EGIPCIO

GOBIERNO SIRIO

GOBIERNO ROMANO

Los libros poéticos y sapienciales

Estos libros tratan sobre importantes cuestiones de la vida. Job, un buen hombre, se pregunta: «¿Por qué sufren los inocentes?». Los Salmos son oraciones, himnos y poemas sobre toda clase de emociones humanas. Los Proverbios son una colección de dichos de diferentes autores sobre diversos temas cotidianos. El Eclesiastés trata el tema antiquísimo del significado de la vida: «¿Qué es la vida?». Por último, el Cantar de los Cantares es un poema que celebra el amor físico de una pareja.

Los libros proféticos

Los profetas predijeron el futuro, sobre todo la llegada del Mesías, pero su principal misión era hacer regresar a Él al pueblo de Dios. Isaías describe la amenaza de la conquista asiria y las promesas de Dios a los exiliados en Babilonia, y da un mensaje de esperanza a los judíos tras haber regresado del exilio. Las advertencias de Jeremías llegan en los últimos años de Judá. El libro de las Lamentaciones es un canto de pesar por la destrucción de Jerusalén a manos de los babilonios. Ezequiel narra las visiones y predicciones del profeta exiliado en Babilonia. Daniel, cautivo en Babilonia, llevó una vida íntegra y fiel a Dios.

Oseas recoge las profecías del reino norte de Israel: aunque el pueblo fue infiel,

El rey Salomón fue famoso por su sabiduría.

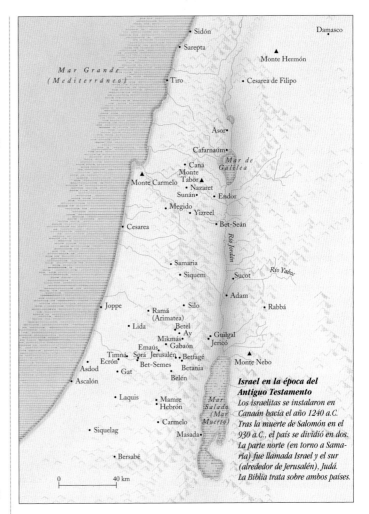

Israel en la época del Antiguo Testamento
Los israelitas se instalaron en Canaán hacia el año 1240 a.C. Tras la muerte de Salomón en el 930 a.C., el país se dividió en dos. La parte norte (en torno a Samaria) fue llamada Israel y el sur (alrededor de Jerusalén), Judá. La Biblia trata sobre ambos países.

Dios siguió siendo fiel. Joel describe una devastadora plaga de langostas, considerada un indicio de la llegada del último «día del Señor». Amós predica un mensaje de justicia social ante la sociedad opulenta de Israel. Abdías es una profecía contra Edom, un país limítrofe con Judá. Jonás describe su reticencia a predicar en Nínive, la capital de Asiria, país enemigo de Israel. Miqueas contiene profecías contra las injusticias sociales, pero también un mensaje de perdón y restauración. Nahum predice la destrucción de Nínive. El profeta Habacuc pregunta a Dios cómo hacer uso de los malvados babilonios para castigar a la gente que era mejor que ellos. Sofonías profetiza contra Judá. Ageo y Zacarías instan al pueblo a reconstruir el templo, y Malaquías cuestiona la apatía religiosa del pueblo y le invita a obedecer incondicionalmente a Dios.

HISTORIAS DE LA CREACIÓN

Desde el principio de los tiempos, muchas culturas han inventado historias que explican el origen y el orden del universo. Una de las más famosas es la epopeya babilónica «Enuma Elish». En esta versión aparece el dios Marduk, aunque una versión asiria posterior sustituye a Marduk por un dios propio, Asshur. La historia comienza antes de que aparecieran la Tierra y el orden.

EL FRUTO

La ley de Moisés declaraba que, tras plantar un árbol, su fruto estaba prohibido durante los tres primeros años. Al cuarto, el fruto pertenecía a Dios y solo después de cinco años se podía comer ese fruto. Los árboles frutales eran tan valiosos que durante las guerras se hacían grandes esfuerzos para protegerlos. Los higos, la uva, los dátiles y las olivas eran cultivos importantes, pero los cítricos no aparecieron hasta la época del Nuevo Testamento.

En el principio Dios creó los cielos y la tierra. La tierra era informe y estaba vacía, mientras una absoluta oscuridad se cernía sobre las aguas de los océanos.

Luego Dios creó todo simplemente con el poder de sus palabras.

«¡Que se haga la luz!», dijo Dios el primer día. Y se hizo la luz. Al ver que la luz era buena, la separó de la oscuridad. Y Dios llamó a la luz «día» y a la oscuridad la llamó «noche». Entonces anocheció y amaneció.

El segundo día dijo: «Que se separen las aguas». Y a continuación, entre ellas, apareció una gran extensión a la que Dios llamó «cielo».

Al tercer día, dijo Dios: «Que aparezca un suelo seco». Y a ese suelo lo llamó «tierra». Seguidamente la tierra produjo muchos tipos de árboles y flores diferentes, y aparecieron los primeros frutos y cultivos.

Al cuarto día, Dios ordenó: «Que el cielo se llene de luces». Y así fue. Hizo el Sol y la Luna, y en torno a ellos colocó un gran número de estrellas brillantes y galaxias.

Al quinto día, Dios llenó los océanos de peces y el cielo de aves. Los bendijo y les dijo que vagaran libremente, se multiplicaran y poblaran la tierra, el cielo y las aguas.

Por último, el sexto día, Dios creó animales con todo tipo de formas y tamaños, tanto mansos como salvajes, para que vivieran en la tierra. Luego creó al hombre y a la mujer, y les dijo: «Sed fecundos y multiplicaos para poder ocuparos de la tierra, de todos los peces, las aves, los animales y de todas las criaturas vivas».

Al final del sexto día, los cielos y la tierra estaban acabados y lucían en todo su esplendor. Dios contempló todo lo que había creado y se sintió muy satisfecho de lo que vio.

Al séptimo día, Dios había terminado de crear el universo. Entonces descansó e hizo que ese día fuera especial. Era fiesta de guardar, un día para descansar y para detenerse a dar las gracias por todos los prodigios de su magnífica creación.

EL QUINTO DÍA
DE LA CREACIÓN

Las primeras palabras de
la Biblia declaran que Dios
creó los cielos y la tierra.
Todo lo que nos rodea no
está ahí por casualidad,
sino que es el resultado
de los designios de Dios.

Adán y Eva arruinan la creación

GÉNESIS 2-3

Dios creó un bello jardín llamado Edén, un paraíso lleno de animales y árboles frutales. En el centro había un árbol que tenía el poder de hacer reconocer el bien y el mal a aquel que comiese su fruto. Dios le dijo a Adán, el primer hombre, que cuidara de las plantas, y le advirtió: «Puedes comer fruta del árbol que desees, salvo la del árbol de la ciencia. Si lo haces, morirás».

Cuando Dios se dio cuenta de que Adán estaba solo, lo hizo sumirse en un profundo sueño. Tomó una de las costillas de Adán y a partir de ella creó a una mujer, Eva, para que fuera la mujer de este. Aunque ambos estaban desnudos, no se sentían en absoluto avergonzados y estaban muy contentos de vivir en el jardín.

Ahora bien, en el jardín había una serpiente, animal astuto como ninguno, que usó su poder de persuasión para enredar a Eva. «No morirás por comer el fruto del árbol de la ciencia —dijo—. En vez de eso, sabrás reconocer el bien y el mal, al igual que Dios.»

A Eva le tentaba tanto esa sabrosa fruta que la haría inteligente que tomó una y comió. Ofreció otro poco a Adán, quien también comió. De inmediato se dieron cuenta de que estaban desnudos y sintieron vergüenza. Entonces se taparon con unas hojas de parra.

Esa tarde, cuando Dios caminaba por el jardín, Adán y Eva se asustaron y se ocultaron tras los árboles. «Adán, ¿dónde estás? —preguntó Dios—. ¿Has probado el fruto que te dije que no comieras?»

Adán, de mala gana, tuvo que admitirlo. «La serpiente me engañó para que se lo diera a probar», explicó Eva apenada.

Dios se enfadó al saber que Adán y Eva le habían desobedecido y le dijo a Adán: «Maldeciré la tierra con malas hierbas, de modo que tendrás que trabajar mucho para cultivar tus alimentos». Seguidamente, Dios les pidió que abandonaran el Jardín del Edén para siempre.

EL ÁRBOL DE LA CIENCIA
Según la tradición, el fruto que Adán y Eva comieron del árbol de la ciencia fue una manzana. Pero la Biblia no dice de qué tipo de árbol o fruto se trataba. Hoy en día, algunos estudiosos piensan que el fruto pudo ser una granada.

Caín asesina a Abel

GÉNESIS 4

Adán y Eva comenzaron una nueva vida fuera del Jardín del Edén. Tuvieron dos hijos: Abel, que era pastor, y Caín, que trabajaba labrando los campos.

Cuando llegó el día de hacerle una ofrenda a Dios, Caín le entregó parte de su cosecha, pero lo hizo de modo despreocupado. Abel, por su parte, le llevó solo las mejores ovejas de su rebaño, lo que demostraba su profunda y sincera confianza en Dios. Así, Dios se mostró satisfecho con la ofrenda de Abel, pero no con la de Caín, lo que hizo que este último se enfadara enormemente.

«¿Por qué estás tan enfadado? —preguntó Dios a Caín—. Si haces la ofrenda apropiada, la aceptaré. Pero ten cuidado, porque si no la haces, el pecado está esperando para abalanzarse sobre ti y dominarte.»

Pero Caín no lo escuchó. Cegado por la ira y los celos, condujo a su hermano Abel a un campo y lo mató.

«¿Dónde está tu hermano?», le preguntó Dios. Pero Caín fingió no saberlo.

«¿A mí me lo preguntas? ¿Soy yo acaso su guarda?»

«¡Mira lo que has hecho! —dijo Dios enojado—. Puedo ver claramente la sangre de Abel en la tierra, por lo que ahora debo castigarte. De ahora en adelante tus cultivos dejarán de crecer y tú no tendrás un hogar y deberás vagar por el mundo.»

Caín tembló de miedo. «Será muy duro soportar ese castigo» imploró a Dios. «Si ya no eres mi amigo, cualquiera que me encuentre me matará.»

«No te preocupes —respondió Dios. Y compasivo, puso una señal en Caín para protegerlo—. Si alguien te mata, sufrirá siete veces más que tú.» Así, con una enorme tristeza, Caín partió y se fue a vivir al país de Nod.

CAÍN MATA A ABEL

Después de que Adán y Eva fueran expulsados del Edén, surgió el pecado en el mundo. Caín tuvo celos de Abel y cometió el primer asesinato. El castigo que recibió por matar a su hermano fue convertirse en un vagabundo sin hogar. Caín se vio obligado a llevar una vida nómada en el país de Nod.

EL JARDÍN DEL EDÉN

Se desconoce la ubicación exacta del Jardín del Edén. Una teoría popular lo sitúa en la exuberante y fértil tierra que se extiende entre los ríos Tigris y Éufrates, en Mesopotamia.

Noé construye el arca

GÉNESIS 6-8

ÚTILES DE CARPINTERÍA
Hace más de 3.000 años, los egipcios usaban útiles como la azuela y el cincel del dibujo. Noé debió de usar una azuela para cortar y desbastar la madera, y un cincel para tallarla.

LA CONSTRUCCIÓN DE BARCOS
En muchas partes del mundo, los barcos se siguen construyendo a mano con métodos y herramientas muy similares a los empleados hace miles de años. El arca de Noé era enorme. Se calcula que tenía la longitud de dos jumbos y la altura de un edificio de cinco plantas. El armazón, sellado con brea, era estanco.

A l ver que los hombres eran cada vez más malvados, Dios empezó a lamentar haberlos creado.

Pero había un hombre bueno llamado Noé que amaba y obedecía a Dios. «He decidido exterminar a los hombres y a las mujeres que he creado» le dijo Dios. «Acabaré también con todo animal vivo. Quiero que construyas un barco de madera, porque voy a provocar un diluvio que cubrirá toda la tierra. Solo tú y tu familia, junto con los animales que haya en el interior de la barca, os salvaréis.»

Con la ayuda de sus tres hijos, Noé obedeció y empezó a construir una gran embarcación denominada *arca*. Para ello, siguió al pie de la letra las instrucciones que Dios le había dado. Una vez acabada el arca, Dios envió a un macho y a una hembra de cada especie de animal, y todos entraron en ella. Nada más embarcar los animales, Dios le dijo a Noé y a su familia que se metieran en el arca. El propio Dios cerró la puerta tras ellos.

Entonces empezó a llover. El agua caía del cielo con fuerza y brotaba de los manantiales situados bajo la superficie terrestre. El arca estaba flotando libremente sobre las agitadas olas que rompían contra ella. El nivel del agua siguió creciendo hasta que las montañas más altas quedaron totalmente sumergidas y los últimos animales y seres humanos murieron ahogados.

Meses después, dejó de llover y el nivel del agua empezó a descender. El arca, a la deriva en las tranquilas aguas, se detuvo finalmente sobre el monte de Ararat. Noé envió unas aves para ver cuánta tierra no estaba inundada. Cuando una paloma volvió con una rama verde de olivo en el pico, supo que los árboles volvían a crecer. Su viaje había finalizado. Pronto todos podrían abandonar el arca y explorar la tierra.

Un arco iris de promesas

GÉNESIS 8-9

«Salid ya del arca —dijo Dios a Noé y a los suyos—. Llevaos con vosotros a los animales para que encuentren un nuevo hogar y se multipliquen.» Dicho esto, Noé descendió por la pasarela y pisó tierra firme. Se alegraba tanto de que Dios lo hubiera salvado del diluvio que construyó un altar y le hizo una ofrenda.

«Aunque la gente no cambie y siga mostrando un comportamiento malvado, nunca más volveré a destruir el mundo de este modo —dijo Dios—. Prometo que de ahora en adelante y hasta el final de los días el ciclo de la naturaleza seguirá su curso. Habrá un tiempo para sembrar y para recoger la cosecha,

y el caluroso verano seguirá al frío invierno al igual que el día sucede a la noche.»

A continuación, dijo Dios a Noé y a su familia: «Empezad de nuevo. El mundo entero os pertenece a vosotros y a vuestros hijos. Empleadlo de manera sensata y aprovechad sus recursos».

Entonces Dios hizo una alianza con Noé, sus hijos y los animales. «Nunca más volveré a mandar un diluvio que destruya el mundo. Si alguna vez llueve durante mucho tiempo y creéis que he olvidado esta promesa, alzad la vista al cielo. En él veréis una señal que os recordará estas palabras. Cada vez que veáis el arco iris entre los nubarrones, recordad mi promesa.»

EL ARCO IRIS

En la Biblia aparecen muchas alianzas, aunque la primera es la de Dios con Noé. Una alianza es un pacto en el que se promete hacer algo. El arco iris era la señal de la promesa que hizo Dios de no volver a destruir la tierra con un diluvio. La palabra que usa la Biblia para el arco iris también significa «arco bélico», lo que simboliza a Dios bajando el arco en señal de paz.

Una mezcla de lenguas
GÉNESIS 11

LADRILLOS DE BARRO
Actualmente, en Oriente Próximo los ladrillos se siguen fabricando como cuando se erigió la torre de Babel. La arcilla o el barro húmedos se moldean con un molde de madera y se dejan secar al sol o se cuecen en hornos para aumentar su resistencia.

LA TORRE DE BABEL
Pudo haber sido un tipo de templo babilónico llamado «zigurat». Los zigurats tenían forma de pirámide y algunos pudieron superar los cien metros de altura. En el exterior tenían escaleras y en la cúspide, un templo.

UBICACIÓN DE ZIGURATS
Los hombres han construido templos desde el principio de los tiempos. Se han localizado ruinas en toda la antigua Mesopotamia (actual Irak). La torre de Babel se hallaba en Babilonia, una de las principales ciudades fundadas por Nimrod.

Al principio, los descendientes de Noé vagaron sin rumbo fijo por el Este. Pero al final, muchos años después, un grupo de ellos llegó a una fértil llanura situada en Babilonia y decidió establecerse allí.

Los miembros del grupo se reunieron y decidieron construir una gran ciudad en la que vivir. Emplearían ladrillos hechos de barro y paja, secados al sol, y los unirían con brea. El edificio más grande sería una torre espectacular cuya cúspide llegaría hasta las nubes.

Impacientes, se pusieron enseguida manos a la obra para construir la nueva ciudad.

«Ahora tendremos un verdadero hogar y dejaremos de vagar por el mundo. Y cuando la gente se dé cuenta de lo ingeniosos que hemos sido al construir una ciudad tan grande seremos famosos», se decían orgullosos unos a otros.

Pero el orgullo fue su perdición. Cuando Dios miró detenidamente la extensa ciudad y su elaborada torre, no se mostró contento.

«Estas personas son vanidosas. Me han olvidado y únicamente piensan en lo importantes que son —dijo Dios—. Si les dejo continuar, pronto querrán controlar el mundo entero. Pero los detendré mezclando sus palabras de modo que no puedan entenderse. Así no podrán llevar a cabo sus planes.»

A partir de entonces, lo que pudo oírse en toda la ciudad no fue más que un confuso murmullo de voces. Las obras tuvieron que interrumpirse porque nadie entendía lo que trataba de decirle su vecino. Cada persona hablaba una lengua diferente, por lo que no podía comunicarse con los demás. Así, se fueron a vivir a diferentes partes del mundo.

Dios llama a Abraham

GÉNESIS 12-13

Abraham, descendiente de Noé, se crió en la ciudad de Ur, en Mesopotamia. Su padre decidió trasladarse con la familia a Canaán, pero finalmente se establecieron en la ciudad de Jarán. Abraham y su mujer, Sara, llevaron allí una vida acaudalada. Tenían muchos criados y poseeían grandes rebaños de vacas, ovejas y burros.

Un día, cuando tenía Abraham 75 años, Dios le dijo algo que cambiaría su vida para siempre. «Tú y tu familia debéis abandonar el país y viajar hasta la tierra de Canaán. Una vez allí, te bendeciré y te convertiré en el padre de una gran nación.»

Abraham confiaba totalmente en que lo que Dios había dicho se haría realidad, de modo que cargó todo lo que poseía sobre sus camellos y emprendió el largo viaje en compañía de Sara, su sobrino Lot y todos sus criados.

Cuando llegaron a Canaán, Dios se apareció a Abraham y le prometió que un día los hijos de Abraham vivirían allí. Sara no había podido tener hijos, pero como era un hombre de fe, Abraham creyó que la promesa de Dios se cumpliría en el futuro.

Estaba resultando difícil encontrar pasto suficiente para todos los animales. Los pastores de Abraham empezaron a pelearse con los de Lot por cada manojo de hierba.

Abraham puso fin a la discusión de forma sensata. «Deberíamos separarnos y tomar caminos diferentes», le dijo a Lot, y dejó que este escogiera la dirección que quería tomar.

Así, Lot salió con sus rebaños hacia el fértil valle del Jordán, mientras que Abraham permaneció en Canaán.

LA CABEZA DORADA DE TORO

Unos arqueólogos han hallado el emplazamiento de Ur, la ciudad de la que procedía Abraham. Allí han descubierto tumbas reales en cuyo interior había muchos objetos de oro, como esta cabeza de toro con piedras preciosas engastadas. En otro tiempo formó parte de una lira, un instrumento musical similar al arpa. Estos hallazgos revelan que Ur era una ciudad poderosa, rica y sofisticada.

El pueblo elegido de Dios

Mosaico de las tumbas reales de Ur

E l libro del Génesis narra las vidas de los «patriarcas» o padres. Los orígenes del pueblo de Israel se remontan a Abraham y a sus descendientes, Isaac, Jacob y José.

Dios prometió a Abraham que sería el padre de una gran nación, que lo bendeciría a él y a sus descendientes, y que, a través de ellos, todo el mundo sería bendecido. A cambio, Dios pidió a Abraham que le obedeciera y tuviera fe en Él.

Abraham

Abraham nació en Ur, una ciudad al sur de Mesopotamia. Cuando Dios lo llamó para que abandonara su casa, se trasladó a Jarán y luego a Canaán, la tierra que Dios le había prometido. Durante muchos años Abraham y su esposa, Sara, no pudieron tener hijos. Pero la fe de Abraham nunca flaqueó y al final nació Isaac. Dios puso a prueba la fe de Abraham pidiendo que sacrificara a su hijo. Abraham estaba dispuesto a obedecer a Dios.

Abraham se prepara para matar a su hijo

Isaac

Dios cumplió la promesa de dar un hijo a Abraham enviándole a Isaac. Cuando este contaba cuarenta años, Abraham, como era costumbre en la época, organizó su matrimonio con Rebeca, una joven de su familia que vivía en Jarán. Ella no podía tener hijos, pero al final dio a luz a gemelos: Esaú y Jacob. Cuando ya era anciano y estaba casi ciego, Isaac cayó en la trampa de dar la bendición de su primogénito a su hijo menor, Jacob, en lugar de a Esaú.

Isaac da su bendición a Jacob

Jacob

Tras apoderarse de la herencia de Esaú y obtener la bendición de su padre, Jacob huyó hacia el norte. Esa noche soñó con sus descendientes subidos a una escala que unía el cielo y la tierra. La promesa que Dios hizo a Abraham se cumplió. Jacob fue rebautizado Israel tras pasar la noche luchando con Dios a orillas del río Yaboc. La noche de bodas, Jacob cayó en una trampa y se casó con Lía en lugar de con Raquel, a la que amaba. Las doce tribus de Israel descendieron de los doce hijos que tuvo con Lía, Raquel y sus dos esclavas.

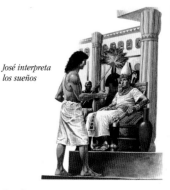

José interpreta los sueños

José

Fruto de Raquel, era el hijo favorito de Jacob, lo que desató el odio y los celos de sus once hermanos. Estos lo vendieron como esclavo en Egipto, donde trabajó para Putifar. Luego empleó la habilidad que Dios le había dado para interpretar los sueños y se convirtió en un sabio gobernante de Egipto, el segundo después del rey o Faraón. Al final se reconcilió con sus hermanos y salvó a su familia de la hambruna.

Tienda típica de los beduinos

Las tiendas

Las tiendas figuran entre las primeras moradas de los hombres. Cuando Dios lo llamó, Abraham cambió su vida en la ciudad de Ur por una existencia nómada. Las tiendas son muy prácticas para quienes están continuamente de viaje. Hechas de pelo de cabra, se colocaban sobre unos palos de madera y se sujetaban en los extremos con vientos.

Lugares

Las excavaciones revelan que algunas ciudades citadas en la Biblia relacionadas con los patriarcas eran importantes centros de población. Los objetos de cerámica, las casas en ruinas, las herramientas, las armas y los escritos hallados permiten saber cómo era la vida en esos lugares. Unas tablillas de arcilla encontradas hacen referencia a varios asentamientos de Canaán que comerciaban entre sí, como Megido, Asor, Laquis, Gezer, Jericó y Siquem.

Cráneo de yeso hallado en Jericó

Caravana de camellos cruzando el desierto

Viajes y comercio

En esta época el comercio estaba muy extendido por todo Oriente Próximo y viajar era bastante frecuente. Se sabe, por ejemplo, que el comercio de la lana y el cobre entre Asia Menor y Asiria ya existía en el año 2000 a.C. Las principales rutas que atravesaban la región eran recorridas por ejércitos, comerciantes y viajeros. Estos últimos viajaban a pie, en burros, carros de bueyes o camellos. Los caminos eran malos y viajar solo era peligroso.

Costumbres

El hallazgo de las tablillas de Nuzi ha permitido conocer las costumbres de la época. Estas decenas de miles de tablas de arcilla documentan todos los aspectos de la vida cotidiana (comercial, legal, religiosa y privada). En concreto, ofrecen muchos datos sobre las costumbres de la adopción, el matrimonio y las herencias. Por ejemplo, un hombre sin hijos podía adoptar como heredero a su esclavo o al hijo de la esclava de su mujer, aunque era más común tener una segunda mujer o una concubina.

La criada Agar, madre de Ismael

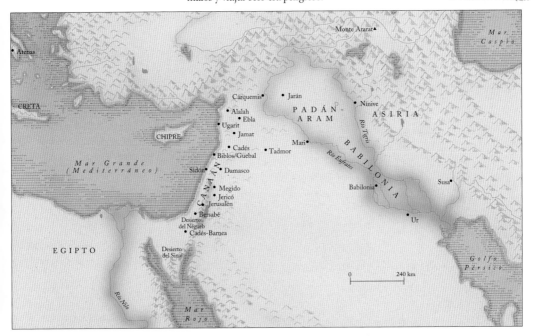

Las tierras de los patriarcas *Desde Ur hasta Bersabé, Abraham recorrió más de 1.500 km por el valle del Éufrates hasta llegar a Jarán y dirigirse al Sur. En este camino, el de la Media Luna Fértil, había agua, alimentos y ciudades. El camino directo de Este a Oeste atravesaba el desierto.*

El anhelo de un hijo
GÉNESIS 15

LA ESFINGE
La Esfinge, construida hacia el año 2550 a.C., es una estatua de piedra enorme con cuerpo de león y cabeza de hombre. Situada junto a las pirámides de Giza, en Egipto, representa al dios egipcio Horus custodiando la Ciudad de los Muertos. Abraham y Sara se fueron a vivir a Egipto cuando hubo una hambruna en la tierra de Canaán y es posible que la vieran.

P asaron muchos años y Abraham y Sara seguían sin tener hijos. Abraham empezó a preguntarse quién le sucedería si no tenía ningún hijo o heredero. Parecía imposible que fuera a cumplirse la promesa de Dios de que él y sus descendientes construirían una gran nación.

Pero entonces Dios se apareció a Abraham y lo tranquilizó: «No temas. Tendrás un hijo. Mira el cielo por la noche y, si es posible, cuenta los millones de estrellas que brillan en él. Así será tu descendencia. Y mira la tierra y abarca todo lo que puedas con la vista, al Norte, al Sur, al Este y al Oeste. Todo eso pertenecerá a tu familia».

Como Abraham era un hombre que confiaba en Dios, creyó ciegamente en sus palabras, pero necesitaba que lo tranquilizara aún más. «¿Cómo sabré que la tierra será mía?», preguntó a Dios.

LA CONFIANZA DE ABRAHAM EN DIOS
Abraham es conocido por su fidelidad y obediencia a Dios. Aunque Abraham y su mujer, Sara, eran mayores y no habían podido tener hijos, Dios prometió que Abraham tendría muchos descendientes y que estos se convertirían en una gran nación. Abraham pensaba que no había manera humana de que esto ocurriera, pero sabía que de algún modo Dios cumpliría su promesa. Confió plenamente en la promesa de Dios, por lo que este lo vio con buenos ojos. Dios cumplió su promesa de bendecir a los descendientes de Abraham, el cual se convirtió en el padre de la nación de Israel.

Para mostrar a Abraham que cumpliría su promesa, Dios le pidió que sacrificara algunos animales. Abraham mató una vaca, una cabra y un carnero y los cortó por la mitad. También le entregó una paloma y un pichón.

Esa noche, Abraham se sumió en un profundo sueño, pero en lugar de relajarse, fue presa del miedo. Mientras dormía, Dios lo reconfortó hablándole del futuro. Le dijo que al principio sus descendientes vivirían penosamente como esclavos en una tierra extraña. Pero al final Dios castigaría al pueblo que los había esclavizado.

«Y entonces los bendeciré y regresarán a Canaán con una enorme riqueza. Y tú, Abraham, vivirás muchos años y morirás en paz.»

Entonces Dios hizo surgir una olla humeante y una antorcha encendida entre los trozos de animales para sellar su promesa con una señal visible.

Nace Ismael, hijo de una criada

GÉNESIS 16

Después de pasar muchos años esperando tener un hijo, Sara, la mujer de Abraham, empezó a sentirse decepcionada e impaciente. «¿Sería ella realmente la madre del hijo de Abraham?», se preguntaba. Tal vez la gran nación que Dios había prometido se crearía por medio de su esclava egipcia Agar y no por ella.

«Dios no me ha dado ningún hijo y ahora ya soy demasiado vieja —dijo Sara a Abraham—. ¿Por qué no solucionamos pues el problema dejando que Agar nos dé descendencia siendo tú el padre?» Abraham se mostró de acuerdo y tomó a Agar como esposa.

Cuando Agar se dio cuenta de que estaba esperando un hijo de Abraham, empezó a creerse muy importante. «Es grosera conmigo —se quejó Sara a Abraham—. ¡Es culpa tuya! ¡Ahora que va a tener un hijo tuyo se cree mejor que yo!»

«Es tu esclava —respondió Abraham—. Puedes tratarla como mejor te parezca.»

De modo que Sara empezó a maltratarla, hasta que Agar no pudo soportarlo más y huyó desesperada. Cuando se detuvo a descansar junto a un manantial del desierto, se le apareció un ángel que le preguntó: «¿Adónde vas, Agar?»

«Estoy huyendo de mi ama, Sara», respondió.

«Dios ha percibido tu desdicha —dijo el ángel—. «Regresa con Sara y obedécela. Parirás un niño que se llamará Ismael y tendrás muchos descendientes.» Encantada de que Dios se hubiera dado cuenta de sus problemas, Agar regresó con Sara de buena gana. Poco después dio a luz un niño y lo llamó Ismael, tal como el ángel había dicho.

MUJERES EN CAUTIVERIO

Este friso muestra a unas madres con sus hijos conducidos al cautiverio. Las mujeres que eran vendidas como esclavas no tenían derechos. Como le sucedió a Agar, podían ser entregadas a la cabeza de familia para engendrar un heredero. Ese hijo no pertenecería a su madre, sino a su dueño.

LOS DESCENDIENTES DE ISMAEL

Según la tradición, los árabes actuales descienden de Ismael, el hijo de Abraham y Agar. Después Ismael tuvo doce hijos, que se convirtieron en los gobernantes de un pueblo nómada, los ismaelitas.

Circuncisión

Significa «corte alrededor» y hace referencia a la eliminación del prepucio en los niños. En el Antiguo Testamento, aparece como un signo de la pertenencia al pueblo de Dios. Los niños israelitas debían ser circuncidados ocho días después de nacer. Tanto Abraham como Ismael fueron circuncidados. Después, en el Antiguo Testamento, los profetas hacen hincapié en que la circuncisión no basta. También se debe ser humilde, confiar en Dios y obedecerle.

La ciudad de Sodoma

GÉNESIS 18-19

Un día, Dios habló con Abraham y le dijo que estaba preocupado por la gente que vivía en Sodoma y Gomorra. «Esa gente no me respeta en absoluto —dijo—. «Al contrario son tan perversos como quieren. Acabaré con ellos y destruiré sus ciudades.»

Abraham sabía que su sobrino, Lot, y su familia vivían en Sodoma y se sintió horrorizado al pensar en su muerte. Entonces preguntó: «Señor, ¿realmente vas a destruir a los que son buenas personas junto con los culpables? Yo sé que eres un juez bueno y justo. ¿Qué pasaría si hubiera cincuenta personas buenas viviendo allí? ¿También los castigarías?».

Dios respondió: «No, si encuentro cincuenta personas buenas viviendo en Sodoma dejaré la ciudad tal y como está».

Abraham tembló ante Dios y quiso pedirle que fuera más compasivo. «Perdona mi osadía y no te enfades conmigo, pero, ¿qué pasaría si solo hubiera veinte personas buenas o incluso solo diez?»

Dios contestó: «Si solo hay diez personas buenas, no destruiré la ciudad».

Esa misma tarde, dos ángeles que parecían hombres vulgares y corrientes se dirigieron a Somorra y se encontraron con Lot, el sobrino de Abraham, en la puerta de la ciudad.

Lot se inclinó ante ellos y dijo: «Caballeros, estoy aquí para servirlos. Por favor, vengan a mi casa y pasen la noche allí». Así que se fueron con él y Lot les preparó algo de comer.

Más tarde, una gran multitud de ciudadanos alborotados se congregó fuera de la casa y pidió a Lot que entregara a los dos forasteros para que pudieran maltratarlos.

Desesperado, Lot les suplicó que no hicieran algo tan terrible y dijo: «Debo proteger a mis invitados a toda costa. ¡Incluso os dejo tomar a mis hijas en su lugar!».

Pero la multitud, más enfurecida si cabe, se dispuso a derribar la puerta. Entonces los dos ángeles fueron a rescatar a Lot. Lo arrastraron hacia el interior de la casa y dejaron ciegos a los hombres que había fuera para que no pudieran encontrar la puerta y romperla.

LAS CIUDADES DE SODOMA Y GOMORRA

Es probable que Sodoma y Gomorra estuvieran ubicadas en el extremo sudeste del mar Muerto. Sus ruinas tal vez estén ahora sepultadas bajo las aguas. Restos arqueológicos revelan que, en otros tiempos, esta zona era fértil y estaba muy poblada.

Lot y su mujer

GÉNESIS 19

os dos ángeles hicieron una seria advertencia a Lot. «Si alguien de tu familia está viviendo en Sodoma, date prisa y sácalo de aquí —le instaron los ángeles—. ¡Dios nos ha enviado para destruir la ciudad y a toda persona malvada que viva en ella!»

Al día siguiente, al rayar el alba, los ángeles volvieron a apremiar a Lot para que abandonara la ciudad. Pero él todavía no estaba seguro de qué hacer. Costaba creer que Dios estuviera a punto de destruir su casa. Al ver que vacilaba, los ángeles agarraron a Lot, a su mujer y a sus hijas de la mano y los sacaron de la ciudad.

«¡Rápido! —gritaron los ángeles—. El tiempo se acaba. ¡Corred al monte y salvad vuestras vidas! ¡Ah! Hay una cosa que debéis recordar: ¡no miréis atrás!»

Lot y los suyos se marcharon a toda prisa. Cuando el sol estaba en lo alto del cielo, Dios envió una devastadora tormenta de azufre ardiente que cayó sobre las ciudades de Sodoma y Gomorra. Nada sobrevivió a este infierno. Todos murieron y los edificios y las tierras quedaron en ruinas.

Percibiendo la destrucción y desobedeciendo a los ángeles, la mujer de Lot no pudo evitar volverse para ver la ciudad. De inmediato se transformó en una estatua de sal.

A primera hora del día siguiente, Abraham miró hacia Sodoma y Gomorra. Lo único que vio fueron unas nubes de humo que salían del lugar que habían ocupado ambas ciudades. Al menos su sobrino Lot se había salvado, pensó aliviado.

EL SALADO MAR MUERTO

Situado a 392 m bajo el nivel del mar, el mar Muerto es el punto más bajo del planeta. No tiene salida alguna, de manera que solo pierde el agua que se evapora. Esto provoca una concentración de minerales y sales tal que en sus aguas es imposible cualquier tipo de vida. Las columnas de sal en el agua recuerdan el destino de la mujer de Lot.

Alegría por el nacimiento de Isaac

GÉNESIS 18-21

Un día soleado y caluroso en el que Abraham estaba sentado en la entrada de su tienda, alzó la vista y vio a tres hombres cerca de allí.

Salió a su encuentro, se inclinó y les dijo: «Caballeros, estoy aquí para servirlos. Me han honrado viniendo a mi casa. Déjenme que les traiga agua para que se laven los pies y comida para reponer fuerzas para el viaje».

Los hombres accedieron y Abraham le dijo a Sara que cociera un poco de pan mientras él los agasajaba con leche y su carne más tierna bajo la agradable sombra de un árbol.

«¿Dónde está tu esposa Sara?», preguntaron de repente los hombres a Abraham.

«Está en la tienda», contestó preguntándose por qué querían saberlo.

Uno de ellos, que en realidad era Dios, le dio a Abraham la noticia que llevaba esperando desde hacía muchos años.

«Cuando yo vuelva dentro de nueve meses, Sara tendrá un hijo», declaró.

Sara había estado escuchando la conversación y rió entre dientes. «¡Eso es imposible! —dijo—. Soy demasiado vieja para tener hijos.»

«¿Por qué se ha reído Sara? —preguntó Dios a Abraham—. Nada es demasiado difícil para Dios. Prometo que dentro de nueve meses Sara dará a luz un niño.»

«No me he reído», mintió Sara, azorada porque Dios había oído su escéptica risa.

«Sí lo has hecho. Yo te he oído», replicó Dios con firmeza.

Nueve meses más tarde, la promesa de Dios se cumplió y Sara dio a luz un niño. «Dios me ha dado una alegría», gritó Sara encantada.

Abraham estaba muy contento de tener un hijo, sobre todo porque para entonces ya era un anciano de cien años.

Abraham llamó a su hijo Isaac, que significa «el que ríe», porque Sara había reído.

Sacrifica a tu hijo

GÉNESIS 22

P or fin Dios había dado un hermoso hijo a Abraham y a Sara, quienes observaban con gran deleite cómo Isaac se convertía en un joven alegre. Pero un día Dios deci-dió poner a prueba la fe de Abraham. «Lleva a Isaac a una montaña de la tierra de Moria y ofrécemelo como sacrificio», le ordenó Dios.

¿Alguien imagina cómo debió sentirse Abraham al pensar que debía matar a su único hijo? Pero Abraham confiaba en Dios, así que a la mañana siguiente, obediente, cargó la leña para realizar el sacrificio en su burro y salió de viaje hacia Moria con Isaac y dos criados.

Al tercer día, Abraham vislumbró a lo lejos la montaña que Dios le había dicho. Orde-nó a sus criados que esperaran allí con el burro, Isaac cargó la leña y él tomó un cuchillo y carbón para encender el fuego.

Cuando iban caminando los dos juntos, Isaac preguntó a Abraham: «Padre, ¿dónde está el cordero para el sacrificio?».

Abraham pensó mucho y respondió: «Confío en que Dios lo proveerá».

Cuando llegaron, Abraham construyó un altar con piedras y leña. Entonces tomó sua-vemente a Isaac, le ató los brazos y lo colocó sobre el altar. Tomó el cuchillo y se armó de valor para matarlo.

De repente, un ángel gritó desde el cielo: «¡Abraham, Abraham!».

«Aquí estoy», respondió él.

«No hagas daño a Isaac —dijo el ángel—. Has superado la prueba. Ahora sé que amas verdaderamente a Dios, porque estabas dispuesto a renunciar a tu hijo. Te bendeciré con tantos descendientes como estrellas hay en el cielo o granos de arena en la playa.»

Abraham exhaló un enorme suspiro de alivio. Miró a su alrededor y descubrió un carnero que estaba enredado por los cuer-nos en un arbusto. Agradecido, ofreció el carnero como sacrificio en lugar de a su querido hijo.

Así, con gran regocijo, Abraham llamó a ese lugar «el Señor provee». Después él e Isaac descendieron la montaña y regresaron a casa.

LA CRÍA DE OVEJAS

Las ovejas aparecen citadas en la Biblia más de 400 veces. Su lana era muy valiosa, pues constituía la fibra más útil y fácil de conseguir para fabricar ropa. La piel de oveja curti-da también se usaba para fabricar tiendas, zapatos y ropa. La leche de oveja, un alimento básico de la dieta, era más importante que la carne, que solo se comía en ocasiones especiales.

Una esposa para Isaac

GÉNESIS 24

Cuando sus días estaban tocando a su fin, Abraham empezó a pensar en encontrar una esposa para su hijo, Isaac. No quería que este se casara con una mujer de Canaán, la tierra en la que vivían.

Así, Abraham llamó a uno de sus criados y le dijo que Dios le ayudaría a encontrar una esposa para Isaac entre los parientes que vivían en su tierra natal de Mesopotamia.

El criado se puso en camino y cuando llegó a las puertas de la ciudad en la que vivía Najor, el hermano de Abraham, dejó que sus camellos descansaran cerca de un pozo.

Oró: «Dios, por favor, haz que una de las jóvenes que venga al pozo sea la esposa que has escogido para Isaac. Cuando le pida agua, deja que ella dé también de beber a mis camellos para que yo pueda saber que es la mujer adecuada».

Antes incluso de haber acabado de rezar, una bella joven llamada Rebeca, que era nieta de Najor, se acercó a llenar su cántaro de agua. «Por favor, dame un poco de agua de tu cántaro», dijo el criado.

«Con mucho gusto, señor, y también daré de beber a sus camellos.»

CÁNTAROS DE AGUA

Los cántaros de barro se han usado durante siglos para sacar agua de los pozos. Su forma y tamaño apenas han variado con los años. Hoy en día, en muchas zonas secas del mundo, los pozos siguen siendo la fuente de agua principal para animales y personas.

El criado estaba encantado de que sus ruegos hubieran sido escuchados. ¡Rebeca era la mujer adecuada! Alabó a Dios y a ella le regaló unas joyas. «¿Hay sitio para hospedarme en casa de tu padre?», preguntó.

«Será bien recibido», respondió la joven.

El padre y el hermano de Rebeca recibieron al criado, quien les entregó unos regalos de parte de Abraham. Escucharon con atención su historia sobre cómo Dios había elegido a Rebeca para ser la esposa de Isaac y accedieron gustosamente al matrimonio. Al día siguiente, Rebeca se despidió de su familia y salió hacia Canaán con el criado.

Estando ya cerca, vieron a Isaac paseando por el campo. Rebeca se apeó para conocer a su futuro marido y tímidamente se tapó la cara con el pañuelo.

Cuando oyó la historia del criado, Isaac se alegró de conocer a su futura esposa. La llevó a su tienda y se casó con ella. E Isaac amó mucho a Rebeca.

Jacob arrebata la bendición a Esaú

GÉNESIS 25-27

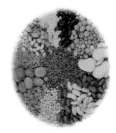

Durante muchos años, Rebeca, la mujer de Isaac, fue incapaz de tener hijos. Al final dio a luz gemelos: Esaú y Jacob. Antes de que estos nacieran, Dios dijo a Rebeca que pensaba convertir a Jacob en el cabeza de la familia, aunque fuera más joven que su hermano Esaú.

Un día, Esaú regresó a casa muy hambriento tras una jornada de caza, así que pidió a Jacob que le diera un poco del guiso de lentejas que estaba preparando.

«Solo si me das tus derechos como primogénito», replicó Jacob.

«De acuerdo —dijo Esaú comiendo con voracidad sin pensar demasiado en la pérdida de su herencia—. De todos modos, estoy a punto de morir de hambre. ¿De qué me servirían entonces mis derechos?»

Años después, cuando Isaac supo que sus días tocaban a su fin, quiso ordenar sus asuntos. «Ve y mata a un animal para mí, Esaú, y prepárame una apetitosa comida. Luego te daré mi última bendición antes de morir.»

Rebeca, que estaba escuchando, decidió que se cumpliera lo que Dios había pensado para Jacob. «Yo le prepararé algo de comer a tu padre —le dijo a Jacob—. Tú puedes fingir que eres Esaú y recibir en su lugar la bendición de tu padre.»

Jacob protestó. «Padre es casi ciego, pero yo no tengo tanto vello como Esaú, de manera que se dará cuenta de que soy yo.»

La respuesta de Rebeca fue vestir a Jacob con las mejores ropas de Esaú y ponerle pieles de cabra en los brazos y el cuello para que pareciera más velludo.

«¿Eres verdaderamente Esaú?», preguntó Isaac cuando Jacob le llevó la comida.

«Lo soy», mintió Jacob esperando engañar a su padre.

Isaac reconoció el olor de la ropa de Esaú y sintió el vello de sus brazos. Creyendo que era Esaú, le dio su bendición para que se hiciera cargo de la familia cuando él muriera.

Cuando Esaú llegó a casa poco después y llevó la comida a su padre, Isaac se quedó atónito al descubrir que lo habían engañado. «Tu astuto hermano me ha engañado y ha robado tu bendición», le dijo Isaac muy afligido.

Esaú estalló de ira y rogó a su padre: «¡Debes bendecirme a mí también!».
Pero nada podía hacer ya Isaac.

LENTEJAS Y JUDÍAS
Las lentejas y las judías son los alimentos preferidos en Oriente Próximo. Se pueden cocer para preparar un guiso, como el que Jacob dio a Esaú, o mezclarse con otros ingredientes para elaborar pan.

LA LENTEJA
Pertenece a la familia del guisante. Es una planta pequeña con cinco o seis pares de hojas con zarcillos en cada tallo. Sus flores tienen rayas blancas y violetas, y sus vainas encierran las lentejas.

Jacob trabaja duro y muchos años

GÉNESIS 28-29

Esaú estaba tan enojado porque Jacob le había robado la bendición que amenazó con matar a su hermano. Pero Rebeca se enteró casualmente de sus intenciones y previno a Jacob. Le dijo que se marchara de inmediato y que se quedara en casa de su tío Labán, en Jarán.

Durante el viaje, Jacob se durmió con la cabeza apoyada en una piedra y tuvo un sueño muy real. Tuvo una visión de una escala gigante que estababa apoyada en la tierra y que llegaba al cielo. Los ángeles subían y bajaban por ella.

En la parte más alta estaba Dios, quien se dirigió a Jacob prometiéndole: «Te daré esta tierra a ti y a tus numerosos descendientes».

Cuando Jacob se despertó, estaba tan asombrado de que Dios le hubiera hablado que le rindió culto convirtiendo en un altar la piedra que había usado como almohada. Llamó a este sitio Betel, que significa «la casa de Dios».

Después Jacob prosiguió su viaje hasta que llegó a un pozo junto al cual unos pastores aguardaban para dar de beber a sus ovejas. «¿Conocéis a mi tío Labán?», les preguntó.

«Sí, lo conocemos —respondieron—. Precisamente ahí viene su bella hija Raquel.»

Jacob movió la pesada piedra del pozo para ayudar a Raquel a dar de beber a sus ovejas y luego se presentó como su primo. Raquel fue corriendo a buscar a su padre, Labán, quien invitó a Jacob a quedarse en Jarán y a trabajar para él.

Jacob enseguida se enamoró de Raquel. Cuando Labán ofreció pagarle por su duro trabajo, lo único que Jacob le pidió fue casarse con ella. Incluso se ofreció a trabajar gratis durante siete años. Labán accedió y como Jacob amaba tanto a Raquel los siete años le parecieron unos pocos días.

Pero el día de la boda, Labán engañó a Jacob y lo casó con su hija mayor, Lía, que era poco agraciada.

«¿Por qué has roto nuestro pacto?», preguntó Jacob enfadado.

«La hija mayor debe casarse primero —explicó Labán—. Pero no te preocupes. Al final de esta semana podrás casarte con Raquel si trabajas para mí otros siete años más.»

Jacob estaba decepcionado, pero amaba tanto a Raquel que accedió a trabajar esos siete años.

Ahora Jacob tenía dos mujeres, Raquel y Lía, pero él amaba más a Raquel.

Bienvenido, hermano

GÉNESIS 32-33

Jacob siguió trabajando duramente como pastor, pero Labán continuó engañándolo, de modo que cuando Raquel dio a luz a su hijo José, Jacob decidió regresar a su casa en Canaán.

Jacob partió con Raquel, Lía y sus hijos, sus criados y sus rebaños, pero había algo que le tenía preocupado. ¿Todavía querría matarlo su hermano Esaú por haberle robado su herencia? Envió un mensaje a Esaú diciéndole que esperaba que pudieran ser amigos.

Pero sus mensajeros regresaron con un aviso de que Esaú estaba saliendo a su encuentro con cuatrocientos hombres. Jacob se asustó al pensar en un ejército atacando a su familia y rezó con toda su alma: «¡Dios, no merezco que me ayudes, pero por favor, sálvanos a mí y a mis seres queridos!».

Jacob dividió a los suyos en dos grupos para que si uno de ellos era atacado, al menos el otro pudiera escapar. Entonces dijo a sus criados que entregaran algunos de sus animales a Esaú, con la esperanza de que esa generosidad aplacara la ira de su hermano.

En plena noche, Jacob envió a su familia y todas sus pertenencias al otro lado del río Yaboc, donde estarían seguros, pero él se quedó solo en la otra orilla.

De repente, apareció un hombre que empezó a luchar con Jacob. Pelearon toda la noche y cuando el hombre se dio cuenta de que no podía vencer a Jacob, lo golpeó en la cadera, que se dislocó. El hombre pidió a gritos a Jacob que le dejara marchar, pero Jacob insistió: «No lo haré hasta que me hayas bendecido».

Entonces el hombre dijo: «Ahora que has luchado contra Dios y has vencido, te llamarás Israel en lugar de Jacob».

Jacob le preguntó quién era, pero el hombre simplemente lo bendijo y no contestó. «¡He visto a Dios cara a cara y todavía sigo vivo!», dijo Jacob atemorizado y anonadado mientras avanzaba cojeando.

Ese mismo día, un poco más tarde, marchó valientemente delante de los suyos al encuentro de Esaú, esperando que su hermano lo hubiera perdonado.

Pero Esaú no le guardaba ningún rencor. Al contrario, abrazó a Jacob con cariño y dio la bienvenida a su familia. Enseguida ambos lloraron de alegría.

RAQUEL
A Jacob lo engañaron para casarlo con Lía, pero después también se casó con Raquel, lo que desató muchas tensiones. Lía estaba desesperada por tener un hijo para ganarse el amor de su marido. Al final tuvo cuatro, mientras que Raquel tardó años en darle un hijo. Jacob estaba atrapado entre las dos.

Cuidar las ovejas
El primer pastor que se cita en la Biblia es Abel. El trabajo de pastor era duro. En una tierra tan seca y pedregosa como la suya, resultaba difícil encontrar pasto y agua suficientes para alimentar al ganado.

Los sueños de José

GÉNESIS 37

Jacob tuvo doce hijos, pero José ocupaba un lugar especial en su corazón, ya que era hijo de Raquel. Para mostrar a todo el mundo que José era su favorito, Jacob le regaló una fabulosa túnica. Era de manga larga y estaba hecha con un bello tejido que reunía todos los colores del arco iris.

Todos los hermanos de José le tenían celos y el hecho de que este siempre le contara a Jacob las acciones reprobables de ellos no ayudaba mucho a aplacarlos. En realidad, sus hermanos lo odiaban tanto que eran bastante desagradables con él.

Una noche, José tuvo un extraño sueño que contó a sus hermanos: «He soñado que todos nosotros estábamos trabajando en el campo, atando gavillas de trigo. De repente, mi gavilla se erguía y las vuestras se inclinaban ante ella».

A sus hermanos no les pareció gran cosa. «¿Crees realmente que vas a reinar sobre nosotros?», le preguntaron odiándole aún más.

José volvió a tener otro sueño que también contó a sus hermanos, lo que hizo que su odio hacia él fuera aún mayor. «¡Escuchad esto! —dijo—. ¡He soñado que veía el Sol, la Luna y once estrellas que se inclinaban ante mí!»

Le contó el sueño a su padre, pero Jacob, que también se sintió molesto, le reprendió. «¿Crees realmente que tu madre, yo y todos tus hermanos vamos a inclinarnos ante ti? ¡No seas ridículo!»

Una vez Jacob se hubo tranquilizado empezó a pensar en el sueño. Tal vez Dios había escogido a José para que fuera un líder y el sueño, después de todo, se hiciera realidad.

LOS TINTES

Actualmente, en muchos mercados de Oriente Próximo se pueden comprar tintes brillantes y de colores vivos como los de la ilustración. Pero la Biblia solo menciona cuatro colores de tinte: púrpura, azul, carmesí y escarlata. Estos tintes debieron de fabricarse a partir de productos naturales como crustáceos, insectos y raíces de plantas.

José, vendido como esclavo

GÉNESIS 37

Un día, Jacob envió a José a que vigilara a sus hermanos, que estaban en el campo con las ovejas. Por aquel entonces, los hermanos de José albergaban tantos celos y envidia que querían matarlo. Simplemente estaban esperando que se presentara una buena oportunidad para llevar a cabo su plan.

«Mira, por ahí viene el soñador —dijeron con desprecio al ver a José a los lejos ataviado con su túnica de colores—. Vamos a matarlo y a arrojar su cuerpo a un pozo. ¡Así sus sueños se quedarán en nada! Podemos fingir que lo ha matado un animal salvaje para no meternos en líos.»

Pero Rubén, el hermano mayor, protestó: «No lo matemos. Arrojémoslo simplemente a un pozo seco». Rubén esperaba regresar a escondidas más tarde y ayudar a José a huir.

Al llegar José, lo despojaron de la túnica y lo arrojaron a un pozo seco. Después se sentaron a comer haciendo caso omiso de sus gritos de auxilio.

Al cabo de un rato, uno de los hermanos, Judá, al ver

a un grupo de comerciantes ismaelitas que iban en camello a Egipto, dijo a los otros: «Tengo una idea. ¿Por qué no vendemos a José como esclavo en vez de matarlo? Así no nos sentiremos tan culpables. Al fin y al cabo es nuestro hermano».

Sus hermanos accedieron, de modo que cuando pasó el siguiente grupo de ismaelitas, sacaron a José del pozo y se lo vendieron por veinte monedas de plata. A los hermanos no les importaba que José tuviera que enfrentarse a una dura vida como esclavo.

Para ocultar lo que habían hecho, mataron una cabra y con su sangre mancharon la túnica de José para mostrársela a su padre.

Jacob se quedó horrorizado al verla. «¡Es la túnica de José! —gimió—. ¡Un animal salvaje lo ha despedazado!»

El disgusto de Jacob era tal que nadie pudo consolarlo. Jacob lloró la muerte de su hijo favorito durante mucho tiempo.

LAS BORLAS

La traducción griega de la Biblia describe la túnica de José como una «túnica multicolor», pero habría sido más exacto traducirlo como un manto de manga larga ricamente decorado. Es probable que estuviera hecho con un tejido de hilos de colores y tuviera borlas alrededor.

LOS COMERCIANTES DE CAMELLOS

En la época de José era usual ver comerciantes como este beduino con sus camellos. Gracias a los camellos, los comerciantes podían transportar mercancías pesadas por las zonas desérticas. Es probable que los comerciantes ismaelitas de esta historia llevaran especias e incienso para venderlos en Egipto.

José, encarcelado

GÉNESIS 39

Cuando llegaron a Egipto, los comerciantes ismaelitas vendieron a José como esclavo. Lo compró un hombre llamado Putifar, que trabajaba como capitán de los guardias en el palacio real de Egipto. Putifar enseguida se dio cuenta de que José era un hombre trabajador y de que Dios le ayudaba a tener éxito en todo lo que hacía. Así pues, puso a José al cargo de su casa y le confió todas sus posesiones.

Pero se avecinaba un problema. Como José era un hombre fuerte y atractivo, la mujer de Putifar empezó a desearlo y a tratar de convencerlo para que se acostara con ella.

José se horrorizó y le dijo con firmeza: «Tu marido me ha confiado todo lo que hay en esta casa, pero desde luego no me ha entregado a su esposa. ¡No pecaré contra Dios haciendo una cosa tan terrible!».

Pero la mujer de Putifar no se dio por vencida. Todos los días trataba de convencerlo para que accediera a sus deseos. Pero José no cedía a la tentación, por lo que hizo todo lo posible para evitar estar cerca de ella.

Entonces, un día, cuando ninguno de los otros criados andaba cerca, la mujer de Putifar agarró a José por la capa e insistió en que se fuera a la cama con ella. Por suerte, José logró escapar, pero al echar a correr dejó la capa en manos de ella.

«¡Mirad lo que ha hecho José! —gritó la mujer de Putifar a los criados fingiendo un gran disgusto—. ¡Ha intentado violarme, pero he chillado y él ha huido!»

Cuando Putifar regresó a casa, ella le enseñó la capa de José y le contó las mismas mentiras, y él la creyó. Enojado, ordenó que encarcelaran a José.

José había caído en desgracia, pero Dios estaba con él, incluso en prisión. El carcelero enseguida se dio cuenta de que se podía confiar en José y lo ayudó ordenándole que se hiciera cargo del resto de los prisioneros. En la cárcel la vida transcurrió sin ningún percance, porque Dios ayudaba a José a tener éxito en todo lo que hacía.

Dime el significado de mis sueños

GÉNESIS 40-41

Estando en la cárcel, José se convirtió en el criado del escanciador de vino y del panadero mayor del rey de Egipto. Ambos habían encolerizado al rey y estaban en la cárcel a la espera de saber cuál sería su suerte. Una noche, ambos tuvieron unos sueños extraños que no sabían interpretar, por lo que José se ofreció para explicarles su significado.

El escanciador dijo: «He soñado que exprimía las uvas de tres sarmientos en la copa de vino del rey».

José, contento, le dijo: «Dios te está diciendo que dentro de tres días el rey te restituirá en tu puesto».

Entonces el panadero dijo: «Yo he soñado que estaba llevando tres cestas de pasteles al rey, pero los pájaros se los comían».

José le dijo apenado: «Dios te está diciendo que dentro de tres días el rey te decapitará».

Y al cabo de tres días el rey hizo exactamente lo que José les había dicho.

Dos años después, José seguía en prisión. Una noche, el rey tuvo un sueño enigmático que ninguno de sus hombres sabios supo interpretar. Cuando el escanciador le dijo que José podía hacerlo, el rey lo mandó llamar. «Me han dicho que puedes explicar el significado de los sueños», dijo.

José respondió cautelosamente: «No puedo, pero si me das detalles, Dios me lo dirá».

Así que el rey empezó a contarle el sueño.

«He soñado que, estando de pie junto al Nilo, de él salían siete vacas gordas a pastar. Luego aparecían siete vacas magras y se comían a las otras. También soñé que veía siete espigas de trigo maduro. Dime, ¿qué significa todo esto, José?»

«Dios te está diciendo que te prepares para siete años de buenas cosechas, seguidos de siete años de terrible hambruna —explico José—. Debes poner a un hombre inteligente a cargo del país de inmediato. Solo si haces acopio de alimentos mientras haya muchos tu pueblo podrá salvarse de la inanición durante la hambruna.»

GRABAR EL PAN
Así debía de ser el útil empleado por el panadero para grabar el pan. Su trabajo consistía en moler y tamizar la harina para después amasarla con agua y levadura. Luego daba forma de pan a la masa, la grababa y la metía al horno.

José, al mando

GÉNESIS 41-42

LOS CULTIVOS

Las condiciones para cultivar a orillas del Nilo eran ideales. Había un clima soleado y muchos trabajadores. Cada año, el Nilo se desbordaba y sus aguas cubrían las tierras colindantes. Esto hacía que el suelo fuera fértil. Los agricultores abrían canales especiales para conducir esas aguas a los campos.

LA DIOSA GATO EGIPCIA

Los egipcios adoraban a muchos dioses. Algunos representaban poderes especiales de la naturaleza, como el sol o las inundaciones del Nilo. La diosa gato, Bastet, era la hermana del dios sol, Ra. Se cree que Bastet tenía el poder de hacer madurar los cultivos.

Una vez José hubo interpretado sus sueños, el rey se dio cuenta de lo sabio que era aquel hombre. Sin duda, podía oír a Dios y era la persona adecuada para asegurarse de que Egipto no se arruinaría por la futura hambruna.

«¡Te nombro primer ministro de todo Egipto!», declaró el rey mientras entregaba a José ropas elegantes y una cadena de oro, e incluso le ponía uno de sus propios sellos reales en un dedo para mostrar su nueva autoridad. ¡Qué cambio, de prisionero a ministro!

Ahora José tenía que encargarse de almacenar suficiente comida para alimentar al pueblo.

Durante los siete años siguientes, las cosechas fueron buenas, tal y como Dios había dicho.

José viajó por todo el país para hacer acopio de los productos de los campos y llevarlos a las ciudades, donde eran almacenados. Las pilas de cereales eran tan altas que parecían millones de granos de arena en una playa. José desistió en su intento por cuantificarlos.

Después, como había dicho Dios, hubo siete años de terrible hambruna en los que no crecieron cultivos en los campos. Hambriento, el pueblo egipcio clamó al rey pidiendo comida. Este les dijo que fueran a ver a José.

Ahora José podía llevar a cabo el plan de Dios. Abrió los almacenes y vendió el trigo del que había hecho acopio los años de buenas cosechas. Lo cierto es que había tanto trigo que mucha gente de otros países fue a Egipto a comprar un poco porque también estaba padeciendo hambruna.

La familia de José de Canaán tampoco tenía alimentos, por lo que Jacob dijo a sus hijos: «Id a Egipto y traed trigo para no morir de hambre».

Así pues, los hermanos de José viajaron hasta Egipto. Pero al recordar la trágica pérdida de José, su hijo favorito, Jacob hizo que el hijo pequeño, Benjamín, se quedara a salvo en casa.

José alimenta a su familia

GÉNESIS 42-45

Los hermanos de José no lo reconocieron al inclinarse ante el poderoso ministro egipcio. José fingió no reconocerlos tampoco. «Sois espías», los acusó con dureza. «¡No! —protestaron—. Somos una familia honrada. Solo hemos venido a comprar alimentos. Éramos doce, pero un hermano nuestro murió y el más pequeño está en casa.»

Pero José los mandó encarcelar. Tres días después les dijo: «Si queréis salvar la vida, traedme a vuestro hermano pequeño. Me quedaré con Simeón como rehén hasta que volváis para probar vuestra honradez».

«Ahora estamos pagando lo que le hicimos a José», dijo Rubén con tristeza a sus hermanos. José lo oyó y se echó a llorar. Como sintió compasión por su familia, dejó que sus hermanos se llevaran a casa un poco de trigo.

De regreso en Canaán, la familia enseguida dio buena cuenta del trigo y Jacob, a regañadientes, tuvo que dejar que sus hijos se llevaran a Benjamín a Egipto.

Cuando José volvió a ver a Benjamín, se puso tan contento que salió y derramó lágrimas de alegría. Entonces invitó a sus hermanos a un magnífico banquete.

Después José mandó llenar sus sacos de alimentos y él mismo, a escondidas, metió su copa de plata en el saco de Benjamín para averiguar si sus hermanos se habían vuelto mejores personas. Cuando la copa perdida fue encontrada en el saco de Benjamín, todos los hermanos fueron arrestados.

«Eres culpable, de modo que desde ahora te convertirás en mi esclavo», dijo José al asustado Benjamín.

Judá estaba preocupado. «Nuestro padre ya perdió a José. Si pierde también a Benjamín, se morirá de dolor. Yo seré vuestro esclavo en su lugar.» Años atrás, Judá había sugerido vender a José como esclavo, por lo que ahora quería sacrificarse para liberar a Benjamín.

José gritó aliviado. «¿No te das cuenta? ¡Soy yo, José! Dios me envió a gobernar Egipto para que pudiera salvaros de la inanición.» Abrazó a sus emocionados hermanos. «Decid a mi padre que tenéis que venir todos a Egipto. Aquí hay mucha comida.»

LA COPA DE PLATA EGIPCIA

En la época de José, la plata era un metal precioso que se importaba a Egipto desde Siria, por lo que era muy valiosa. Solo los nobles bebían en copas de plata; la gente de a pie tenía copas de cerámica. El robo de la copa de José era un asunto serio, no solo porque era un objeto muy valioso, sino también porque José ocupaba un cargo importante como primer ministro.

Un bebé entre los juncos

ÉXODO 1-2

El rey de Egipto estaba asustado por la gran cantidad de israelitas que vivían en su país. Los trataba con mucha crueldad y los esclavizaba. Entonces el rey dijo a las comadronas que asistían a las hebreas parturientas que mataran a los recién naciones varones. Pero como respetaban a Dios, las comadronas desobedecieron al rey. Al final el rey ordenó: «¡Lanzad a los bebés varones al río Nilo!».

Una hebrea dio a luz un niño adorable. Como no quería que lo mataran lo tuvo tres meses en su casa hasta que no pudo seguir escondiéndolo. Entonces hizo una cesta de juncos, metió en ella al niño y la depositó en el Nilo.

«Quédate a ver qué ocurre», dijo la madre a su hija Miriam. La cesta se mecía entre los juncos, cerca de la orilla. Entonces llegó la hija del rey con sus criadas para darse un baño. La chica divisó la cesta y cuando miró en su interior el niño empezó a llorar.

«¡Es un pobre niño hebreo!», exclamó la princesa asombrada.

Al ver que sentía lástima por el bebé, su hermana se acercó y le preguntó: «¿Quieres que busque a una hebrea que críe al niño?».

«Sí», contestó. Y Miriam fue corriendo a buscar a su madre.

«Cuídame a este niño que yo te pagaré», le dijo la hija del rey. De modo que la madre biológica del niño cuidó de él hasta que creció. La hija del rey lo adoptó y le puso por nombre Moisés.

EL COCODRILO DEL NILO
Ahora ya no pueden verse cocodrilos en las aguas del Nilo por debajo de la presa de Asuán, pero en tiempos de Moisés había muchos. Sagrados para los egipcios, son los mayores reptiles del mundo y pueden llegar a medir más de seis metros. Dejar a un niño en una cesta entre los juncos del Nilo era muy peligroso.

EL HALLAZGO DE MOISÉS
Moisés fue encontrado entre los juncos a orillas del Nilo por la hija del rey. Esta lo adoptó y le puso por nombre Moisés, palabra parecida a un término hebreo que significa «sacado de las aguas».

Moisés pisa Tierra Santa

ÉXODO 3-4

Cuando Moisés creció, abandonó Egipto y se hizo pastor. Un día, vio una zarza que estaba ardiendo, pero pese a las llamas la zarza no se consumía.

Se acercó a mirarla y la voz de Dios procedente del interior de la extraña zarza le dijo: ¡No te acerques más! Quítate las sandalias porque estás pisando Tierra Santa. Soy el Dios de Abraham, Isaac y Jacob». Moisés tembló de miedo.

«He visto la aflicción de mi pueblo en Egipto. He oído sus gritos de sufrimiento en manos de sus crueles señores y he decidido sacarlos de Egipto y llevarlos a una tierra maravillosa en la que haya todo lo que necesiten. Te he escogido para que vayas ante el rey y le pidas que les permita marcharse.»

Moisés empezó a idear un sinfín de excusas, pero cada vez que pensaba en una razón para no ir, Dios la rechazaba.

Cuando Moisés le preguntó qué iba a responder si querían saber quién lo había enviado, Dios le dijo que contestara: «Diles "EL QUE ES" me ha enviado». Dios también le aseguró que demostraría su poder realizando grandes milagros.

Moisés todavía no estaba seguro. «Realmente no quiero hacerlo. ¡Por favor, envía a otro!»

Pero esta vez Dios se enfadó y rugió: «¡Muy bien! Enviaré a tu hermano Aarón para que hable». Seguidamente, ambos salieron nerviosos rumbo a Egipto.

EL PASTOR Y EL REBAÑO

Las ovejas eran animales importantes, ya que daban leche, carne y lana a los hombres. No estaban encerradas, sino que vagaban por el campo, donde también moraban animales salvajes. Los pastores protegían los rebaños y les buscaban agua fresca y pastos.

LAS SANDALIAS

Estas sandalias de la época de Moisés están fabricadas con papiro tejido, hojas de palma y hierba. Es fácil comprender que, al ser abiertas, los pies se ensuciaban mucho lo que hacía necesario el ritual de lavárselos. Quitarse las sandalias en presencia de Dios era una señal de respeto. Esta costumbre todavía se mantiene actualmente en los templos musulmanes, hindúes y budistas.

YAHVEH

Esta es la transcripción hebrea de «Yahveh», que se traduce por «Soy el que es». En la Biblia aparecen varios nombres para designar a Dios, aunque los judíos consideran que Yahveh es el más sagrado de todos y por eso no lo pronuncian.

Las plagas azotan Egipto

ÉXODO 5-10

arón y Moisés se presentaron ante el rey de Egipto. «El Señor, Dios de Israel, dice que dejes marchar a su pueblo para que este pueda honrarle celebrando una fiesta en el desierto.»

Pero el rey replicó: «¿Quién es ese Dios? No dejaré que se vayan».

La petición realizada le enfureció tanto que todavía endureció más la vida de los esclavos. A partir de entonces incluso tuvieron que fabricar los ladrillos para los grandes templos que les obligaban a construir.

Cuando Moisés se dio cuenta de su sufrimiento, rogó nuevamente a Dios.

«Volved a ver al rey. Aunque hará todo lo posible para oponerse, al final verá mi poder y os dejará marchar», fue la respuesta de Dios.

Moisés y Aarón se presentaron nuevamente ante el rey de los egipcios. Una vez allí, Aarón tiró al suelo su vara, la cual se convirtió en una serpiente. Pero como el rey vio que sus propios magos también podían hacerlo no quedó convencido y se negó a escuchar a Moisés.

Entonces Dios dijo a Moisés que anunciara al rey que el río Nilo se convertiría en sangre. Cuando esto ocurrió, el rey se mantuvo impertérrito, por lo que Dios provocó una sucesión de terribles plagas sobre Egipto. Envió ranas que se metieron en las casas de la gente; después salieron de la nada molestos mosquitos; luego hubo una plaga de moscas que cubrió a todos los hombres y animales; después los animales de Egipto murieron víctimas de una misteriosa enfermedad; más tarde, a todos los egipcios les salieron unas horribles pústulas; el granizo destruyó los cultivos y mató al ganado; posteriormente, surgió una oscura nube de langostas que acabó con la vegetación del campo; por último, todo el territorio quedó sumido en tinieblas durante tres días.

Cada vez que aparecía una plaga, el rey decía que los israelitas podían marcharse, pero cuando Moisés la detenía, cambiaba de opinión.

Tras la última plaga, Moisés fue a ver al rey, quien accedió a que los israelitas se marcharan.

Moisés le dijo entonces: «También tenemos que llevarnos a nuestros animales para ofrecerlos a Dios en sacrificio».

La muerte no alcanza al pueblo de Dios

ÉXODO 11-12

EL HISOPO
Aunque el hisopo aparece mencionado muchas veces en la Biblia, no se sabe a ciencia cierta la identidad de esta planta. El hisopo se empleaba en los ritos de la Pascua judía, para purificar a los leprosos, curar la peste y realizar sacrificios. La hierba conocida actualmente como hisopo crece en todo el sur de Europa.

Antes de su último encuentro con el rey, Dios había dicho a Moisés: «Enviaré una última plaga sobre Egipto tras la cual el rey os expulsará de su país».

Al final de su entrevista con el rey, Moisés le dijo en qué consistiría esta última plaga: «A medianoche, Dios pasará por tu país, donde cada primogénito, desde el de clase más alta al de la más baja, morirá. El llanto angustiado de los padres desconsolados resonará en todo Egipto. Solo mi pueblo se librará de esta tragedia. Entonces me enviarás a tus oficiales para rogarnos que nos marchemos».

A continuación, Moisés desapareció de la presencia del rey y se dirigió adonde estaba su pueblo para prepararlo para los dramáticos acontecimientos que tendrían lugar esa noche.

«Escuchad atentamente todo lo que tengo que decir —dijo a los israelitas—. Cada familia elegirá un cordero y esta noche lo matará. Luego untará parte de su sangre en las jambas. Seguidamente, toda la familia entrará en casa y cerrará bien la puerta; nadie se aventurará a salir porque Dios pasará por aquí. Si ve sangre en las jambas de la puerta pasará de largo. Cada año tendréis que hacer lo mismo para que vosotros y vuestros hijos os acordéis de cómo Dios mató a los egipcios y perdonó a su pueblo, los israelitas.»

La gente hizo lo que Moisés había dicho y esa noche Dios cumplió su promesa. Cada hogar perdió un hijo, que Dios mató de modo fulminante.

A primera hora del día siguiente, el rey envió unos mensajeros a Moisés para rogarle que se marcharan. Al alba, los israelitas salieron con sus rebaños rumbo a la libertad en el desierto ante la mirada de algunos egipcios.

La Pascua
La liberación de los israelitas (el pueblo judío) de la esclavitud se conmemora mediante la fiesta de la Pascua. La palabra «pascua» evoca cómo Dios hizo que la peste no entrara en las casas de los israelitas. Esta fiesta se celebra cada año en los hogares judíos con un menú especial que consiste en cordero asado, pan ázimo y hierbas amargas.

El viaje a la Tierra Prometida

uando se instalaron en Egipto aumentó el número de descendientes de Jacob –las doce tribus de Israel–. Al final los egipcios se sintieron amenazados ante el creciente número de israelitas, por lo que los negreros los cargaban con pesados fardos con la esperanza de agotarlos. El éxodo de Egipto, bajo el liderazgo de Moisés, fue lo que marcó el nacimiento de Israel como nación.

Moisés

Natural de Egipto y de padres israelitas, Moisés fue depositado en el Nilo dentro de una cesta y encontrado y criado por la hija de Faraón. Al tratar de reconciliar a dos compañeros israelitas, mató a un egipcio y huyó a Madián, donde pasó cuarenta años aislado. Tras la llamada de Dios en la zarza ardiente, volvió a Egipto a enfrentarse con Faraón y liberar a los israelitas de la esclavitud que sufrían atravesando el mar Rojo. Recibió de Dios las Tablas de la Ley, incluidos los Diez Mandamientos, en el monte Sinaí y supervisó la construcción del Tabernáculo. No pudo ir a la Tierra Prometida por no haber seguido las instrucciones dadas por Dios.

Dios llama a Moisés

La religión egipcia

Los egipcios tenían muchos dioses y eran muy supersticiosos, por lo que llevaban amuletos. Poseían una visión materialista del más allá. Los órganos vitales como el corazón o el hígado se extraían de los cadáveres y se metían en canopes. El resto del cuerpo se momificaba y se enterraba en ataúdes con todas las pertenencias que pudiera necesitar en el más allá.

Cultura

Gran parte de la cultura y las creencias egipcias se conocen gracias a pinturas bien conservadas sobre su vida cotidiana y sus prácticas religiosas. Los artículos hallados en las excavaciones revelan su gran talento para el trabajo del metal, la carpintería, la tejeduría, la cerámica y la construcción. Florecieron las artes y la literatura, y tenían conocimientos de muchos otros temas, como la medicina y las matemáticas.

Canopes

Pintura egipcia

Faraón

Este era el nombre que recibía el rey de Egipto, considerado un intermediario entre los dioses y la gente común. Su posición de gobernador civil y religioso le confería un poder y una autoridad absolutos. No se sabe con seguridad qué Faraón oprimió a los israelitas, pero pudo tratarse de Ramsés II.

Los esclavos

El pueblo de Israel prosperó y se multiplicó en Egipto durante cuatrocientos años, hasta el punto de que los egipcios lo vieron como una amenaza. Sus miembros fueron esclavizados. Se creó una ley para arrojar a sus recién nacidos al Nilo para así reducir su número.

Mujeres cautivas

Las plagas

Dios provocó una serie de desastres naturales o plagas en Egipto para que Faraón dejara marchar a los israelitas. Finalizada la décima plaga, los egipcios los dejaron ir. De este modo, Dios mostró su supremacía sobre los dioses de Egipto.

Las codornices y el maná

En el desierto, Dios alimentó a su pueblo con maná y codornices. Estas emigran en grandes bandadas. Cuando se posan suelen estar exhaustas, por lo que es fácil atraparlas. Es posible que el maná fuera una sustancia pegajosa y dulce extraída de una planta.

Codorn

Clima

Durante los cuarenta años que pasaron en el desierto, los israelitas soportaron condiciones climáticas extremas. Los días calurosos y las noches frías daban paso a niebla y rocío en la estación de las lluvias. Las montañas de granito y la aridez alternaban con oasis y uadis ocasionales donde la vegetación crecía en torno a un manantial.

Josué

Ayudante de Moisés y comandante del ejército, fue uno de los espías enviados a explorar Canaán. Sucedió a Moisés y condujo al pueblo de Israel a la Tierra Prometida. Es conocido por la victoria en Jericó y por su obediencia a la hora de conducir a Israel.

Los espías vuelven

Caleb

Caleb fue otro de los espías enviados a explorar la tierra de Canaán. Aunque todos los espías regresaron con un buen informe, solo Josué y Caleb confiaron en que Dios les permitiera conquistarla y al final solo ellos lograron asentarse allí – los demás israelitas nacidos en Egipto murieron en el desierto.

La tierra de Canaán

Esta era una tierra de colinas y valles que emergían de las llanuras costeras y después descendían nuevamente hasta el valle del río Jordán. El clima, de templado a tropical, y el contraste entre los veranos secos y calurosos y los inviernos húmedos hacían que la nieve coronara las cumbres al tiempo que las frutas tropicales maduraban en los valles. Había una gran variedad de cultivos, incluidos cereales, árboles frutales, vides y hortalizas. Canaán parecía un paraíso tras el desierto.

El Tabernáculo

Moisés construyó el Tabernáculo (tienda de reunión) en el desierto para adorar a Dios siguiendo las instrucciones que este le había dado en el monte Sinaí. La tienda estaba hecha de lino con cortinas de pelo de cabra, revestida con dos capas impermeables de pieles de animales colocadas sobre un armazón de madera de acacia. Estaba dividida en el Lugar Sagrado y el Lugar Más Sagrado, donde se guardaba el Arca de la Alianza. Todo debía ser portátil para transportarlo con facilidad.

Los cananeos

Varios pueblos, entre ellos los hititas, los amoritas, los perizitas, los jivitas y los jebuseos, eran conocidos de forma colectiva como cananeos. En su origen eran los descendientes de Canaán, el nieto de Noé. Ante su falta de respeto, él y sus descendientes fueron maldecidos.

La religión cananea

Esta religión implica el culto a muchos dioses y diosas. El jefe de estos era Baal, dios del tiempo, quien se cree poseía la clave de una buena cosecha, esencial para sobrevivir. Los ritos de fertilidad cananeos también estaban muy extendidos.

Baal

El viaje a la Tierra Prometida
Tras cuarenta años en el desierto de Sinaí, es probable que los israelitas se dirigieran al Sur, pero se desconoce la ruta exacta que siguieron. Se sabe que evitaron la zona costera ante el temor de un ataque por parte de los filisteos.

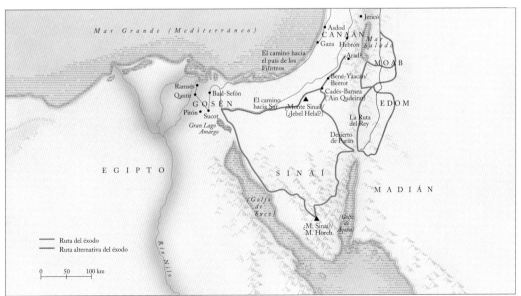

El paso del mar Rojo

ÉXODO 13-15

LOS CARROS DE CABALLOS

Los caballos egipicios tiraban de vehículos de dos ruedas que se empleaban no solo para guerrear, sino también para cazar o transportar a ricos y nobles.

Los carros de batalla del ejército egipcio que persiguieron a los israelitas eran estables, rápidos y fáciles de maniobrar. Estaban equipados para llevar arcos, flechas y lanzas, y se usaban como plataformas para disparar.

Cuando sacó a los israelitas de Egipto, Dios los dirigió hacia el mar Rojo siguiendo el camino del desierto. Para guiarlos, les mostraba durante el día una brillante columna de nube y de noche una de fuego.

Al ser informado el rey de Egipto de la marcha del pueblo, lamentó la decisión que había tomado de dejarlos ir. «¿Qué he hecho? Necesitamos que esos israelitas trabajen para nosotros. Vayamos y traigámoslos de vuelta.» Así pues, reunió a su ejército y, encabezándolo montado en su carro de caballos, salió en pos de los israelitas.

Cuando el pueblo vio polvo a lo lejos, supo que el rey había cambiado de opinión. Tenían a los egipcios persiguiéndoles y el mar Rojo delante: estaban atrapados. Aterrados, gritaron a Moisés: «¿Por qué nos has traído hasta aquí para morir en el desierto? Habría sido mejor seguir siendo esclavos de los egipcios en lugar de morir aquí en este espantoso lugar».

Moisés respondió: «No temáis. Dios nos salvará hoy y acabará con todos esos egipcios que nos persiguen al galope».

Entonces Dios dijo a Moisés: «Levanta tu vara sobre las aguas que yo las haré retroceder para que mi pueblo pise tierra firme». Moisés obedeció y las aguas se dividieron dejando un camino seco en medio. Nerviosos al principio y luego con una confianza creciente, los israelitas cruzaron rápidamente al otro lado entre las dos murallas de agua.

Cuando los egipcios trataron de cruzar a su vez, Dios dijo a Moisés que extendiera nuevamente su vara hacia el mar. Al hacerlo, las aguas cayeron sobre los egipcios, que murieron ahogados.

Los israelitas estaban tan agradecidos por su liberación que para celebrar su victoria sobre los egipcios cantaron y bailaron alegremente antes de reemprender el viaje.

Dios alimenta a su pueblo

ÉXODO 16-17

Al cabo de unas pocas semanas en el desierto, los israelitas empezaron a quejarse a Moisés: «En Egipto nunca pasábamos hambre, pero desde que te andamos siguiendo no tenemos suficiente comida. ¡Habría sido mejor haber muerto en Egipto!».

Moisés replicó: «Esta tarde veréis que Dios cuida de vosotros aunque os estéis quejando de él. Cuando esta noche comáis carne y mañana por la mañana pan recién hecho, os daréis cuenta de que Dios os cuida».

Esa noche, aparecieron un montón de codornices y a la mañana siguiente los israelitas vieron que el suelo estaba lleno de un alimento denominado maná. «Esta es la comida especial que Dios os envía —dijo Moisés al pueblo—. Recoged cuanto necesitéis cada día para comer. Una vez por semana deberéis recoger el doble para así no tener que trabajar el Sabbat, ya que ese es día de descanso.» Mientras los israelitas estuvieron en

el desierto, Dios les proporcionó maná y codornices, y nunca más volvieron a pasar hambre.

Los días en el desierto eran bochornosos, por lo que los israelitas, además de alimentos, también necesitaban agua, algo difícil de encontrar. Un día acamparon en una zona donde no había nada de agua. Comenzaron a quejarse nuevamente: «Estamos muertos de sed. Hemos hecho todo este camino únicamente para morir».

Moisés le preguntó a Dios qué podía hacer porque el pueblo estaba a punto de matarle. «Ve a Horeb y golpea la enorme roca que verás allí. Cuando lo hagas, brotará agua suficiente para que todos puedan beber.»

Moisés siguió las órdenes de Dios y de la roca manó el agua suficiente para que todos pudieran apagar su sed. Así que, pese a sus quejas, Dios se aseguró de que los israelitas tuvieran comida y bebida en abundancia durante sus viajes.

Los Diez Mandamientos

ÉXODO 19-20

Dijo Dios a Moisés: «Conduce a los israelitas hasta el monte Sinaí. Mientras ellos esperan al pie de la montaña, tú y Aarón subiréis a la cima». Cuando hubieron alcanzado la cumbre, Dios descendió sobre la montaña cubriéndola con una densa nube de humo. Hubo truenos y la tierra tembló violentamente. Entonces Dios llamó a Moisés para hablar con él. He aquí sus palabras:

MOISÉS

El primer y principal líder de los israelitas no solo los liberó de la esclavitud en Egipto, sino que además los mantuvo unidos en el desierto cuando intentaron rebelarse. A través de él, Dios les hizo llegar sus leyes religiosas y sociales para que se convirtieran en el pueblo elegido de Dios.

DONDE DESCANSA MOISÉS

Esta iglesia se construyó donde se cree que murió Moisés. La Biblia dice que murió en el monte Nebo, pero que nadie sabía el lugar exacto. Moisés tenía la esperanza de llevar a los israelitas a Canaán, pero Dios no le dejó por haberle desobedecido una vez.

Los Diez Mandamientos

Los Diez Mandamientos son un resumen de cómo espera Dios que viva la gente en cualquier época y cultura. No solo son normas para los antiguos israelitas. Para cumplirlas, es preciso honrar a Dios, seguir los ritmos de vida marcados por Él, proteger la vida de los demás y respetar sus derechos y propiedades. Honrar a los padres es otra manera de decir que la vida familiar es algo que debe protegerse y apreciarse.

Soy el Señor, quien te sacó de Egipto. No habrá para ti otros dioses más que yo.

No representarás a Dios con esculturas o con cualquier otra imagen.

No pronunciarás el nombre de Dios en vano.

No te olvidarás de santificar el día del sábado.

Honrarás a tu padre y a tu madre.

No matarás.

No cometerás adulterio.

No robarás.

No darás falso testimonio ni mentirás.

No codiciarás los bienes ajenos.

Las leyes de Dios

LEVÍTICO 1-27

Los Diez Mandamientos fueron las normas más importantes que Dios dio a los israelitas. Había otras muchas que contenían detalles prácticos sobre cómo cumplirlas. Trataban todos los aspectos de la vida: las ofrendas y los sacrificios adecuados para honrar a Dios; la ordenación y la conducta de los sacerdotes, qué comer; cómo mantenerse sano y en forma; las prácticas y ceremonias religiosas; el uso de la tierra, y la importancia del descanso. Todas ellas pretendían mostrar cómo debían vivir quienes amaran a Dios.

Ofrendas

Cuando el pueblo pecaba, tenía que sacrificar un animal o entregar algo de cereal para honrar a Dios y así mostrar su arrepentimiento. Lo llevaban al sacerdote y este lo quemaba. Al hacer algo que costaba tiempo y dinero mostraban que se daban cuenta de lo serio que era pecar y además así recordaban no cometer otra vez el mismo error.

Sacerdotes

Aarón, el hermano de Moisés, fue el primer sacerdote de la historia. Todos los demás procedieron de su familia. Antes de empezar a trabajar, asistían a una ceremonia especial. Se ocupaban de que el pueblo obedeciera a Dios, le enseñaban la diferencia entre lo correcto y lo incorrecto, y aceptaban las ofrendas en nombre de Dios. Así mantenían a los israelitas libres de pecado.

Comida

Dios no permitía que su pueblo comiera cualquier cosa. Comer algunos animales y aves no se consideraba apropiado. Esto podía deberse a que solían padecer enfermedades que podían transmitirse a los seres humanos. Si cumplían las normas dictadas por Dios, los israelitas demostraban que eran virtuosos y lo obedecían.

Mantenerse sano

En un país caluroso las enfermedades pueden propagarse con gran rapidez. Resultaba vital controlarlas lo antes posible. Una de las mejores maneras de evitar el contagio era aislar al enfermo hasta que se encontrara mejor. Los israelitas tenían que lavar las cosas a conciencia, sobre todo si habían estado en algún sitio sucio o iban a comer de inmediato.

Vacaciones

Dios sabía que todo el mundo necesita vacaciones. Le dijo al pueblo que hiciera vacaciones durante el año para olvidarse del trabajo y sobre todo pensar en Él. Una vez cada cincuenta años había un año sabático. Durante ese tiempo nadie iba a trabajar. Eso también daba un descanso a la tierra. Dios prometió proporcionar comida suficiente en esos periodos.

EL TALMUD
El Talmud es el código de la ley civil y religiosa judía. Se compone de la ley oral, «Mishná», y los comentarios al respecto de los rabinos, la «Guemará».

LLEVAR LOS ROLLOS DE LA TORÁ
La Torá (ley judía) se lee públicamente los sábados en la sinagoga. Antes de la lectura, los rollos se pasean en una procesión en torno al templo.

LA FIESTA DE LOS TABERNÁCULOS
Debe su nombre a los refugios de ramas donde los judíos tenían que vivir una semana para recordar sus días en el desierto.

METALISTAS

Los datos sobre el modo en que los israelitas trabajaban los metales proceden de murales egipcios como este. Aarón fundió oro para hacer el becerro. Es probable que para crearlo clavara láminas de oro sobre un becerro de madera.

EL ALMENDRO

El término hebreo para el almendro podría traducirse por «el que despierta». Esta designación se debe a que es el primer árbol frutal que florece tras el invierno. En la Biblia este árbol se asocia con Aarón porque su vara de almendro floreció durante la noche.

ESPEJO DE BRONCE

Los israelitas abandonaron Egipto cargados de oro y joyas, que se fundieron para crear el becerro de oro. Este fino espejo sobrevivió. La superficie reflectante es bronce muy pulido y el mango es una criada con un pájaro en la mano.

El becerro de oro encoleriza a Dios

ÉXODO 32

El pueblo se inquietó al ver que Moisés tardaba mucho en bajar de la montaña. Se acercaron a Aarón y le dijeron: «Hasta donde sabemos, puede que no volvamos a ver nunca más a Moisés. Haznos unos dioses que puedan guiarnos».

«Traedme vuestras joyas», respondió Aarón, y el pueblo obedeció. Recogió todo lo que le trajeron y creó un bello becerro de oro. Entonces hizo un altar y declaró: «Mañana celebraremos una fiesta en honor de Dios nuestro Señor».

Al día siguiente los israelitas iniciaron la celebración con ofrendas y sacrificios, y luego se sentaron a comer.

Pero Dios vio todo lo que sucedía y alertó a Moisés: «Tienes que bajar porque los israelitas se han construido un ídolo y han empezado a realizar sacrificios para honrarlo como si hubiera sido él quien los hubiera sacado de Egipto. Son orgullosos y perversos. Déjame, porque he decidido acabar con ellos y crear una nación solo con tus hijos».

Pero Moisés le imploró: «Si haces eso, entonces los egipcios creerán que nos salvaste solo para acabar con nosotros en el desierto. Por favor, no hagas algo así a tu pueblo. Recuerda las promesas que hiciste a Abraham, Isaac e Israel cuando dijiste que crearías una gran nación con su descendencia».

Dios escuchó las palabras de Moisés y no cumplió su amenaza. Entonces Moisés bajó la montaña corriendo con las dos tablas de piedra en las que estaban escritos los Diez Mandamientos. Cuando vio el becerro de oro y la danza descontrolada, tiró las tablas al suelo y estas se rompieron en mil pedazos. A continuación procedió a destruir el becerro fundiéndolo en una hoguera.

Seguidamente, Moisés se volvió enfadado contra Aarón: «¿Qué diantres has hecho?».

«No te enfades —respondió Aarón tratando de disculparse—. El pueblo estaba preguntando dónde estabas y me pidió que le creara unos dioses. Me trajeron

sus joyas de oro y yo las eché al fuego. ¡Y de allí salió este becerro!»

Moisés anunció al pueblo: «Habéis sido muy malvados. Iré a ver a Dios y le imploraré en vuestro nombre».

Así pues, subió nuevamente a lo alto de la montaña y le pidió a Dios que perdonara el pecado que el pueblo había cometido. Una vez hubo terminado de hablar, Dios le dio esta respuesta: «El que haya pecado contra mí será castigado».

Seguidamente Dios cumplió su palabra desatando una plaga sobre los israelitas.

EL MANÁ
En el Arca de la Alianza se guardaba un tarro de maná para recordar a los israelitas que Dios se lo suministró durante sus andanzas por el desierto. El maná era blanco, parecido a la semilla de cilantro y con un sabor a barquillos con miel. Algunos creen que pudo haberse extraído de un arbusto que crece en la península de Sinaí y que produce una sustancia blanca que los beduinos todavía emplean como edulcorante.

Plagas y castigo
No se sabe qué enfermedades padecieron los israelitas, pero ellos las veían como un castigo de Dios por sus pecados. Hoy en día pueden contraerse enfermedades según el estilo de vida que se lleva. Sin embargo, la Biblia no dice que estas sean un castigo de Dios. El Señor promete que en el cielo ya no habrá más enfermedades ni muerte.

EL MONTE SINAÍ
Dios entregó las Tablas de la Ley y los Diez Mandamientos a Moisés en el monte Sinaí o monte Horeb, como aparece citado a veces en la Biblia. Esta fotografía muestra la tradicional ubicación de la montaña, en el sur de la península de Sinaí, pero no es seguro que este sea el emplazamiento exacto.

¡No entraremos en Canaán!

NÚMEROS 13-14

LOS ESPÍAS Y EL FRUTO
Gracias a su clima cálido, Canaán era un país donde crecía mucha fruta. A su regreso, los espías enviados por Moisés trajeron consigo un racimo de uvas, el cual era tan grande que debía ser transportado por dos hombres. También trajeron consigo granadas e higos. Estos y otros muchos cultivos, como manzanas, aceitunas, frutos secos y hortalizas, formaban parte de la dieta de los habitantes de la Tierra Prometida.

LA VÍBORA DE ARENA
La víbora de arena es una de las aproximadamente veinte especies venenosas que pueden encontrarse en Israel. Cuando muerde a alguien, su veneno ataca los pulmones de la víctima. Moisés puso la serpiente de bronce en una vara para que la gente que hubiera sido mordida por serpientes de verdad pudiera mirarla y curarse.

Ordenó Dios a Moisés: «Escoge a un hombre de cada tribu para que vaya a explorar la tierra de Canaán».

Así pues, Moisés eligió a doce líderes de las tribus y los envió a cumplir la misión encomendada. «Examinad el terreno de arriba abajo —les dijo—. Descubrid todo lo que podáis acerca de sus habitantes y de la protección de sus ciudades. Enteraos de si la tierra es fértil y traed algunos de sus frutos para que podamos probarlos.»

Cuarenta días después, el grupo estaba de vuelta con sus informes para Moisés y todo el pueblo. «El país es exactamente tal y como imaginábamos. En él crecen todo tipo de frutos y cultivos. He aquí algunos de sus frutos. La gente que habita esas tierras es sumamente poderosa y sus ciudades son magníficas fortalezas. Son demasiado fuertes para nosotros.»

Entonces dos de los espías, Caleb y Josué, interrumpieron al resto. «Deberíamos seguir adelante y tomar el país. Dios nos lo dará tal y como ha prometido», dijeron.

Atemorizado, el pueblo gritó: «Escojamos a un nuevo líder y regresemos a Egipto».

Ante esa falta de fe, Dios se enfadó con los israelitas y amenazó con matarlos a todos. Moisés le imploró: «No acabes con nosotros. Si lo haces, los demás pueblos dirán que solo nos sacaste de Egipto para asesinarnos en el desierto. Aunque no se lo merezca, perdona a tu pueblo como lo has hecho desde que abandonamos Egipto».

«Está bien —respondió Dios—. Pero ninguno de ellos pisará la Tierra Prometida. Solo Caleb y Josué podrán entrar en ella porque confiaron ciegamente en mí.»

Moisés y Aarón informaron al pueblo de lo que Dios les había dicho. «Dios ha decretado que ninguno de vosotros vivirá nunca en la Tierra Prometida. En lugar de eso, estáis destinados a vagar sin rumbo fijo por el desierto durante cuarenta años, hasta que el último de vosotros muera y sea enterrado. Entonces vuestros hijos tomarán posesión de la Tierra.»

El pueblo se sintió profundamente apenado. «Hemos pecado contra Dios; enmendémonos entrando en la Tierra Prometida.» Moisés les suplicó que no lo hicieran, pero ellos se negaron a escucharle.

Cuando los israelitas se dispusieron a conquistar el país, sus habitantes los combatieron y los vencieron fácilmente.

La serpiente de bronce

NÚMEROS 21

Los israelitas pasaron años y años vagando sin rumbo fijo por el inhóspito desierto y a menudo se sintieron desanimados y desdichados. Un día en el que estaban volviendo sobre sus pasos hacia el mar Rojo, empezaron a quejarse a Dios y a Moisés.

«¿Por qué nos hicistéis abandonar la seguridad de Egipto para morir en este horrible desierto? Carecemos de pan y apenas tenemos agua. Estamos enfermos y hartos de esta asquerosa comida.»

Al ver Dios lo desagradecidos que eran, envió unas serpientes venenosas para que les mordieran. Muchos de los israelitas murieron tras la mordedura. Entonces se dieron cuenta de su insensatez al criticar a Dios y admitieron su error ante Moisés.

«Ahora nos damos cuenta de que hemos cometido un error al enfadarnos contigo y con Dios. Por favor, pídele que aleje de nosotros todas estas peligrosas serpientes.»

Moisés oró en nombre del pueblo. Al escuchar la plegaria de Moisés, Dios respondió: «No me llevaré las serpientes; si lo hago, el pueblo volverá a portarse mal. Quiero que construyas una serpiente de bronce y la pongas en lo alto de una vara. Quien sea mordido por una serpiente, solo tendrá que mirar esa víbora para no morir».

Moisés obedeció a Dios y colocó la serpiente en un lugar donde pudiera verse fácilmente. Quien era mordido por una serpiente, miraba la estatua alzada en lo alto y sanaba.

La burra que hablaba

NÚMEROS 22-24

LAS TIERRAS DE LOS MOABITAS
Los moabitas descendían de Moab, el hijo de Lot. Su territorio, al este del mar Muerto, cubría una superficie de unos 100 km de largo por 30 de ancho. Los israelitas acamparon en las llanuras de Moab. No tenían intención de atacar a los moabitas, pero estos tenían miedo, ya que acababan de perder el control de la zona norte del Arnón ante los amonitas.

Durante sus andanzas, los israelitas acamparon cerca de las tierras de Balaq, el rey de Moab. Aterrorizado ante la idea de que invadieran su territorio, Balaq envió un mensajero al profeta Balaam diciéndole: «Tengo miedo de que nos venzan. Ven y maldícelos para que pueda expulsarlos».

Balaam preguntó a Dios qué hacer. «El pueblo que quiere que maldigas es sagrado; no debes hacer lo que te dice», replicó Dios.

Consternado, Balaq envió a otro mensajero, pero Balaam siguió imperturbable.

Sin embargo, esa noche Dios le dijo: «Puedes ir con los mensajeros, pero debes decir únicamente lo que yo te dicte».

Al día siguiente, Balaam se puso en marcha, pero un ángel se interpuso en su camino. Al verlo, la burra de Balaam se apartó del camino, pero Balaam la hizo volver. El animal huyó otra vez despavorido pero Balaam lo hizo regresar de nuevo. Al final se tumbó.

Cuando Balaam le azotó, la burra dijo: «¿Por qué me pegas?».

Furioso, Balaam respondió: «Porque me estás dejando en ridículo».

«¿Acaso acostumbro a comportarme así?»

«No», admitió Balaam.

Entonces Dios dejó que Balaam viera al ángel. Balaam se arrodilló cuando este le preguntó: «¿Por qué estabas pegando a tu burra? De no haberme visto o no haberse apartado, yo te habría matado y ella se habría salvado».

«Perdóname. Si quieres que vuelva a casa lo haré.»

«No, pero di solo lo que yo te dicte», respondió.

Al encontrarse Balaam con el rey, este le pidió que maldijera a los israelitas. Pero Balaam se negó y los bendijo como Dios le había ordenado. Balaq repitió la orden, pero no fue obedecida. Y así una y otra vez. Balaq se puso furioso. «Vete. ¡Has hecho lo contrario de lo que te he ordenado!»

Y Balaam regresó a casa.

Elección de un nuevo líder

DEUTERONOMIO 31-34

Tengo ciento veinte años y no puedo seguir guiándoos —dijo Moisés al pueblo—. Dios me ha dicho que no puedo entrar en la Tierra Prometida. Ha escogido a Josué para conduciros hasta allí. Debéis obedecerle en todo. Sed valientes y decididos para que Dios, nuestro Señor, nunca os abandone.»

Seguidamente, Dios dijo a Moisés en privado: «Lleva a Josué al Tabernáculo para que le dé mis órdenes».

Una vez estuvieron ambos allí, Dios apareció y dijo: «Moisés, pronto morirás y el pueblo se apartará de mí. Cuando lo hagan, les crearé muchas dificultades. Escribe este cántico y enséñaselo para que recuerden los errores cometidos».

A continuación, Dios animó a Josué: «Sé valiente y decidido. Siempre estaré ahí para ayudarte».

Tras su encuentro con Dios, Moisés reunió a los líderes del pueblo. «Toda mi vida os he visto rebelaros contra Dios y sé que todavía lo haréis más cuando yo ya no esté aquí. Tomad este libro en el que he escrito todo lo que nos ha ocurrido desde que salimos de Egipto y guardadlo en el Arca de la Alianza para que así recordéis cómo deberíais vivir.»

Seguidamente, Moisés bendijo a cada una de las doce tribus de Israel y se despidió de su pueblo por última vez. Subió poco a poco el monte Nebo, desde el cual Dios le mostró la Tierra Prometida.

Cuando Moisés murió, los israelitas lloraron su muerte durante un mes conscientes de que nunca existiría otro profeta como él.

LA TIERRA PROMETIDA
Canaán, la Tierra Prometida, era un país rico y fértil con muchos olivares. Los olivos, que crecían profusamente, eran uno de los árboles más valiosos para los antiguos hebreos. Se consideraban un símbolo de fortaleza, belleza, bendición divina y prosperidad.

El envío de espías

JOSUÉ 1-2

EL LINO

El lino es la fibra textil más antigua que se conoce. Se usaba para fabricar tejidos y sogas. Las plantas se arrancaban de raíz, se ponían a remojo con agua y se sacudían para separar la fibra del tallo, una tarea que solían realizar las mujeres. Después estas esparcían las fibras en las azoteas para secarlas antes de hilarlas.

Casas con cubiertas planas

La cubierta plana se construía con ramas o cañas colocadas transversalmente sobre vigas de madera. Esta sólida estructura se cubría con una gruesa capa de barro. La cubierta tenía que volver a enlucirse todos los años. En verano, la familia solía dormir en la azotea, ya que era el lugar más fresco de la casa. La azotea se usaba también para secar al sol el lino o alimentos como higos o uvas pasas.

Ya muerto Moisés, Dios dijo a Josué que lo conduciría a él y a su pueblo hacia la victoria. Como sabía que Josué tendría que enfrentarse a muchas situaciones complicadas, Dios le habló una y otra vez sobre la necesidad de ser valiente.

Antes de que los israelitas entraran en la Tierra Prometida, Josué llamó en secreto a dos hombres y les pidió que fueran a reconocer el terreno, especialmente la ciudad de Jericó.

Los dos espías hicieron lo que se les había ordenado. En Jericó se alojaron en casa de una mujer llamada Rajab. Pero cuando el rey de Jericó se enteró de que había espías en la ciudad, envió a sus mensajeros a decirle a Rajab que entregara a los hombres.

Rajab respondió: «Vinieron dos hombres, pero se marcharon por la tarde y no sé adónde fueron». En realidad los había escondido bajo unos haces de lino que tenía en la azotea.

Una vez se hubieron marchado los mensajeros, Rajab subió al tejado para hablar con los hombres. «Todo el país tiene pánico a los israelitas —dijo—. Nadie cree que podamos resistiros porque vuestro Dios es el único Dios en todo el mundo. Prometedme que, ya que yo he sido bondadosa con vosotros, no mataréis a mi familia.»

Los hombres respondieron: «Nos has salvado la vida, de modo que nos aseguraremos de que tanto tu familia como tú no sufráis ningún daño cuando Dios nos dé vuestra tierra».

Como la casa de Rajab estaba construida en la muralla de la ciudad, la mujer pudo descolgarlos con una cuerda por la ventana. Cuando ya se iban, los hombres le dijeron: «Reúne a todos tus familiares en tu casa. Luego coloca una cinta escarlata en la ventana para que no ataquemos tu casa. Sobre todo, no le digas a nadie lo que vamos a hacer».

Rajab asintió y los dos hombres regresaron adonde estaba Josué, quien se mostró encantado al oír sus noticias. «Si todo el pueblo nos tiene miedo, seguro que Dios nos va a dar esa tierra», exclamó.

El río se detiene

JOSUÉ 3-4

Josué condujo al pueblo a orillas del río Jordán. De inmediato resonó la siguiente orden por todo el campamento: «Cuando veáis a los sacerdotes con el Arca de la Alianza del Señor Dios vuestro a cuestas, levantad todos el campo y seguidla. Preparaos porque mañana Dios hará un gran milagro».

Dijo Dios entonces a Josué: «Di a los sacerdotes que lleven el Arca a la orilla del agua».

Josué convocó a los israelitas: «Escuchad las palabras de Dios. El Arca os precederá para pasar el río. En cuanto los sacerdotes pongan un pie en el agua, este se detendrá».

Aunque el río estaba desbordado, nada más poner los sacerdotes la planta del pie en el agua, este dejó de correr. Los sacerdotes siguieron caminando hasta que se encontraron en medio del río. Una vez allí se detuvieron y todo el pueblo cruzó.

Cuando el último habitante del pueblo hubo alcanzando la otra orilla, Dios habló nuevamente a Josué. «Escoge a un hombre de cada tribu y diles que saquen doce piedras de mitad del río, las lleven consigo a la otra orilla y erijan un monumento conmemorativo en el lugar en el que acampéis esta noche.»

Una vez hecho esto, Josué ordenó a los sacerdotes que se reunieran con el resto del pueblo. En cuanto sus pies tocaron tierra firme, el río empezó a fluir como lo había hecho antes.

A continuación, Josué llevó a todos los israelitas a acampar a Guilgal. Ordenó que se colocaran allí las piedras sacadas del Jordán y luego se dirigió al pueblo. «Cuando vuestros hijos os pregunten acerca del significado de estas piedras, les diréis que los israelitas cruzaron el río Jordán por tierra firme. Dios secó el río al igual que lo hizo con las aguas del mar Rojo para Moisés años atrás. Con ello mostró la grandeza de su poder y os recuerda que debéis honrarle.»

A partir de aquel día, los israelitas respetaron a Josué tal y como lo habían hecho con Moisés porque vieron que Dios estaba con él.

EL RÍO JORDÁN
El Jordán, que aparece mencionado muchas veces en la Biblia, es el río más largo de Israel. Los israelitas llegaron al valle del Jordán desde el Este y el río formaba una frontera natural con la Tierra Prometida. No era un río fácil de cruzar, ya que solo podía vadearse por ciertos lugares. Sin embargo, estos vados eran impracticables cuando el río se desbordaba en época de cosecha.

EL RACIONAL SACERDOTAL
Los sacerdotes israelitas llevaban un racional con doce piedras preciosas, una por cada tribu de Israel. Tenía bolsillos para llevar el Urim y el Tummim, unas piedras que usaban para echar cosas a suertes.

Derrumbe de las murallas

JOSUÉ 6

Josué y su ejército habían rodeado Jericó para que nadie pudiera entrar o salir de la ciudad. Dios explicó a Josué lo que tendría que hacer para tomarla.

«Voy a darte la ciudad y a sus habitantes. Haz que tu ejército marche alrededor de las murallas una vez al día durante los próximos seis días. Siete sacerdotes llevarán unas trompetas delante del Arca. El séptimo día, daréis la vuelta a la ciudad siete veces mientras los sacerdotes tocan las trompetas. En el último toque, di al pueblo que grite bien fuerte. Entonces las murallas se derrumbarán y podréis entrar.»

Josué le dijo al pueblo que siguiera las instrucciones dadas por Dios. Así pues, los seis días siguientes marcharon en silencio alrededor de las murallas de la ciudad.

Al séptimo día, el ejército rodeó la ciudad siete veces. En la última vuelta, Josué se dirigió al ejército: «Gritad con todas vuestras fuerzas porque Dios nos ha entregado la ciudad. Matad a todos excepto a Rajab y a su familia; no os dejéis a nadie. No saqueéis nada para quedároslo, pero haceos con todo lo que sea valioso para nuestro tesoro».

Cuando el pueblo gritó y las trompetas tocaron, las murallas se derrumbaron y los soldados treparon sobre los escombros y entraron a Jericó. Cuando hubieron acabado de saquear la ciudad, le prendieron fuego y todo quedó en ruinas.

Había comenzado la conquista de la Tierra Prometida.

LAS MASCARILLAS

Los restos arqueológicos revelan que Jericó ya estaba ocupada en el año 8000 a.C., por lo que es una de las ciudades más antiguas del mundo. En sus cementerios se han hallado esqueletos sin cráneos. Al parecer, estos últimos se usaban como moldes de mascarillas de arcilla o yeso. Algunos tenían valvas a modo de ojos. Estas mascarillas podían pertenecer a antepasados adorados por los habitantes de Jericó o ser trofeos de los enemigos.

Desastre en Ay

JOSUÉ 7-8

Después de haber tomado Jericó, Josué envió a algunos de sus hombres a averiguar cómo atacar la siguiente ciudad: Ay. A su regreso, estos le informaron: «Para tomar la ciudad basta con que vayan dos o tres mil hombres, porque ellos son pocos».

Así pues, Josué envió a tres mil soldados para tomar la ciudad, pero estos fueron vencidos fácilmente por los habitantes de Ay.

Consternado, Josué oró a Dios: «Señor, ¿por qué no dejaste que nos quedáramos a la otra orilla del Jordán en lugar de hacer que lo cruzáramos para ser derrotados por nuestros enemigos? Ahora estos se enterarán de que hemos perdido una batalla y se aliarán contra nosotros para expulsarnos».

Dios respondió: «Esa derrota se debe a que uno de vosotros ha pecado contra mí al robar parte de los bienes que deberían haber sido destruidos. A partir de ahora, no contaréis conmigo a menos que esa persona reciba un castigo. Congrega al pueblo mañana y yo te mostraré quién es el ladrón».

Josué obedeció a Dios y al día siguiente se descubrió al ladrón, un hombre llamado Akán que, como castigo, murió lapidado.

Ahora los israelitas ya podían ir a Ay y atacarla. Josué dividió su ejército en dos grupos. Un grupo se presentaría ante los defensores de la ciudad, quienes, al verlo, saldrían a combatirlo a toda prisa tal y como habían hecho anteriormente. Josué y sus hombres simularían la huida y dejarían que el enemigo los persiguiera. Mientras, el resto de los hombres de Josué entraría en la ciudad y la destruiría.

Al ver salir una humareda de Ay, Josué y sus hombres se volvieron y combatieron a sus habitantes.

Con algunos de sus hombres dentro de la ciudad y otros luchando fuera de ella, Josué enseguida acabó con todo el pueblo de Ay, como Dios le había ordenado.

LAS PALMERAS
Las palmeras datileras son grandes y carecen de ramas. Su copa está formada por un enorme conjunto de hojas laciniadas y racimos de dátiles. Las cálidas condiciones climáticas del valle del Jordán son idóneas para estos árboles. Aunque crecen en grupo, hay muchas referencias de palmeras aisladas en la época bíblica. Jericó es conocida como «la ciudad de las palmeras».

Construir un hogar

JOSUÉ 13-24

Siendo ya Josué un anciano, Dios le dijo: «Ya eres viejo y todavía queda muchísima tierra por conquistar». Parte del país ya había sido asignada a las tribus según los designios de Moisés, pero la mayor parte de las tribus aún no poseía su propio territorio. Así que Josué comenzó a repartir la tierra entre las doce tribus.

Mientras Josué estaba repartiendo el país, su viejo amigo Caleb se acercó hasta él. «¿Recuerdas lo que me dijo Moisés? Prometió que recibiría tierra porque, años atrás, confié en Dios cuando regresamos de reconocer este terreno. Dios ha cumplido su promesa, ya que, después de pasar todos estos largos años en el desierto, aquí estoy, tan fuerte y en forma como entonces. Dame ahora esos montes que Dios me legó.»

Josué bendijo a Caleb y satisfizo gustosamente su petición. Por aquel entonces todavía había siete tribus que no poseían su propia tierra, de modo que Josué ordenó a tres hombres de cada tribu que inspeccionaran el terreno. «Visitad todo el territorio. Anotad todo lo que veáis. Dividlo en partes iguales y cuando

regreséis echaré a suertes qué regiones se queda cada tribu.»

Cuando hubo repartido la tierra, los israelitas dieron una parte a Josué tal como este había hecho con Caleb.

Antes de morir, Josué convocó al pueblo por última vez y lo instó a tener fe en Dios. «Recordad a Dios vuestro Señor. Prestad atención a todo lo que aparece escrito en el Libro de la Ley. Si no lo hacéis, al igual que habéis recibido la bendición de sus manos, Dios os juzgará y os sacará de la misma tierra que os ha dado.»

Una vez finalizado el discurso de despedida, todos pudieron marchar a sus hogares y vivir en paz. Por fin podían empezar a disfrutar de la Tierra Prometida.

LA DIVISIÓN DEL REINO

Israel estaba unido por el culto a Dios y la obediencia de sus leyes. Después se dividió en dos naciones, las cuales fueron destruidas por la idolatría de Salomón.

LOS SORTEOS

Cuando se tenían que tomar decisiones importantes se echaban a suertes. Se creía que Dios dirigía los sorteos. Estos proceden de Masada, donde 960 fanáticos judíos murieron en lugar de ser llevados prisioneros a Roma. Se echó a suertes quién mataría a los demás.

Las tribus de Israel

Diez de las doce tribus de Israel se llamaban como los hijos de Jacob: Aser, Benjamín, Dan, Gad, Isacar, Judá, Neftalí, Rubén, Simeón y Zabulón. Efraím y Manasés, hijos de José, fueron jefes de otras dos tribus. Leví, hijo de Jacob, fue el jefe de la familia sacerdotal que no recibió tierras en Palestina. En el 722 a.C., todas las tribus excepto las de Judá y Benjamín fueron dispersadas por los asirios y nunca volvieron a reagruparse.

Salvados de los enemigos

JUECES 3-4

Una vez en la Tierra Prometida, el pueblo de Israel desobedeció a Dios, de modo que este envió a Eglón, rey de Moab, para que lo gobernara. Cuando los israelitas clamaron a Dios, este envió a Ehúd, un hombre zurdo, para que los liberara. Ehúd se ciñó una espada afilada al muslo derecho y la ocultó bajo sus ropajes.

Llegó ante el rey para darle un obsequio y le susurró: «Tengo un mensaje privado para usted, señor». El rey, lleno de curiosidad, pidió a todo su séquito que abandonara la sala.

Entonces Ehúd se acercó al trono con humildad. «Es un mensaje de Dios», le susurró mientras le hundía la espada en el estómago.

El rey estaba tan gordo que la espada desapareció entre los pliegues de su barriga. Ehúd abandonó la sala tranquilamente cerrando las puertas tras de sí.

Los criados reales hallaron la puerta cerrada, pero no se atrevieron a entrar porque pensaban que el rey estaba en el baño. Cuando entraron, vieron al rey muerto en el suelo.

Mientras tanto, Ehúd había escapado. Llamó a los israelitas a las armas y entre todos mataron a un gran número de moabitas. Después de eso los israelitas dejaron de ser esclavizados por el pueblo de Moab.

Tras la muerte de Ehúd, el pueblo volvió a olvidarse de Dios. En esta ocasión, Dios envió a otro rey extranjero, Yabín, para que lo gobernara con crueldad. Una vez más los israelitas clamaron a Dios, quien ordenó a Débora que dijera lo siguiente a Baraq, líder del ejército: «Ve y ataca a Sísara, el jefe del ejército enemigo».

Junto con el ejército, derrotaron a Sísara, quien, al verse vencido, huyó a pie. Exhausto por la fuga, se quedó dormido en la tienda de Yael. Mientras dormitaba, Yael le clavó una estaca en la cabeza y lo mató al instante. Cuando Baraq llegó persiguiendo a Sísara, Yael le mostró a su adversario clavado en el suelo. Con el ejército de Yabín destruido y su jefe muerto, los israelitas se libraron fácilmente de la opresión de Yabín y de su pueblo.

ARMAS DE BATALLA

Como el terreno era abrupto, el ejército se componía mayoritariamente de soldados de infantería equipados con hondas y arcos. Estos últimos eran de madera y hueso, y las aljabas podían contener hasta treinta flechas con puntas triangulares de bronce. En las luchas cuerpo a cuerpo se usaban hachas, espadas y dagas.

CÁNTARO DE CERÁMICA
Este cántaro, fabricado entre los años 1550 y 1480 a.C., fue hallado en Megido (Israel). Los hombres de Gedeón ocultaron las antorchas en los cántaros para abordar el campamento enemigo. Luego rompieron los cántaros para asustar a los madianitas.

El cipo de Aserá
El cipo sagrado de Aserá que aparece en esta historia debía de ser una imagen tallada de la diosa cananea Aserá. Los cananeos adoraban a muchos dioses diferentes. La mayoría estaban relacionados con la fertilidad o la guerra. Aserá, o Atoret, era la diosa de la guerra, la maternidad y la fertilidad. Suele aparecer desnuda. Era una de las diosas más importantes del antiguo Oriente Próximo.

EL SOFAR
Los hombres de Gedeón debieron de usar una trompeta llamada «sofar». Es un instrumento de viento fabricado con un cuerno de carnero y produce un sonido estridente. El sofar se empleaba para llamar a los hombres a la lucha y también al Sabbat. Hoy aún se oye en los oficios de algunas sinagogas judías.

Gedeón se convierte en guerrero

JUECES 6-7

Cuando los israelitas desobedecieron a Dios, este los entregó a los madianitas, quienes los gobernaron durante siete años. Desesperados, los israelitas clamaron a Dios.

Él envió un ángel a un hombre llamado Gedeón. «El Señor está contigo, poderoso guerrero —dijo el ángel—. Te he escogido para que salves a Israel.»

Gedeón, impresionado, protestó: «Pero Señor, soy un miembro insignificante de la tribu más pequeña de Israel. ¿Cómo voy a salvar a los israelitas?».

«Yo estaré contigo y juntos abatiremos a los madianitas», declaró Dios.

Gedeón se fue a buscar un poco de pan y de carne para ofrecérselos al ángel. Lo colocó todo sobre una roca. El ángel tocó la ofrenda con su bastón y los alimentos estallaron en llamas. Entonces Gedeón gritó: «¡He visto el rostro del Señor!». Y temió por su vida.

Dios le aseguró que estaba a salvo y le pidió que derribara el altar de Baal que había en la ciudad y el cipo sagrado de Aserá situado junto a él. Gedeón lo hizo de noche para no desatar la furia de los ciudadanos.

Estos, al descubrir lo que había sucedido, enseguida responsabilizaron del suceso a Gedeón. «Tu hijo debe morir», gritaron a Joás, el padre de Gedeón.

«Si Baal es un dios, puede vengarse», replicó Joás, y así Gedeón salió indemne.

Después, cuando los enemigos de los israelitas hubieron cruzado el río Jordán y se estaban preparando para atacar, Gedeón convocó a todos los miembros de las tribus cercanas para que se reunieran con él.

Pese a su aparente confianza, Gedeón todavía no estaba seguro del resultado de la batalla, por lo que se dirigió a Dios. «Esta noche voy a extender un vellón de lana en el suelo. Mañana por la mañana, si el vellón está húmedo pero el suelo está seco, sabré que vas a salvar a Israel a través de mí.» A la mañana siguiente, se acercó al lugar donde estaba el vellón y descubrió que estaba goteando.

Todavía nervioso, Gedeón se dirigió nuevamente a Dios. «Si realmente vas a vencer a tus enemigos a través de mí, cuando deje el vellón fuera esta noche, haz que aparezca seco y que el suelo esté cubierto de rocío.»

Una vez más, Dios hizo exactamente lo que Gedeón le había pedido. Entonces dijo a Gedeón: «Hay demasiados soldados en tu ejército. Si vences, los hombres alardearán de haber logrado ellos la victoria. Di a tus soldados que si alguno tiene miedo puede abandonar ahora».

Tras escuchar a Gedeón, veintidós mil hombres abandonaron. Dios volvió a hablar. «Aún sois muchos. Lleva a tus hombres hasta el agua y te diré quién puede quedarse.»

Una vez en la orilla, dijo Dios a Gedeón: «Escoge solo a los hombres que beban el agua con las manos». Gedeón seleccionó a trescientos hombres de este modo y envió al resto de vuelta a casa.

Por la noche, dijo Dios a Gedeón: «Ve al campamento enemigo. Escucha lo que están diciendo y así sabrás que a través de mí vais a salir victoriosos».

Gedeón se deslizó sigilosamente hasta el campamento enemigo y escuchó a un hombre que le estaba contando a un amigo lo que había soñado. «He soñado que una hogaza de pan rodaba por el campamento madianita y derribaba una tienda.»

«Ese debe ser Gedeón —fue la respuesta—. Dios nos ha dejado a todos en sus manos.»

Al oír esto, Gedeón alabó a Dios. Regresó a su campamento y llamó a sus hombres. «¡Levantaos! Dios ha puesto a los madianitas en nuestras manos.»

Gedeón los dividió en tres grupos. «Tomad una antorcha, un cántaro y una trompeta. Cuando lleguemos al campamento, aguardad mis órdenes. Si toco, tocad las trompetas, romped los cántaros y agitad las antorchas gritando: "¡Por el Señor y por Gedeón!".»

Cuando los madianitas oyeron el estruendo, sintieron pánico al pensar que estaban rodeados. Comenzaron a atacarse entre sí y finalmente huyeron despavoridos perseguidos por el pequeño grupo de hombres de Gedeón.

De este modo, con solo un puñado de hombres, Gedeón venció a los madianitas.

BEBER DEL MANANTIAL

Dios escogió solo a trescientos hombres para demostrar a los israelitas que obtenían la victoria gracias a Dios, y no a sus propios esfuerzos. Gedeón observó cómo bebían sus soldados del manantial. Eligió a los hombres que ahuecaron las manos para beber en lugar de a aquellos que acercaron su boca al agua. Tal vez esos hombres parecían los más apropiados para luchar.

Lo bastante fuerte para matar un león

JUECES 13-14

Tras pasar muchos años sin tener hijos, Dios dijo a Manóaj y a su mujer que iban a ser padres de un niño. «Nunca deberá cortarse el pelo porque va a ser un nazareno, un hombre dedicado a Dios, e iniciará la liberación de los israelitas de sus enemigos los filisteos.» El niño, al que pusieron por nombre Sansón, nació a su debido tiempo.

Cuando creció, Sansón se enamoró de una filistea. Pidió a sus padres que concertaran el matrimonio. Estos se mostraron horrorizados. «¿Qué les ocurre a las israelitas? —le preguntaron—. ¿Por qué te quieres casar con una extranjera?»

Pero ante su insistencia, Sansón y sus padres fueron a visitar a la mujer. Estando ya cerca de la ciudad donde vivía la joven, un león los atacó. Con el poder del espíritu de Dios, Sansón despedazó al león con sus propias manos y dejó su cuerpo inerte sobre el camino.

Tiempo después, Sansón rehizo el mismo camino para asistir a la ceremonia nupcial. Tenía curiosidad por saber qué había sido del cuerpo del león. Su cadáver estaba cubierto por un enjambre de abejas que habían elaborado miel, de la cual tomó un poco y comió.

En la boda, Sansón recordó tan insólito incidente. Planteó la siguiente adivinanza a algunos de sus invitados: «Del que come salió comida y del fuerte salió dulzura».

Ningún invitado adivinaba la respuesta, así que fueron a ver a escondidas a la mujer de Sansón y la amenazaron: «Averigua la respuesta o te mataremos a ti y a los tuyos».

Ella corrió hacia Sansón con lágrimas de tristeza en los ojos. «Si me quieres de verdad, dime la respuesta a tu enigma.»

Al final le dio la respuesta y ella se fue de inmediato hacia los invitados. Ellos, a su vez, fueron a ver a Sansón y le dijeron: «Es la miel de un león».

Sansón estaba furioso porque lo habían descubierto. Totalmente fuera de sí, abandonó el banquete. Dejó a su mujer y se fue a vivir nuevamente a casa de sus padres.

EL LEÓN

En la época de Sansón había muchos leones en Canaán. Pero su número fue en descenso, hasta que hacia el año 1300 d.C. se extinguieron de la región. Solían vivir en matorrales junto al río Jordán. Pero cuando este se desbordaba, debían abandonar sus guaridas y podían ser una verdadera amenaza para los humanos. Muchas veces los pastores tenían que matarlos para defenderse a sí mismos y a sus rebaños.

LAS ABEJAS OBRERAS

Las abejas obreras eran muy apreciadas en Canaán. La miel era el principal edulcorante para la comida y se consideraba un bien vital. Encontrar miel era una verdadera alegría. Las abejas silvestres solían anidar en las grietas de las rocas, aunque a veces lo hacían en otros lugares, como en el cadáver del león de esta historia.

Sansón se enamora

JUECES 16

Sansón volvió a enamorarse, en esta ocasión de una mujer llamada Dalila. Los líderes de los filisteos fueron a visitarla y le ofrecieron dinero a cambio de desvelarles el secreto de la fuerza de Sansón.

De modo que Dalila le dijo a Sansón: «Dime por qué eres tan fuerte y qué habría que hacer para doblegarte».

Él le respondió: «Si alguien me atara con unas cuerdas de arco frescas sería tan débil como un hombre normal y corriente».

Entonces Dalila lo ató con unas cuerdas de arco y gritó: «¡Sansón, los filisteos están aquí!». Acto seguido, él rompió las cuerdas como si fueran algodón.

«Me has mentido. Dime la verdad», se quejó Dalila.

Y siguió preguntándole hasta que, agotado por su persistencia, Sansón acabó revelándole el secreto.

«Si me corto el pelo entonces perderé toda mi fuerza.»

Dalila supo que en esta ocasión le había dicho la verdad, de modo que envió un mensaje a los filisteos: «Regresad esta noche porque me lo ha contado todo».

Esa noche, mientras Sansón dormía, los filisteos se deslizaron sigilosamente en la casa y uno de ellos le cortó el pelo. Cuando Dalila lo despertó, Sansón descubrió que era incapaz de vencer a los filisteos. Estos lo apresaron, lo dejaron ciego y lo encarcelaron. Pero poco a poco el pelo de Sansón volvió a crecer.

Mucho tiempo después, mientras los gobernantes filisteos estaban celebrando un banquete en su templo, se acordaron de él. «Traed a Sansón para que nos divierta», dijeron. Sansón fue conducido ante ellos y permaneció entre las columnas de la puerta de entrada.

Rogó a Dios: «Hazme fuerte solo una vez más para vengarme de los filisteos por haberme dejado ciego». Entonces empezó a empujar las columnas con todas sus fuerzas. Estas se vinieron abajo junto con el techo y mataron a todo aquel que había en el templo, incluido Sansón.

De esta manera tan trágica, Sansón mató de una vez a más enemigos que en toda su vida.

EL NAZARENO
Un nazareno era una persona que se consagraba a Dios por un motivo especial. En ocasiones esto tenía lugar durante un periodo de tiempo determinado, pero en el caso de Sansón fue de por vida. «Nazareno» proviene de una palabra hebrea que significa 'separado' o 'consagrado'. Los nazarenos no podían cortarse el pelo ni beber alcohol. Tampoco podían tocar cadáveres para mantenerse puros.

Una hija cariñosa

RUT 1-4

Noemí, que era israelita, vivía en Moab con su marido Elimélek y sus dos hijos. Tras la muerte de Elimélek, los hijos se casaron con dos mujeres moabitas. Cuando sus hijos murieron de forma trágica, Noemí decidió regresar a Israel.

Al despedirse de sus nueras, una de ellas, Rut, le dijo que se marchaba con ella. «He decidido ir contigo. Tu pueblo y tu Dios serán también los míos y cuando muera desearía que me enterraran junto a ti.»

Así pues, ambas mujeres marcharon juntas hacia Belén y se asentaron ahí.

Cuando llegó la época de cosecha, Rut se fue a espigar a los campos. Un día Booz, el terrateniente, preguntó a sus criados: «¿Quién es esa mujer?».

«Rut. Vive con Noemí.»

Booz se acercó a ella y le dijo: «¡Rut! Quédate junto a mis criados y espiga todo el grano que quieras».

«¿Por qué eres tan amable conmigo?», le preguntó ella.

«He oído que eres muy buena con mi pariente Noemí.»

Rut se sonrojó y siguió espigando. Esa tarde Noemí se alegró mucho cuando

Rut le habló de Booz. Sabía que sería un buen marido para Rut, de modo que le dijo a la joven que se vistiera con sus mejores galas y fuera a verlo una noche después de cenar.

Mientras dormía, Rut se tumbó a sus pies. Al despertar, se quedó asombrado al verla.

«Me gustaría que te casaras conmigo —le dijo—. Pero ese derecho corresponde a un pariente más cercano de Noemí. Veré si puedo ocupar su puesto para ser tu marido.»

Al día siguiente Booz habló con el otro hombre ante los líderes de la ciudad. Según era costumbre, el hombre tenía que comprar un campo que hubiera pertenecido a Elimélek. Al hacerlo, también se casaría con Rut. Como el hombre no quería el campo, dejó que Booz lo comprara, lo que también significó que Booz pudo casarse con Rut.

Noemí estaba encantada. Entre lágrimas dijo: «¡Alabado sea el Señor porque, gracias a su bondad, tendré un nieto!».

BELÉN

Belén se construyó sobre una de las colinas más altas de la meseta de Judá, unos ocho kilómetros al sudoeste de Jerusalén y a ochenta de Moab, donde vivían Rut y Noemí. Por aquel entonces era apenas un pueblo y estaba rodeado de campos de cebada (un cultivo más resistente a la sequía que el trigo), que daban paso a los secos pastos del desierto de Judá, donde los pastores nómadas apacentaban a sus rebaños.

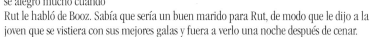

LA HOZ DE BRONCE

Los hombres segaban las mieses con hoces y las mujeres las ataban en gavillas. Estas se trillaban (se golpeaban con varas y los bueyes las pisaban separando el grano). Después el grano se aventaba lanzándolo al aire para que las granzas salieran volando. Luego se cribaba para quitar las malas hierbas.

Ana entrega su hijo a Dios

1.º SAMUEL 1-2

En la época de la montaña de Efraím, vivía un hombre llamado Elcaná. Este tenía dos mujeres: Peninná, que tenía hijos, y Ana, que no tenía ninguno. Peninná se burlaba de Ana, lo cual hacía sufrir mucho a esta última. Pero también disgustaba a Elcaná, porque él amaba a Ana. Cada año iban al templo de Silo para adorar a Dios y ofrecerle sus sacrificios. Peninná aprovechaba la ocasión para hacer rabiar aún más a su rival. Elcaná trataba de consolar a Ana, pero era imposible.

Un año, Ana, llena de amargura, oró a Dios: «Señor, si me ves con buenos ojos y me das un hijo varón, lo consagraré a tu servicio por todos los días de su vida».

Mientras oraba, sus labios se movían, pero no se oía su voz. Al ver la escena, Elí, el sacerdote, pensó que estaba ebria y la reprendió con estas palabras: «Detén tu embriaguez y tira la bebida».

Desconcertada, Ana replicó: «No he bebido. Solo soy una mujer que está destrozada y llena de dolor».

Elí se disculpó: «Entonces, que Dios te conceda lo que le has pedido. Vete en paz». Y Ana salió del templo llena de optimismo.

A su debido tiempo, Ana dio a luz a un niño y lo llamó Samuel, que significa 'oído por Dios'.

Cuando Elcaná realizó su peregrinaje anual al templo, ella se quedó en casa con el niño diciendo: «Cuando lo destete, lo llevaré al templo para consagrarlo a Dios».

Cuando Samuel creció, Ana cumplió su palabra. Llevó al niño ante Elí a las puertas del templo y dijo: «Hace unos años me viste orando a Dios en silencio. Ha respondido a mi plegaria y por eso he venido aquí, para cumplir mi promesa. Voy a cederle a mi hijo para que pueda servirle todos los días de su vida».

Elí, que estaba profundamente emocionado ante la fidelidad de Ana, alabó a Dios.

LA VESTIMENTA DE LOS SUMOS SACERDOTES

Los sumos sacerdotes, como Elí, llevaban una vestimenta especial para destacar la importancia de su cargo. Todas las prendas tenían un significado simbólico. En el racional había doce piedras preciosas engastadas que representaban las doce tribus de Israel. También tenía bolsillos para llevar el Urim y el Tummim.

Iba atado a un delantal de lino, o efod, y colocado sobre una túnica azul bordeada de cascabeles dorados y representaciones de granadas.

LA MENORAH

El candelabro de siete brazos, o «menorah» en hebreo, se guardaba en el Tabernáculo. La menorah y todos sus accesorios eran de oro puro, y las copas tenían forma de flores de almendro. La menorah simbolizaba la gloria del Señor reflejada en su pueblo. Actualmente es el símbolo del estado judío de Israel.

Dios llama a Samuel

1.° SAMUEL 3

DENTRO DE UNA SINAGOGA

El templo del que Elí era sacerdote era una sinagoga judía. La palabra «sinagoga» significa 'reunión' en griego. Actualmente, los judíos se siguen reuniendo en la sinagoga el día del Sabbat para escuchar al rabino (el maestro), quien lee las escrituras y explica la ley. Solo los hombres tienen un papel activo durante el oficio. Las mujeres y los niños se sientan en una zona aparte de la sinagoga.

EL RABINO Y EL ALUMNO

Este rabino está enseñando a un niño, al igual que Elí lo hizo con Samuel. Cuando un judío cumple 13 años se celebra la «bar-mitsva», que significa 'hijo del mandamiento'. Para señalar ese acontecimiento, el niño debe leer el rollo de la ley durante el oficio del Sabbat en la sinagoga. Después su familia suele dar una gran fiesta para celebrar ese día.

Mientras estuvo sirviendo a Elí, Samuel tuvo varias visiones de Dios. Una noche, Elí se había acostado y Samuel estaba durmiendo en el templo en el que se guardaba el Arca de la Alianza. En mitad de la oscuridad, Dios llamó a Samuel.

Este respondió: «Aquí estoy». Y corrió hacia Elí. «Aquí estoy —repitió—. ¿Para qué me has llamado?»

Elí le respondió medio dormido: «Yo no te he llamado. Vuelve a la cama y acuéstate».

Samuel se acomodó para dormirse de nuevo, pero al momento Dios repitió su nombre. Una vez más, Samuel se levantó y fue adonde Elí. Pero este le repitió lo que le había dicho antes: «Yo no te he llamado; vuelve a la cama y duerme un rato».

Samuel regresó a la cama y poco después oyó nuevamente la voz. Se levantó y fue hasta Elí. «Aquí estoy. ¿Qué es lo que quieres?»

Entonces Elí se dio cuenta de que era Dios quien estaba llamando a Samuel, así que le dijo: «Acuéstate y si oyes otra vez la voz, di "Habla, Señor, que tu siervo escucha"». Samuel obedeció. Cuando el Señor dijo su nombre, contestó lo que Elí le había dicho.

Entonces Dios le dijo: «He decidido juzgar a la familia de Elí porque sus hijos se están portando mal y él no ha hecho nada para detenerlos».

A la mañana siguiente, Samuel se mostró reacio a hablar con Elí, pero este le preguntó: «¿Qué te dijo Dios anoche? No trates de ocultarme nada».

Así que Samuel le contó todo lo que el Señor le había dicho. Cuando hubo terminado, Elí declaró con seriedad: «Es Dios. Debe hacer lo que considere correcto».

Samuel siguió sirviendo en el templo y, cuando creció, Dios bendijo todo lo que hizo y dijo. Y todos los israelitas supieron que el Señor les había dado un gran profeta.

El robo del Arca en una batalla

1.º SAMUEL 4-6

Los israelitas fueron a luchar contra los filisteos. Llevaron el Arca de la Alianza consigo pensando que así conseguirían la victoria.

Cuando los filisteos se enteraron de la noticia, tuvieron miedo. «Hasta ahora nadie había traído a su dios para luchar contra nosotros. Debemos mantenernos firmes y no dejarnos vencer por el miedo si queremos ganar esta batalla.»

Así pues, los filisteos lucharon ferozmente. Masacraron a los israelitas y les robaron el Arca de la Alianza.

Un superviviente corrió a ver a Elí para informarle. «Nuestro ejército ha sido masacrado —relató el mensajero—. Han matado a tus hijos y se han hecho con el Arca.» Al oír esto, Elí se cayó de la silla conmocionado. Cayó mal, se rompió el cuello y murió.

Mientras, los filisteos llevaron el Arca a la ciudad de Asdod y la depositaron en el templo de Dagón, su dios. Esa noche la estatua de Dagón cayó boca abajo. Devolvieron la estatua a su sitio, pero la noche siguiente volvió a caer, haciéndose trizas.

Mientras los filisteos estuvieron en posesión del Arca, Dios les causó problemas. Hizo que los habitantes de Asdod sufrieran tumores, y cuando el Arca fue trasladada a la ciudad de Gat, hizo lo mismo allí. Entonces el pueblo de Gat trató de enviar el Arca a otra ciudad, pero los ciudadanos se negaron a que entrara ahí. «¡Devolved el Arca a su pueblo, si no moriremos todos!», gritaron.

Tras siete meses sumidos en la desesperación, los filisteos idearon un plan. Cargaron el Arca y un poco de oro en una carreta tirada por dos vacas y la devolvieron a los israelitas. Las vacas se detuvieron cerca de un campo de trigo fuera de la ciudad de Bet-Semes.

Unos israelitas que estaban cosechando se pusieron muy contentos al ver el Arca. «¡El Arca del Señor ha regresado a su pueblo!», exclamaron. Sacrificaron las vacas, las quemaron sobre un altar construido con la carreta y adoraron a Dios.

DAGÓN

El dios más importante de los filisteos era Dagón, el dios del grano y de la fertilidad. Solía aparecer representado con un cuerpo mitad pez, mitad hombre.

Los filisteos erigieron muchos templos en su honor. El de Asdod, donde se guardó el Arca, pudo tener una capacidad para acoger a cientos de personas. Pero la estatua de Dagón no podía permanecer en pie ante el poder de Dios. Se cayó dos veces y la segunda se hizo trizas.

CARRETAS Y BUEYES

En muchas partes del mundo, poseer un buey (un toro castrado) se sigue considerando esencial para vivir. Los granjeros usan bueyes para arar los campos y para tirar de las carretas, las cuales apenas han cambiado desde la época de esta historia bíblica. Para trasladar objetos pesados, como el Arca de la Alianza, los hombres de antaño solían preferir las vacas, porque eran más dóciles que los bueyes.

Los reyes de Israel

Cuando Israel entró en la Tierra Prometida, los jueces eran quienes imponían su autoridad. Pero cuando Samuel fue juez de Israel, el pueblo pidió un rey que lo gobernara. Al principio Samuel no quiso ceder a sus ruegos, pero ante la insistencia del pueblo, accedió.

Saúl derrotado

Saúl

Saúl, el primer rey de Israel, era un hombre alto y apuesto, y un valiente guerrero. Pero como rey era orgulloso y cuando desobedeció a Dios de modo deliberado, el profeta Samuel fue a decirle que Dios había escogido a otro para que reinara en su lugar. Durante los últimos años de su vida, sufrió ataques de locura y al final murió junto con su hijo Jonatán en una batalla contra los filisteos.

David y Goliat

David

David era pastor. Siendo niño, Samuel lo ungió rey en el lugar de Saúl. Su victoria sobre Goliat le reportó una gran popularidad, y aunque Saúl intentó matarlo en muchas ocasiones, al final fue coronado rey. David tomó Jerusalén y llevó de vuelta a la ciudad el Arca de la Alianza. Además de un gran rey y líder militar, también fue poeta y músico, y escribió muchos de los Salmos.

Salomón

Fue el rey de Israel más grande y sabio de todos. Bajo su reinado, el país vivió en paz y gozó de una riqueza y una prosperidad sin precedentes. Expandió el comercio, tuvo un poderoso ejército y llevó a cabo ambiciosos proyectos de construcción, incluido el magnífico templo de Jerusalén. Selló muchos tratados políticos al realizar alianzas matrimoniales con princesas extranjeras. Eso le hizo apartarse del culto al Dios de Israel para venerar a otros dioses. Cuando Salomón murió, el reino se dividió en dos.

Salomón

La unción

El óleo se usaba para ungir tanto a personas como objetos con un uso sagrado. Profetas, sacerdotes y reyes eran consagrados en su cargo mediante la unción. Los objetos empleados en las ceremonias religiosas también se purificaban ungiéndolos con óleo. Al rey de Israel se le solía llamar «ungido del Señor» y su unción física se consideraba un símbolo de su unción divina. Esta práctica también se realizaba por razones médicas y cosméticas.

Roboam, rey de Judá

Situación política

El reinado de Salomón fue la edad de oro de Israel, pero a su muerte el reino se dividió en dos. Diez tribus se separaron para formar el reino del norte de Israel bajo Jeroboam, mientras que las dos tribus restantes formaron el reino sur de Judá, bajo el reinado de Roboam, hijo de Salomón. Ambos reinos fueron gobernados por varios reyes durante los años siguientes. Si obedecían a Dios las cosas iban bien, pero si no lo hacían había problemas. Ambos reinos vieron el ascenso al poder de Asiria y luego de Babilonia. Samaria, capital de Israel, cayó en el 722 a.C. y la capital de Judá, Jerusalén, en el 586 a.C.

Una transición en el culto

Cuando los israelitas conquistaron Canaán y se asentaron en un lugar, ya no necesitaron un templo portátil que pudieran llevar consigo y el Tabernáculo permaneció en Silo durante mucho tiempo. Los filisteos se hicieron con el Arca de la Alianza, pero al final la devolvieron porque solo les traía problemas. Después David llevó el Arca a Jerusalén y reunió los materiales necesarios para construir un magnífico templo en el que guardarla. Sin embargo, como David era un guerrero, Dios decretó que fuera su hijo Salomón quien lo construyera. Con una distribución similar a la del Tabernáculo, el templo de Jerusalén se convirtió en el centro de culto de los israelitas.

David trae de vuelta el Arca de la Alianza

REYES Y REINAS DE ISRAEL	
Reyes de Israel Unido	
Saúl	1042–1000 a.C.
David	1000–961 a.C.
Salomón	961–922 a.C.
Reyes y reinas del reino del sur (Judá)	
Roboam	922–915 a.C.
Abiyyam	915–913 a.C.
Asá	913–873 a.C.
Josafat	873–849 a.C.
Joram	849–842 a.C.
Ocozías	842 a.C.
Reina Atalía	842–837 a.C.
Joás	837–800 a.C.
Amasías	800–783 a.C.
Ozías/Azarías	783–742 a.C.
Jotam	742–735 a.C.
Ajaz	735–715 a.C.
Ezequías	715–687 a.C.
Manasés	687–642 a.C.
Amón	642–640 a.C.
Josías	640–609 a.C.
Joacaz	609 a.C.
Yoyaquim	609–598 a.C.
Joaquín	598–597 a.C.
Sedecías	597–587 a.C.
Reyes del reino del norte (Israel)	
Jeroboam	922–901 a.C.
Nadab	901–900 a.C.
Basá	900–877 a.C.
Elá	877–876 a.C.
Zimrí	876 a.C.
Omrí	876–869 a.C.
Ajab	869–850 a.C.
Ocozías	850–849 a.C.
Joram	849–842 a.C.
Jehú	842–815 a.C.
Joacaz	815–801 a.C.
Joás	801–786 a.C.
Jeroboam II	786–746 a.C.
Zacarías	746–745 a.C.
Sal-lum	745 a.C.
Menajem	745–738 a.C.
Pecajías	738–737 a.C.
Pecaj	737–732 a.C.
Oseas	732–722 a.C.

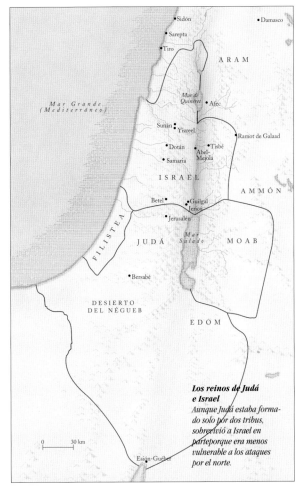

Los reinos de Judá e Israel
Aunque Judá estaba formado solo por dos tribus, sobrevivió a Israel en parte porque era menos vulnerable a los ataques por el norte.

¡Queremos un rey!

1.º SAMUEL 8-10

LOS OLIVARES

El aceite de oliva se emplea para cocinar, como combustible para lámparas, como loción para la piel y el cabello, y como ungüento calmante, así como para ungir y diferenciar a aquellos que servirán a Dios.

LA CANELA Y LA MIRRA

El óleo empleado en la unción se preparaba con mirra, canela, caña y casia. De los tallos de mirra se extrae una fragante resina; la canela se obtiene de la corteza del canelo; la caña de la raíz de un junco, y la casia de las flores secas del canelo.

EL CUERNO DE LA UNCIÓN

Samuel ungió a Saúl primer rey de Israel vertiendo sobre él óleo sagrado con un cuerno de animal como el de la ilustración. Como «el ungido del Señor», su liderazgo debía ser espiritual y político. Con fines religiosos se podía usar un cuerno de carnero, de cabra o de buey o ceremoniales, pero nunca uno de vaca.

Ya anciano, Samuel designó a sus hijos para hacer de jueces. Pero eran corruptos, por lo que usaron su cargo en beneficio propio.

Los líderes del pueblo se reunieron con Samuel y le dijeron: «No queremos a tus hijos, porque no son justos como tú. Preferiríamos tener un rey como el resto de las naciones».

Esta petición disgustó a Samuel, pero Dios le dijo: «Es a mí al que han rechazado, no a ti. Desde que salieron de Egipto han estado así. Tienes que buscarles un rey, pero adviérteles que los maltratará».

Samuel les advirtió de las consecuencias de tener un rey. «Os explotará y os ordenará complacer todos sus caprichos. Tomará vuestras tierras, vuestros rebaños y vuestras posesiones. Os oprimirá para que al final supliquéis a Dios que os libere.»

Pero el pueblo no cambió de opinión.

«Está bien —dijo Samuel—. Volved a vuestras casas y veré a quién ha escogido Dios para que sea vuestro rey.»

Más tarde, Dios dijo a Samuel que pronto conocería al hombre que sería rey. Al día siguiente, Samuel conoció a Saúl, que estaba buscando unos burros que su padre había perdido. Samuel lo invitó a comer.

Después, cuando Saúl ya se iba, Samuel derramó un poco de aceite sobre la cabeza de aquel y le dijo: «Dios te ha escogido para ser rey. He convocado a todo el pueblo para anunciarle esta elección. No faltes a la reunión».

Cuando todos los israelitas estuvieron reunidos, Samuel les recordó lo que Dios había dicho antes: «Al designar un rey, habéis rechazado el gobierno de Dios. Pero Él os ha permitido seguir adelante con vuestro plan. Echemos a suertes el nombramiento del nuevo rey». Lo echaron a suertes y salió elegido Saúl.

Sin embargo, ¡Saúl había desaparecido! Estaba tan asustado que se había escondido entre las tiendas y el equipaje que habían traído los miembros del pueblo. Lo sacaron de ahí y lo pusieron frente a todos.

«Este es vuestro rey», proclamó Samuel.

«¡Hurra! ¡Larga vida al rey!», contestó el pueblo a voz en grito.

Saúl comete un error

1.º SAMUEL 13-14

Saúl envió a su hijo Jonatán a atacar una de las avanzadas filisteas de Guibeá. Este envió mensajeros por todo el país para que fueran diciendo: «Hemos atacado a los filisteos y ahora ellos quieren vengarse. Todos los soldados deben presentarse de inmediato en Guilgal».

Mientras tanto, los filisteos se preparaban para la batalla. Un numeroso ejército se reunió, marchó y acampó en Mikmás. Cuando los soldados israelitas lo vieron, sintieron pánico y empezaron a batirse en retirada y hacia sus casas. Los que permanecieron con Saúl estaban cada vez más asustados. Samuel tenía que llegar y ofrecer un sacrificio a Dios antes de la batalla. Una semana después todavía no había llegado, por lo que Saúl decidió hacerlo en su lugar.

«¿Qué has hecho?», preguntó Samuel a Saúl cuando por fin llegó.

«Estaban marchándose todos mis soldados y tú no habías llegado, así que pensé que más valía ofrecer un sacrificio a Dios para ganarme su favor.»

«Has cometido una estupidez. Has desobedecido a Dios. Dios te quitará el reino a ti y a tus hijos para siempre. Nadie más de tu familia podrá ser rey.»

Con estas palabras, Samuel dejó a Saúl y a su mermado ejército.

Entre tanto, Jonatán fue con su criado a averiguar las posiciones exactas y la fuerza del enemigo.

«Con Dios de nuestro lado podemos vencer a cualquiera, aunque solo seamos dos», dijo Jonatán a su criado. Subieron una colina con sigilo y, tras descubrir una compañía del enemigo, mataron a unos veinte soldados. Atemorizados, los filisteos echaron a correr para salvar sus vidas. Cuando Saúl vio la confusión reinante, llamó a todos sus hombres. Estos se unieron a Jonatán y persiguieron al enemigo.

EL TOCADO FILISTEO

Estos guerreros filisteos aparecen con su característico tocado con plumas colocadas verticalmente sobre una cinta. Los filisteos eran belicosos y una amenaza constante para los israelitas. Su presión militar era una de las razones por la que los israelitas deseaban tener un rey. Tenían mejores armas hechas de hierro.

FILISTEA

Los filisteos vivían en cinco ciudades situadas al sudoeste de Israel y a orillas del Mediterráneo: Asdod, Ascalón, Ecrón, Gat y Gaza. Este pueblo dio su nombre a todo el territorio: «Palestina».

LA CABRA

En el Antiguo Testamento se hacían sacrificios como gesto de agradecimiento o para redimir antiguos pecados. Solo se podían sacrificar algunos animales, como cabras, bueyes, ovejas y palomas. Los animales sacrificados debían ser físicamente perfectos y se preferían los machos a las hembras.

La elección de un pastor como rey

1.º SAMUEL 15-16

Saúl desobedeció a Dios, quien entonces lamentó haber permitido que este fuera rey. Samuel también estaba muy disgustado, pero Dios se presentó ante él y le dijo: «He rechazado a Saúl como rey. Enjuga las lágrimas de tus ojos y ve a Belén, adonde vive Jesé. Voy a hacer que uno de sus hijos sea el próximo rey».

Cuando Samuel llegó a Belén, se encontró con Jesé y le pidió que llevase a sus hijos ante él para que pudiera conocerlos. Nada más ver al hijo mayor, Eliab, Samuel pensó entre sí: «Este debe de ser el hombre que Dios ha escogido para que sea el próximo rey».

Pero Dios dijo a Samuel: «No te dejes influir por su aspecto; no es a él al que he escogido. Yo veo las cosas desde otra perspectiva. La gente se fija en la apariencia de una persona, pero yo me fijo en cómo es esa persona por dentro».

A continuación Jesé llamó a Abinadab y luego a Sammá, pero Samuel supo que Dios no había elegido a ninguno de los dos. Samuel fue conociendo a los siete hijos de Jesé uno por uno, pero ninguno de ellos era el elegido por Dios.

«¿Tienes más hijos?», preguntó a Jesé.

«Sí, uno más. Pero ahora está fuera cuidando de las ovejas.»

Samuel pidió a Jesé que fuera a buscarlo. Cuando David llegó, Dios le dijo a Samuel: «Este es. Úngelo con aceite porque lo he elegido para que sea el nuevo rey de Israel».

Así pues, Samuel vertió aceite sobre David y el espíritu de Dios se difundió sobre él.

David y Goliat

1.º SAMUEL 17

Las tropas de los filisteos y los israelitas estaban situadas frente a frente en el valle de Elá. Goliat, el mejor soldado de los filisteos, desafió al ejército de Saúl. «Escoged a un hombre para que venga y se bata en duelo conmigo. Si me vence, entonces nos convertiremos en vuestros esclavos, pero si lo derroto yo, vosotros seréis los esclavos.»

Sus palabras sembraron el miedo en todo el campamento israelita, donde nadie era lo suficientemente valiente como para ir a luchar contra él. Cada mañana y noche, durante cuarenta días, Goliat continuó lanzándoles pullas.

Un día, cuando Goliat estaba profiriendo sus amenazas, David llegó al campamento israelita con un poco de comida para sus hermanos, que estaban sirviendo en el ejército. Se quedó asombrado al ver que nadie quería enfrentarse a Goliat. «¿Qué derecho tiene ese filisteo para hablar con desdén del ejército de Dios vivo?»

Cuando Saúl se enteró de que David estaba en el campamento, lo mandó llamar. «Yo iré y lucharé contra ese filisteo, señor», dijo David.

Saúl le dijo que era demasiado joven, pero David lo convenció hablándole del valor que demostraba al proteger a las ovejas de su padre de los animales salvajes.

«Está bien, que Dios te bendiga —dijo Saúl—. Pero usa mi armadura». David se la probó, pero le iba demasiado grande. En su lugar, se hizo simplemente con un cayado, una honda y cinco guijarros de un arroyo cercano, y avanzó hacia Goliat.

Al ver a David, Goliat profirió una serie de maldiciones. «¿Pero quién se creen que soy? ¿Por qué me han enviado a un niño si voy a matarlo y a alimentar con él a las aves?»

David replicó: «Confía en tus armas, pero hoy te mataré en nombre del Señor, Dios de Israel. Serás tú el que sirva de alimento a los animales salvajes, no yo. Entonces todos sabrán que este combate está bajo el control de Dios y que Él va a darnos la victoria».

Seguidamente corrió en dirección a Goliat, puso una piedra en la honda y la lanzó con todas sus fuerzas. Esta voló por los aires y golpeó a Goliat en mitad de la frente. El filisteo cayó al suelo redondo. David corrió hasta él, le quitó la espada y le cortó la cabeza. Cuando los israelitas vieron lo sucedido, descendieron el valle a toda prisa en pos de los desalentados filisteos y saquearon su campamento.

GOLIAT

El mejor soldado filisteo medía casi tres metros e iba bien armado. La victoria de David sobre él demuestra que es más importante tener fe en Dios que confiar en el tamaño o la fuerza.

LA COTA DE MALLA

Según la Biblia, la armadura de Goliat pesaba unos 56 kg y estaba hecha con unas pequeñas placas de bronce con agujeros diminutos atadas sobre una túnica de tela o de cuero. La armadura se completaba con unas grebas de bronce que cubrían las espinillas y un casco de bronce para proteger la cabeza.

LA HONDA

Usada por los pastores para ahuyentar a los animales salvajes de sus rebaños, pronto se hizo popular en las guerras porque era fácil de fabricar y de usar. Es probable que la de David fuera de lana trenzada y tuviera una pieza más ancha en medio para la piedra. Un hondero hábil podía lanzar una piedra a 182 m de distancia.

LA CANTIMPLORA

David y sus seguidores vagaron por el caluroso desierto de Judá. La cantimplora, como esta que data de los siglos XI-XII a.C., debió de ser un elemento esencial de su equipaje. La cuerda pasada por las dos pequeñas asas indica que podía transportarse colgada del cuello o del tronco, lo que dejaba las manos libres.

LA LANZA DE DAVID

La lanza o jabalina era el arma usual de cazadores y guerreros. La punta de metal, por lo general de bronce, estaba fijada a un largo fuste de madera con una espiral de metal.

Muchas lanzas de esta época tenían una punta de metal, por lo que podían clavarse en el suelo mientras no se usaban. En algunas circunstancias, la lanza era un símbolo de autoridad real.

LAS CUEVAS

David pudo esconderse de Saúl en muchos lugares del accidentado e inaccesible terreno de la zona de Engadí. En muchos sitios, los orificios naturales de las rocas formaban cuevas en las que refugiarse.

Saúl siente envidia

1°. SAMUEL 18-24

Tras la increíble derrota de Goliat, David se convirtió en un héroe nacional. El pueblo tenía mejor opinión de él que de Saúl. Esto hizo que Saúl sintiera mucha envidia y decidiera matar a David. Así, instó a su hijo Jonatán a que lo ayudara, pero este y David eran muy buenos amigos.

Jonatán suplicó a su padre: «No mates a David. Desde que entró a tu servicio, solo ha hecho cosas buenas».

Saúl cedió y prometió: «Prometo ante Dios Todopoderoso que no lo mataré».

Así que, durante un breve espacio de tiempo, Saúl y David estuvieron en paz. Pero la tregua no duró mucho. Saúl pronto rompió su promesa e intentó matarlo con una lanza.

David huyó y en esta ocasión fue Mikal, su esposa, quien lo salvó. Saúl había enviado a unos soldados a vigilar su casa y Mikal se lo advirtió. «Huye. Mi padre ha enviado a esos hombres para que te maten», le dijo.

David se dirigió adonde estaba Jonatán.

«Tu padre está intentando otra vez acabar conmigo», dijo David.

«¿Estás totalmente seguro? —le preguntó Jonatán—. «Me prometió que no volvería a intentar algo semejante. Iré y averiguaré qué se propone y volveré a contártelo», le dijo a su amigo.

Cuando Jonatán vio a su padre descubrió que era verdad: Saúl estaba desesperado por matar a David.

«Lo siento mucho —gritó Jonatán al ver a David—. Aunque mi padre te odie, yo seguiré siendo siempre tu amigo.»

Saúl continuó persiguiendo a David con la intención de darle muerte. Este tenía que estar siempre de aquí para allá, porque, adondequiera que iba, Saúl le seguía.

Una vez David tuvo la oportunidad de matar a Saúl en una cueva. Pero en lugar de eso, lo dejó en paz. Esto conmovió tanto a Saúl que le pidió a David que lo perdonara y entonces volvieron a ser amigos. Pero después de todo lo que había pasado, David no pudo evitar preguntarse cuánto tiempo duraría ese cambio de parecer.

Una esposa para David

1.º SAMUEL 25

David vivía cerca de un hombre muy rico llamado Nabal que había estado fuera por cuestiones de negocios. A su regreso, David dijo a algunos de sus criados que visitaran a Nabal y le dijeran: «Saludos a ti y a los tuyos de parte de nuestro señor David. Cuando tus hombres estaban cuidando de sus rebaños cerca de nuestro señor, él se aseguró de que ni a ellos ni a los animales les faltara nada. Por consiguiente, él te pide humildemente que nos des algunas provisiones de tus almacenes».

Pero Nabal se enfadó: «¿Quién es ese David? ¿Quién se cree que soy como para dar a un desconocido la comida que he preparado para mis propios trabajadores?».

Cuando sus criados le contaron lo que Nabal había dicho, David se puso furioso: «Armaos», ordenó David. Y alrededor de cuatrocientos de sus hombres se preparon para ayudarle a dar una lección a Nabal.

Uno de los criados de Nabal se enteró y le dijo a Abigaíl, la esposa de Nabal: «David envió a sus hombres a pedir comida a nuestro señor. Pero este los insultó. Mientras estábamos cerca del campamento de David, él fue amable con nosotros. Ahora va a castigarnos a todos por la arrogancia de Nabal».

Abigaíl preparó algo de comida para David y salió corriendo esperando verlo antes de que atacara a su marido. Estaba junto a un barranco.

«Señor —dijo arrodillándose—. Por favor, no hagas caso de lo que dijo Nabal. Si yo hubiera visto a tus hombres, los habría tratado tan bien como tú trataste a los nuestros. Da estas cosas a tus hombres y olvida la estupidez de Nabal», le suplicó.

David respondió: «Gracias a Dios que has evitado que matara a tu marido. Y gracias a ti por esta comida para mis hombres y para mí. Vete en paz». Y regresó a su campamento.

Al contar Abigaíl su encuentro con David a Nabal, este se conmocionó y al poco tiempo murió. Cuando David se enteró, envió a unos mensajeros a ver a Abigaíl para pedirle que se casara con él. Ella aceptó y abandonó su antigua casa para convertirse en la esposa de David.

LA HIGUERA
La higuera es uno de los árboles más importantes que se nombran en la Biblia. Medía entre 6 y 9 m y daba fruto dos o tres veces al año. Los primeros higos del año eran exquisitos. Solían comerse frescos, aunque a veces se prensaban para llevar de viaje. Abigaíl llevaba higos cuando fue a ver a David.

LOS UADIS
Los barrancos profundos o los valles que cortan el paisaje rocoso son típicos de la región. En invierno, la lluvia forma riachuelos en el fondo de los valles, pero estos se secan en verano. Este lecho que se seca se denomina «uadi». Abigaíl siguió un uadi o barranco con sus burros para llevar comida a David.

LOS COLADORES
Este colador en forma de granada data de la época de Saúl y de David. Los coladores se empleaban para eliminar los tallos, las semillas y las pieles de los alimentos. El diseño de este tal vez indique que se usaba para colar las semillas del zumo de las granadas, que exprimidas constituían una bebida refrescante.

CUENCOS INSCRITOS

En ocasiones, los utensilios caseros tenían inscritos conjuros para ahuyentar a los malos espíritus. Esta inscripción en arameo invoca a Gabriel, Miguel y otros espíritus buenos para que protejan la casa y sanen.

HACHA DE GUERRA

La manera más habitual de librar una batalla en la época del Antiguo Testamento era el combate cuerpo a cuerpo. Los soldados llevaban armas como martillos, palos, espadas y hachas. Aunque la espada es el arma más nombrada, también se han encontrado hachas de bronce de diversas formas y tamaños.

ISIS

La diosa Isis era la patrona de la magia egipcia. Usar la magia o la brujería para intentar conocer el futuro o influir en acontecimientos o personas era común a las culturas paganas de la época, pero condenado siempre en la Biblia. Dios quiere que la gente confíe solo en Él para satisfacer todas sus necesidades.

Saúl pide a una bruja que le prediga el futuro

1.º SAMUEL 28-31

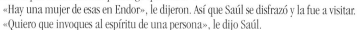

Una vez más, el ejército filisteo se preparó para luchar contra los israelitas. Cuando Saúl vio a su viejo enemigo desfilando frente a él, se quedó aterrorizado.

Saúl pidió a Dios que le revelara la táctica que debía seguir, pero Dios no le respondió.

Desesperado, Saúl dijo a sus criados: «Encontradme una médium que sea capaz de decirme lo que tengo que hacer».

«Hay una mujer de esas en Endor», le dijeron. Así que Saúl se disfrazó y la fue a visitar.

«Quiero que invoques al espíritu de una persona», le dijo Saúl.

«Pero, ¿y Saúl? —le dijo ella—. Ha desterrado a todos los médiums y espiritistas. Me mataría si se enterara.»

Saúl le aseguró que no le ocurriría nada. «Te prometo en nombre de Dios que no te pasará nada.»

«¿A quién quieres que invoque?», le preguntó con nerviosismo.

«A Samuel», respondió Saúl.

La mujer comenzó la sesión en silencio. Cuando se le apareció el espíritu de Samuel, la mujer dijo gritando: «¿Por qué me has engañado? ¡Tú eres Saúl!».

«No te preocupes —dijo el rey—. ¿Qué es lo que ves?»

«A un anciano con una toga.»

«¡Ese es Samuel!», gritó Saúl y se postró de rodillas.

«¿Por qué has hecho esto?», le preguntó Samuel seriamente.

«Los filisteos están a punto de atacarnos y por eso le pregunté a Dios qué debíamos hacer, pero Él se negó a contestarme.»

«Si Dios no te lo ha dicho, ¿por qué hablas conmigo? Has desobedecido a Dios y lo que está ocurriendo ahora no es más que el cumplimiento de su palabra. David será rey después de ti. Mañana a estas horas tanto tus hijos como tú estaréis muertos, como yo lo estoy.»

Samuel desapareció y Saúl se desplomó sobre el suelo. Estaba tan asustado que no podía ponerse de pie. Pero la mujer y sus criados le dieron de comer un poco de carne y entonces se marchó.

Al día siguiente, los filisteos atacaron y hubo una tremenda batalla. Los soldados de Saúl fueron cayendo uno a uno y los que no, desertaron.

Al final el propio Saúl murió, tal y como había predicho el espíritu de Samuel.

David es ungido rey de Israel

2.º SAMUEL 2-5

Al morir Saúl, dos personas reclamaron el reinado. Unos habían escogido a David; otros querían a Isbaal, uno de los hijos de Saúl. Durante un tiempo, los dos grupos estuvieron en guerra. Fue una lucha encarnizada en la que murió mucha gente de ambos bandos.

Cuando Isbaal fue asesinado mientras dormía, los israelitas decidieron acabar con el derramamiento de sangre.

Representantes de todas las tribus visitaron a David en Hebrón y le dijeron: «Todos formamos parte de la misma nación. Pongamos fin a esta lucha. Cuando servías a Saúl, Dios dijo que tú serías nuestro rey. Ha llegado el momento. Queremos que a partir de ahora seas nuestro rey».

David accedió a su petición y así, a los treinta años de edad, fue ungido rey.

Una vez proclamado rey de todo Israel, David decidió hacer de Jerusalén la nueva capital. Sita en lo alto de una colina, por entonces estaba ocupada por los jebuseos, quienes la habían transformado en una imponente fortaleza. David hizo marchar a su ejército hacia las murallas de la ciudad.

Sus habitantes estaban seguros de que no se podía tomar su ciudad, por lo que se mofaron de David y de sus hombres. «¡Nunca podréis entrar! Incluso los ciegos y los cojos podrían impedíroslo.»

David retó a sus soldados: «El primer soldado que mate a un jebuseo será el líder del ejército.»

Joab fue el primero en atacar la ciudad, de modo que David le dio la recompensa que había prometido y lo promocionó a comandante en jefe.

Cuando hubieron tomado la ciudad, David la amplió. Envió un mensaje a su aliado, el rey de Tiro, para pedirle madera y piedras para construir un palacio. Cuando, tras haber sido un proscrito durante años, se sentó en su trono, alabó a Dios por haberlo convertido en rey.

JERUSALÉN HOY

La actual Jerusalén es mucho más grande que en la época de David, cuando se podía recorrer a pie en una media hora. Actualmente ocupa unos 107 km² de superficie y su población, que supera los 425.000 habitantes, se compone de judíos, musulmanes y cristianos.

LOS CARPINTEROS

Jiram, el rey de Tiro, envió a carpinteros cualificados para ayudar a David a construir un palacio real y sus alrededores. Estos dibujos de tumbas egipcias ilustran a unos carpinteros cortando una viga, cepillando, perforando, puliendo, serrando y pegando la madera. Todo se hacía a mano.

LAS RUINAS DE LA CIUDAD DE DAVID

David hizo de Jerusalén la ciudad regia y la capital del país. Su ubicación neutral en la frontera entre Judá y Benjamín permitió a David unir el reino. La Ciudad de David, o Sión, tenía unos 12 acres de superficie y unos 3.500 habitantes. Situada en lo alto de una empinada colina, la ciudad estaba bien fortificada y era casi inexpugnable.

LA ACACIA

El Tabernáculo y el Arca de la Alianza estaban hechos de acacia, una madera densa y dura que resulta excelente para la ebanistería. En el desierto del Sinaí crecen pocos árboles, pero florecen las acacias.

El Arca llega a Jerusalén

2.º SAMUEL 6-7

David tomó a treinta mil hombres para que lo acompañaran a llevar el Arca a Jerusalén desde Quiryat-Yearín. La cargaron cuidadosamente sobre una carreta y se pusieron en marcha. Era una larga procesión de gente alegre que iba tocando instrumentos musicales y bailando. Al final llegaron a la ciudad. En ese momento, David no cabía en sí de gozo y bailaba con todo el mundo. Mikal, su esposa, lo vio comportándose de una manera que ella consideraba inapropiada y se sintió indignada.

Se colocó bien el Arca y David ofreció unos sacrificios a Dios allí mismo. Cuando hubo finalizado con ellos, dio de comer a todos los presentes y los mandó a sus casas.

Entonces se volvió hacia Mikal, quien, al verlo, se desahogó. «¿Por qué te pusiste a bailar así delante de todas esas criadas como si fueras un cualquiera?»

David se indignó. «¿Por qué no puedo bailar ante Dios de una manera que creo apropiada? Yo soy el rey y puedo hacer lo que me plazca.»

Después, cuando el propio David hubo construido un palacio, le confió al profeta Natán: «No me parece bien que yo tenga esta maravillosa casa y que el Arca de la Alianza, en cambio, esté guardada en una tienda. Me gustaría construir un templo en honor a Dios».

Natán se estaba preguntando cómo responderle cuando Dios se le apareció en mitad de la noche. «Dile a David que no será él quien construya una casa para mí. Su hijo lo hará en su lugar. Es más, soy yo quien construiré una casa para él, porque yo lo saqué de la oscuridad y lo puse donde está ahora. Sin mi ayuda, todavía seguiría siendo un humilde pastor. Bajo mi dirección, se convertirá en el rey más grande de la Tierra. Crearé un reino eterno para él y para sus hijos y será como un hijo para mí.»

Cuando Natán relató esta visión a David, el rey no tuvo más que palabras de elogio y gratitud. «Haga Dios lo que ha prometido y nos bendiga a mi familia y a mí para siempre.»

INSTRUMENTOS MUSICALES

La música era importante en la vida religiosa de Israel. El culto estaba dirigido por cantantes y músicos, y en las fiestas de guardar, la música, el canto y el baile formaban parte de la celebración. Los instrumentos del dibujo (de arriba abajo) son una pandereta, unos platillos y un sistro (especie de matraca) de bronce. David era un músico virtuoso y se dice que inventó varios instrumentos, aunque no se sabe exactamente cuáles.

Mefiboset

2.º SAMUEL 9

David se dirigió a sus criados: «Por respeto a la memoria de mi querido amigo Jonatán, me gustaría ayudar a algún pariente suyo que todavía siga vivo. ¿Pódeis decirme si hay alguien al que pueda ayudar de algún modo?».

Sibá, que solía trabajar para Saúl, fue llamado ante la presencia del rey. David repitió su pregunta: «¿Hay algún pariente de Saúl y Jonatán que necesite de mi ayuda?».

«Sí, señor —respondió—. ¿Te acuerdas de Mefiboset, el hijo de Jonatán, que está cojo de ambos pies? Todavía sigue vivo.»

David se incorporó de un salto. «¿Dónde está?», preguntó entusiasmado.

«En la ciudad de Lo Debar», fue la respuesta.

David ordenó de inmediato que trajeran a Mefiboset a Jerusalén. Cuando Mefiboset entró cojeando en la corte, inclinó la cabeza para presentar sus respetos. «No tengas miedo, Mefiboset. Por la memoria de mi amigo Jonatán, tu padre, voy a devolverte todas las tierras de tu abuelo y, siempre que lo desees, puedes venir a comer conmigo.»

Mefiboset, embargado por la emoción, inclinó la cabeza y exclamó: «¿Quién soy yo para para que te muestres tan amable conmigo?».

Entonces David llamó a Sibá y le contó todo lo que le había dicho a Mefiboset. «A partir de ahora, tú y tus criados vais a trabajar para Mefiboset. Cultivaréis sus tierras y cosecharéis sus frutos.»

Sibá respondió: «Lo que ordenes, señor». Y se preparó para trasladarse a las tierras de Mefiboset.

A partir de aquel momento, Mefiboset vivió en Jerusalén y siempre fue bien recibido en la mesa de David.

David toma a la esposa de otro hombre

2.º SAMUEL 11-12

Una primavera, cuando los reyes solían estar inmersos en campañas militares, David envió a Joab y a su ejército a sitiar la ciudad de Rabbá. David se quedó en Jerusalén y un día, mientras estaba dando un paseo por el terrado, vio a una atractiva mujer dándose un baño. Se enteró de que era Betsabé, esposa de Urías. David la llamó a palacio y durmió con ella. Por la mañana la joven regresó a su casa.

Al cabo de un tiempo, la mujer envió un mensaje a David: «Estoy esperando un hijo».

Sin perder un instante, David ordenó a Joab, su comandante, que enviara a Urías a Jerusalén. David interrogó a este último sobre el asedio y después le dijo que se fuera a casa y pasara la noche con su mujer. Así pensaría que él era el padre del niño. Pero Urías, en cambio, pasó la noche con los criados de David.

«No estaría bien que yo disfrutara de las comodidades de mi casa mientras mis camaradas están arriesgando sus vidas luchando», se dijo.

David lo invitó a comer y lo emborrachó, pero tampoco así regresó a su casa.

David lo hizo regresar al ejército y ordenó a Joab que pusiera a Urías en una situación peligrosa y que entonces los otros soldados se retiraran, de modo que Urías se quedara solo.

Se cumplieron estas crueles órdenes y Urías murió. Después de que Betsabé hubiera llorado la muerte de su marido, David se casó con ella y la joven dio a luz a un niño.

Dios se enfadó con David y envió a su profeta Natán para que hablara con el rey. Natán le contó la siguiente historia a David: «Un día, un hombre muy rico había recibido en su casa a un amigo. Aunque tenía muchos animales, tomó el único cordero que tenía un hombre pobre, lo mató y lo dio a su invitado para comer».

David montó en cólera. «Un hombre tan cruel como ese no merece más que la muerte.» Natán dijo en voz baja aunque con tono firme: «Tú eres ese hombre porque le has hecho lo mismo a Urías. Has desobedecido a Dios, de manera que Él te hará sufrir las mismas calamidades que le hiciste padecer tú a Urías».

David se dio cuenta de que lo que había dicho Natán era cierto y se sintió afligido. «He pecado contra Dios», confesó.

Absalón muere en una encina

2.º SAMUEL 13-18

Amnón, uno de los hijos de David, se enamoró de su hermanastra Tamar. Ella no lo amaba, pero pese a sus protestas, él durmió con ella. Su hermano Absalón se puso furioso y juró venganza. Dos años más tarde invitó a Amnón a un banquete. Mientras comían, Absalón ordenó a sus hombres que mataran a Amnón por lo que le había hecho a Tamar. Cuando David se enteró, se puso triste porque se dio cuenta de que ese era el comienzo del castigo de Dios por haber matado a Urías.

Absalón, temeroso de que David lo matara, huyó. Cuando sintió que no corría peligro, regresó a Jerusalén y se reunió con su padre.

Pese a su reconciliación, Absalón quería apoderarse del trono. Empezó por hacerse popular escuchando las preocupaciones de la gente. Una vez que se la hubo ganado, se autoproclamó rey en Hebrón.

David vio que Absalón era más popular que él y se marchó de Jerusalén con sus oficiales, pero dejó a su amigo Jusay para que espiara a Absalón.

Jusay convenció a Absalón para no seguir apoyando a David y aquel siguió su consejo de derrotarlo. Jusay sabía que su plan beneficiaría a David.

Los dos ejércitos se encontraron en el bosque de Efraím y Absalón enseguida se dio cuenta de que su bando perdería. Huyó y su larga cabellera se enredó en las ramas de una encina. Cuando Joab lo encontró allí colgado, lo mató.

Al enterarse David de que había muerto otro de sus hijos, no obtuvo consuelo y deseó haber perecido en lugar de Absalón.

LAS ENCINAS DE PALESTINA

En Palestina crecían más de veinte tipos de encinas diferentes y algunas de ellas alcanzaban los 30 m de altura. El bosque de Efraím, en Galaad, donde Absalón fue asesinado, era uno de los muchos bosques de encinas que había en Palestina en la época bíblica. La dura madera de encina se usaba para construir barcos y tallas. Los árboles como la encina simbolizaban la estabilidad y la permanencia.

DAVID LLORA LA MUERTE DE SU HIJO

David estaba desconsolado por la muerte de Absalón. Joab lo reprendió por anteponer su dolor personal y no agradecer a sus hombres que se hubieran jugado la vida para ayudarle a conservar el trono.

JERUSALÉN: LA CIUDAD SANTA

Este mapa muestra el trazado de Jerusalén en la época de David y Salomón. Al oeste del valle del Cedrón estaba el manantial de Guijón. Un canal a través de la roca llevaba agua del manantial a la ciudad. David y sus hombres usaron esta ruta para tomar Jerusalén a los jebuseos.

EL PALACIO DE SALOMÓN

Esta es la planta del palacio de Salomón, que construyó tras finalizar las obras del Templo. El palacio era imponente. Las paredes eran de piedra y la cubierta de cedro finísimo traído especialmente desde Líbano, de ahí que se denominara Palacio del bosque de Líbano.

¿Quién será el siguiente rey?

1.º REYES 1

David era ya viejo y estaba delicado. Al ver lo débil que estaba su padre, Adonías decidió que podría ser rey. Realizó una serie de sacrificios cerca de la fuente de Roguel e invitó a sus hermanos y a la corte real a la ceremonia.

Entonces Natán, que no había sido invitado, se acercó a Betsabé. «¿Sabes que Adonías hace de rey sin que David tenga conocimiento de ello o haya dado su consentimiento? Debes ir adonde David y avisarle. Recuérdale que ya ha escogido a Salomón para que le suceda en el trono.»

Así pues, Betsabé fue a ver a su marido y le explicó lo que sucedía. «Señor, sin duda recordarás que me prometiste que nuestro hijo Salomón sería el próximo rey. Pues Adonías se ha autocoronado rey. Las miradas de todo el pueblo se dirigen a ti para saber si apruebas este nombramiento.»

Cuando ella estaba hablando con David, entró Natán y repitió exactamente lo que Betsabé había dicho.

Entonces David dijo a su esposa: «Te juro por Dios que tu hijo Salomón me sucederá en el trono».

Betsabé, con profundo alivio, le hizo una reverencia.

David mandó entonces a Natán y al sacerdote Sadoq a Guijón para que ungieran rey a Salomón.

Una vez allí, hicieron lo que el rey les había ordenado.

Al final de la coronación, se oyó un grito: «¡Larga vida al rey Salomón!».

Adonías oyó los gritos y preguntó qué sucedía. Cuando le dijeron que Salomón era el nuevo rey bajo órdenes expresas de David, se alarmó. Huyó y se refugió en el Tabernáculo porque temía que Salomón quisiera acabar con él.

Cuando Salomón se enteró de dónde estaba Adonías, envió a algunos de sus hombres para que lo trajeran ante su presencia y dijo: «Mientras no hagas nada malo estarás a salvo, pero si pecas, entonces morirás. Ahora vete a casa en paz».

El sabio rey Salomón

1.º REYES 3

Una noche Dios se apareció en sueños a Salomón.

«Te daré todo lo que pidas», le dijo.

Salomón respondió: «Aún soy joven y no tengo experiencia sobre cómo gobernar. Por lo tanto, te pido que me des sabiduría para que pueda regir bien a tu pueblo».

Su respuesta fue del agrado de Dios, quien dijo entonces: «Como no has sido egoísta y no me has pedido riqueza o victorias, te concederé tu deseo. Pero te daré además lo que no has pedido: riqueza y gloria como no tendrá ningún otro rey. Y si me obedeces como tu padre lo hizo, también te daré una larga vida».

Salomón enseguida tuvo una oportunidad de poner a prueba su sabiduría. Se le acercaron dos mujeres y una de ellas se dirigió a él diciendo: «Señor, vivimos en la misma casa. Las dos hemos dado a luz a un hijo recientemente, con apenas tres días de diferencia. La pasada noche ella se giró sobre el suyo y lo ahogó. Al ver que el niño estaba muerto, tomó al mío mientras yo dormía y lo sustituyó por el cuerpo inerte de su hijo. Cuando me he despertado he pensado que mi hijo había muerto, ¡pero después me he dado cuenta de que no se trataba de él!».

La otra mujer la interrumpió: «¡Eso no es verdad! Mi hijo es el que está vivo. Es el tuyo el que ha muerto».

La otra replicó y enseguida se pusieron a discutir delante de Salomón.

«¡Silencio! —ordenó él—. ¡Traedme una espada! Como no resolvéis de quién es el niño, lo partiré en dos y os daré una mitad a cada una.» Y ordenó a un guardia: «¡Corta al niño!».

Entonces la que era verdaderamente su madre se arrodilló, temblorosa y llorando: «¡Por favor, señor, dele el niño a ella! ¡Haga lo que sea, pero no lo mate!».

Sin embargo, la otra mujer se mantuvo fría y dijo tranquilamente: «No será para ninguna de las dos. ¡Que lo corten en dos!».

Al ver las reacciones de las dos mujeres, Salomón anunció su veredicto: «No mates al niño. Dáselo a la primera mujer. Solo la madre de verdad se comportaría así».

Cuano la noticia del veredicto emitido por el rey fue de dominio público, el pueblo de Israel se quedó maravillado porque se dio cuenta de que una sabiduría como aquella solo podía proceder de Dios.

LOS CABALLOS DE SALOMÓN
Salomón era un gran comerciante y criador de caballos. Los importaba de Egipto y Asia, y los exportaba a los países vecinos. Tenía 12.000 en establos de las ciudades de Asor, Megido y Gézer. De hecho, en Jerusalén llegó a haber tantos que en la ciudad había una puerta especial para ellos.

Construcción del gran Templo

1.° REYES 5-8

Salomón envió a unos mensajeros a Jiram, rey de la vecina Tiro. «Dios me ha concedido la paz y tengo intención de construir el templo propuesto por David, mi padre. Necesito que me proporciones madera de tus finos cedros y pinos. Te pagaré generosamente por ella.»

Así pues, los hombres de Jiram talaron árboles y lanzaron los troncos al mar. Los hombres de Salomón los iban sacando del agua y los transportaban al lugar en el que iba a ubicarse el templo. Este tardó siete años en construirse. No se reparó en gastos, ni en el imponente exterior ni el magnífico interior.

Una vez acabadas las obras, Salomón llevó el Arca de la Alianza y la colocó en el santuario interior del Templo, en el Sanctasanctórum. Cuando los sacerdotes que habían llevado el Arca salieron del Sanctasanctórum, la presencia de Dios invadió todo el Templo.

Salomón y el pueblo se quedaron sobrecogidos y asombrados. El rey se volvió hacia todos los que estaban allí presentes y oró: «Dios majestuoso, no hay otro dios como Tú. Has cumplido la promesa que le hiciste a mi padre cuando te habló de su deseo de construir un templo. Nos has ayudado desde el principio hasta el final y hoy queremos darte las gracias por el continuo amor que nos demuestras. Aunque fuera el mayor templo del mundo, nunca podría ser la casa del Señor, creador de los cielos y la tierra. No obstante, este lugar es tuyo: cuando alguien rece en este templo, escúchale, responde a sus plegarias y perdona sus pecados».

Entonces Salomón bendijo al pueblo: «Que Dios os bendiga como lo hizo con nuestros padres. Que os haga amarle, obedecerle y servirle siempre».

El pueblo estuvo dos semanas de celebración, realizando sacrificios a Dios y consagrando el Templo. Cuando llegó la hora de marcharse, todos estaban muy contentos de haber visto el Templo y agradecían lo que Dios había hecho por su pueblo.

La reina de Saba

1.º REYES 10

Al poco tiempo, la fama de Salomón y su fe en Dios fue conocida en el mundo entero. Su buena reputación llegó a oídos de la reina de Saba, quien decidió ir a Jerusalén para comprobar si los rumores eran ciertos. Llegó encabezando una espléndida caravana. Sus camellos iban cargados de especias, oro y joyas. No tardó nada en tener una conversación con Salomón y en poner a prueba sus conocimientos sobre una gran variedad de temas. Él respondía fácilmente a todas sus preguntas y le explicaba todo lo que quería saber.

Salomón la recibió pródigamente, le enseñó todo sobre su ciudad y le resumió las leyes con las que gobernaba esas tierras. La llevó al Templo y le explicó la historia de los israelitas y los maravillosos modos como Dios había intervenido a lo largo de la historia.

Cuando la reina se dio cuenta de lo sabio que era Salomón y vio sus palacios, su corte y hubo probado las exquisiteces de su cocina, se quedó profundamente impresionada.

Abrumada, le confesó: «Todo lo que había oído sobre ti es totalmente cierto. En verdad, si te soy sincera, lo que había oído se quedó corto. Todo lo que hay aquí es mucho mejor de lo que nunca hubiera podido imaginar. Tu pueblo es muy afortunado de tenerte como rey.

Imagino que el reconocimiento y el honor hay que debérselo a Dios, vuestro Señor, por haberte colocado en el trono».

La reina dio a Salomón los regalos que había traído y, a cambio, él le otorgó todo lo que ella pidió. Al final, ella se fue contenta y llena de admiración, para regresar a su propio reino.

EL PAVO REAL

Es probable que en sus viajes Salomón visitara la India y adquiriera pavos reales. En los primeros tiempos de la iglesia cristiana, los ojos de la cola de estos animales representaban los ojos de Dios que todo lo ven.

EL VIAJE DE LA REINA DE SABA

La reina de Saba viajó desde el actual Yemen, al sudoeste de Arabia, hasta Jerusalén para ver las riquezas de Salomón. En este viaje de más de 1.600 km cruzó el desierto de Arabia y recorrió la principal ruta comercial de ese país, el camino real.

EL CEDRO DE LÍBANO

Este cedro es una enorme conífera. Su madera, valiosa por su resistencia y belleza, siempre se usaba en los techos y los paneles de las paredes de los templos.

Salomón da la espalda a Dios

1.º REYES 11

PENDIENTES
Las joyas siempre han sido objetos valiosos. Estos pendientes son un reflejo de la variedad de formas y diseños existentes en la Antigüedad, que abarcaban desde sencillos aros de latón hasta la complicada confección de pendientes de oro. En la Biblia, los pendientes suelen asociarse a la idolatría, quizá porque las culturas paganas grababan sus deidades en ellos y los usaban como amuletos para ahuyentar a los malos espíritus.

Aunque Dios había dictado lo contario, Salomón amó a muchas mujeres extranjeras. Conforme fue envejeciendo, estas lo convencieron poco a poco para que se interesara por otros dioses. De ahí que su corazón no fuera por entero para Dios. Incluso construyó un altar para Kemós, el dios de Moab, en una colina próxima a Jerusalén.

De modo que Dios se enfadó mucho con él y le dijo: «Has incumplido mis órdenes y por eso voy a quitarte el reino y a entregárselo a uno de tus súbditos. No obstante, por tu padre David, no lo haré durante tu reinado. Cuando tu hijo sea rey, le arrebataré Israel y le dejaré solo con una tribu».

Entonces Dios reunió a hombres que se enfrentaron a Salomón y dirigió grupos de rebeldes contra él. Uno de esos hombres era Jeroboam, a quien Salomón había encargado que supervisara a los obreros.

Cuando un día Jeroboán estaba saliendo de Jerusalén, se le acercó Ajías, el profeta, quien agarró el manto de Jeroboam e hizo doce jirones.

Ajías profetizó: «Te vas a quedar diez trozos porque Dios va a arrebatar el reino de las manos de Salomón y te va a dar diez tribus; las otras serán para el hijo de Salomón. Hará esto por la perversidad de Salomón al creer en dioses extranjeros. Ahora no caigas tú en la misma trampa que Salomón. Si obedeces las órdenes de Dios, tu reino será eterno e Israel te pertenecerá».

Cuando Salomón se enteró de lo ocurrido, intentó matar a Jeroboam, quien huyó a Egipto. Permaneció allí hasta que Salomón hubo fallecido y su hijo Roboam hubo tomado el poder del reino.

Una tierra dividida

1.º REYES 12-13

Roboam
Roboam fue el último rey del Israel unido tras la muerte de su padre, Salomón, y el primer rey del reino del sur, Judá. Fue muy impopular porque trató de gravar con impuestos muy elevados al reino del norte, lo que le valió la lapidación.

Roboam se hallaba en Siquem, donde los israelitas lo aguardaban para coronarlo rey. Cuando Jeroboam se enteró, regresó de su exilio en Egipto. Respaldado por todo el pueblo, Jeroboam se acercó a Roboam y le preguntó: «Tu padre nos hizo trabajar mucho. ¿Nos harás tú ahora la vida más fácil?».

Roboam respondió: «Vuelve dentro de tres días y te daré una respuesta». Entonces fue a consultar a los consejeros de su padre, quienes le dijeron: «Si le das al pueblo lo que quiere, ellos serán tus siervos para siempre».

Después preguntó a sus amigos y conocidos para ver qué le sugerían. «Di al pueblo que la carga que Salomón colocó sobre sus espaldas era tan ligera como una pluma comparada con el yugo que tú les vas a hacer soportar.»

Al cabo de tres días, Roboam informó al pueblo de su decisión. «Mi padre os hacía trabajar a base de latigazos; yo os azotaré con escorpiones.»

La asamblea se quedó consternada y gritó: «No tenemos nada que ver con este descendiente de David. ¡Todo el mundo a su casa!». Y contrariados se volvieron a casa.

Poco después estalló una rebelión. Los israelitas proclamaron rey a Jeroboam y dejaron a Roboam únicamente la tribu de Judá, que le era fiel.

Los dos bandos empezaron a prepararse para la guerra, pero Dios habló a su pueblo a través del profeta Semaya diciendo: «Nadie va a luchar contra su hermano. Esta escisión en el reino es obra de Dios».

De esta manera se mantuvo la paz y las dos facciones enfrentadas regresaron a casa.

Jeroboam temía que si los israelitas tenían que ir a Jerusalén para ofrecer sacrificios, estarían una vez más bajo la influencia de Roboam y volverían a él. Así que decidió construir altares en Betel y en Dan. También construyó santuarios en las montañas y nombró sacerdotes que no fueran de la tribu de Leví.

Incumplió las órdenes de Dios de muchas maneras. Incluso cuando Dios envió a unos profetas para advertirle de su desobediencia, se mantuvo en sus trece. Siguió nombrando sacerdotes fueran levitas o no. Este pecado, más que cualquier otro, le valió la perdición.

LA DIVISIÓN DEL REINO
Como Salomón no había seguido incondicionalmente a Dios, su reino quedó dividido en dos. Su hijo Roboam se quedó solo con las dos tribus del sur: Judá y Benjamín. Jeroboam, un oficial de la corte de Salomón, gobernó sobre las diez tribus del norte de Israel.

Elías salva a la viuda y a su hijo

1.° REYES 17

LA CODORNIZ
Las codornices eran las aves más pequeñas y sabrosas que se cazaban en la época bíblica. Emigran en grandes bandadas volando solo a un metro o dos del suelo.

Aves de la Biblia
Existe una gran variedad de aves en Oriente Próximo, tanto por tener un gran número de hábitats como por encontrarse en una de las principales rutas migratorias. Las palomas son las aves que se mencionan más veces en la Biblia. Las lechuzas, las cigüeñas, aves de caza como las perdices y las codornices, o aves de presa como las águilas, los milanos reales y los halcones nos son familiares actualmente, al igual que los cuervos que llevaron pan y carne a Elías. Aunque los cuervos suelen asociarse al mal, en la Biblia ilustran la bondad de Dios.

UNA REGIÓN DESOLADA
Al huir de Jezabel, Elías recorrió una distancia de unos 320 km desde el monte Carmelo hasta el monte Horeb y cruzó un desierto tan árido como en la actualidad. El paisaje agreste estaba salpicado de unos pocos oasis pequeños y de escasa vegetación en torno a uadis estacionales.

Un profeta llamado Elías presagió al rey Ajab de Israel: «Tan seguro como que Dios reina en los cielos, no volverá a llover en la tierra a no ser que yo lo ordene». Dirigido por Dios, Elías fue entonces a un lugar escondido en un barranco próximo al río Jordán. Allí bebía de un arroyo y unos cuervos le traían pan y carne cada mañana y cada tarde.

Al final, incluso el arroyo se secó, por lo que Dios le dijo a Elías: «Ve a Sarepta, donde he ordenado a una viuda que te dé de comer».

Cuando Elías llegó a las puertas de la ciudad, se encontró con una mujer que estaba recogiendo leña.

Él le dijo: «¿Podrías, por favor, traerme un poco de agua para que beba?». Cuando la mujer se fue a buscarla, él añadió: «Por favor, ¿podría tener también un poco de pan?».

Ella se volvió y lo miró a los ojos. «No tengo pan. Apenas tengo un poco de harina en un tarro y algo de aceite. Estaba recogiendo estos palos para encender un fuego y cocinar lo último que nos queda a mi hijo y a mí antes de que muramos de hambre.»

Elías dijo: «No te preocupes. Vuelve a casa y haz lo que tenías pensado, pero antes, prepara una torta y tráemela. Luego vete y come. Dios me ha dicho que te diga que no se acabará la harina ni el aceite hasta que vuelva a llover en Israel».

La mujer se marchó y obedeció a Elías. Todo lo que había predicho se cumplió. Cada día había comida suficiente para la mujer, para su familia y para Elías.

Después de un tiempo, el hijo de la mujer cayó enfermo. Empeoró y murió. Su madre culpó a Elías. «¿Qué he hecho yo para merecer esto?», gritó.

«Dame a tu hijo», le dijo Elías. Tomó al niño en brazos, lo llevó escaleras arriba a su habitación y lo puso encima de la cama. Entonces invocó a Dios: «¿Por qué has traído esta tristeza a esta amable viuda?». Se tendió tres veces sobre el niño y gritó: «¡Que vuelva la vida a este niño!».

Dios escuchó la plegaria de Elías y el niño revivió. Elías lo bajó y se lo dio a su madre, quien, con lágrimas en los ojos, dio las gracias a Elías. «Ahora veo que eres un hombre de Dios que solo dice Su verdad», dijo.

El altar de Dios arde

1.º REYES 18

Después de tres años de sequía, dijo Dios a Elías: «Ve y dile al rey Ajab que voy a hacer que llueva sobre la tierra».

Cuando Ajab vio a Elías exclamó: «¿Eres tú realmente la causa de todos los problemas de Israel?».

Elías respondió: «Yo no he sido el causante de todos los problemas del país. Tú y tu familia sois quienes nos habéis traído la desgracia al creer en los dioses de Baal. Congrega al pueblo y a los profetas de Baal en el monte Carmelo».

Ajab obedeció a Elías. Cuando estuvieron todos allí reunidos, Elías se dirigió a ellos: «¿Cuánto tiempo más seguiréis vacilando entre dos opciones? Si el Señor es Dios, seguidle, pero si Baal es Dios, id tras él».

Se hizo un embarazoso silencio entre la multitud. Nadie se atrevió a hablar.

Elías prosiguió: «Yo soy el único profeta del Señor, mientras que hay cuatrocientos cincuenta profetas de Baal. Traed dos toros. Que ellos escojan uno para sacrificarlo. Tanto ellos como yo vamos a construir un altar y a colocar los toros sobre él pero sin encender el fuego. Entonces invocaremos a nuestros dioses. El que envíe fuego desde el cielo será el dios verdadero».

Todos pensaron que era una buena idea y comenzaron los preparativos.

Los profetas de Baal sacrificaron a su toro, construyeron el altar y bailaron en torno a él invocando a Baal. «Responde con fuego», gritaron toda la mañana.

Al mediodía, Elías se burló de ellos. «¡Tal vez esté dormido!». Los profetas de Baal redoblaron los esfuerzos.

Al anochecer, seguía sin haber fuego.

Entonces Elías dijo al pueblo que lo mirara.

Preparó un altar, colocó doce piedras alrededor y cavó una amplia zanja. Tomó cuatro cántaros de agua y los vertió sobre el conjunto. Lo hizo tres veces hasta empapar el altar y llenar la zanja.

Entonces Elías oró: «Señor, Dios de Abraham, Isaac y Jacob, demuestra que tú eres el Dios de Israel y que yo soy tu siervo. Muestra a esta gente quién eres para que vuelvan a ti».

A continuación, el fuego devoró el altar y prendió el agua de la zanja. El pueblo gritó: «¡El Señor es Dios!».

«¡Detened a los falsos profetas!», ordenó Elías, y el pueblo los prendió y los mató.

En medio de la confusión, se formó una pequeña nube mar adentro. Poco a poco se fue haciendo más grande hasta que empezó a llover. Dios había puesto fin a la sequía de Israel tal y como había prometido.

BAAL, DIOS DE LA LLUVIA
Jezabel procuró establecer el culto a Baal, dios de la lluvia, como la religión de Israel. Los chaparrones marcaban el inicio de las lluvias de invierno y ablandaban el terreno resecado durante el verano, lo que permitía labrar y sembrar los campos.

PRUEBA EN EL MONTE CARMELO
Baal era adorado en el monte Carmelo. Cuando Elías puso fin a este culto prohibido, también terminaron los tres años de sequía.

LAS VIDES Y LAS VIÑAS

Las uvas, las pasas y el vino eran tan importantes para la economía y la dieta de los israelitas que quienes ayudaban en la vendimia no tenían que servir en el ejército.

LA PERVERSA JEZABEL

Como castigo, Jezabel fue arrojada por una ventana y pisoteada por unos caballos. Por su sangre real, debería haber tenido un entierro en condiciones, pero no fue posible porque unos perros se comieron gran parte del cadáver. Su muerte violenta cumplía la profecía de Elías.

LOS PERROS

Los perros eran carroñeros que vagaban en manada. Cuando Ajab murió en combate, su cuerpo fue llevado a Samaria, donde los perros lamieron su sangre, como Elías había predicho.

El viñedo de Nabot

1.º REYES 21

Un hombre llamado Nabot era el propietario de un viña en Yizreel que lindaba con el palacio de Ajab, rey de Samaria. Ajab quería hacerse con la viña, de modo que se acercó a Nabot: «Me gustaría tener tu viña y convertirla en un huerto. Te pagaré por ella o te buscaré otra a cambio, lo que prefieras».

Pero Nabot replicó: «Esta tierra pertenece a mi familia desde hace varias generaciones y no tengo ninguna intención de desprenderme de ella».

Ante la negativa de Nabot, Ajab se marchó enfadado, se metió en su habitación sin comer y cerró la puerta.

Jezabel, su esposa, le preguntó qué ocurría. «¿Por qué estás de tan mal humor? ¿Qué te ha hecho perder el apetito?».

«Nabot no ha querido darme su viñedo y eso que le he ofrecido la posibilidad de tener otro mejor o de pagárselo», fue la respuesta.

«¡Un rey de Israel no se comporta de esa manera! ¿Eres el rey o no? Levántate y come algo. No te preocupes, yo te conseguiré la viña», dijo su esposa riendo.

Seguidamente, Jezabel escribió a los notables de Yizreel en nombre de Ajab. En las misivas les daba instrucciones para que organizaran un banquete y sentaran a Nabot en un lugar destacado. Junto a él habría dos granjas, una a cada lado, que lo acusarían de haber maldecido a Dios y al rey. Entonces sacarían de ahí a Nabot y lo ejecutarían. Se cumplieron las órdenes y pronto Jezabel recibió un mensaje que anunciaba la muerte de Nabot.

Jezabel informó de inmediato a su marido, quien se apropió de la viña que tanto codiciaba.

Pero Dios envió a Elías a que maldijera a Ajab: «Como has matado a un hombre y le has robado sus tierras, Dios dice que en el lugar en el que Nabot ha muerto lapidado, unos perros lamerán la sangre de tu cadáver».

Al oír las palabras de Elías, Ajab se arrepintió. Dios vio su cambio de actitud y declaró: «Como has admitido tu pecado, no acabaré contigo como prometí».

Llevado al cielo

2.º REYES 2

Era ya casi la hora de que Dios llevara a Elías al cielo en un torbellino.

«Dios me envía a Betel, pero tú debes quedarte aquí», le dijo a Eliseo, su sucesor.

«No, yo voy contigo», replicó Eliseo. De manera que se marcharon juntos.

En Betel, los profetas de la ciudad dijeron a Eliseo: «¿Te das cuenta de que Dios pronto va a llevarse a Elías lejos de ti?».

«Sí —respondió—. No me lo recordéis.»

En otra ocasión dijo Elías a Eliseo: «Quédate aquí mientras voy a Jericó».

«No, vayas donde vayas, iré contigo», fue la respuesta de Eliseo.

Así pues, Eliseo acompañó a Elías, primero a Jericó y luego al río Jordán. Les seguían cincuenta profetas de Jericó para ver qué hacían.

Una vez hubieron llegado a orillas del río, Elías se quitó el manto, lo enrolló y golpeó las aguas con él. Al hacerlo, el río se dividió y pudieron pasar al otro lado.

«Ahora tengo que dejarte, Eliseo. ¿Puedo hacer algo

por ti antes de marcharme?»

«Haz que se duplique tu espíritu en mí», respondió.

«Lo que me pides es muy difícil. Si alcanzas a verme cuando me vaya, recibirás lo que quieres. Pero si no lo logras, entonces no lo tendrás.»

Mientras hablaba, apareció un carro con unos caballos de fuego y Elías fue llevado al cielo en un torbellino. Al ver esta escena, Eliseo gritó: «¡Padre mío! ¡Los carros y los jinetes de Israel!». Seguidamente, Elías desapareció para siempre.

Eliseo tomó la capa de Elías, se dirigió hacia la orilla del río y golpeó sus aguas con el manto. Estas se separaron, tal y como habían hecho con Elías. Los profetas, que estaban en la otra orilla, lo vieron todo. Cuando Eliseo llegó adonde ellos estaban, estos se postraron ante él diciendo: «El espíritu de Elías reposa sobre ti». Entonces Eliseo supo que se había cumplido su petición.

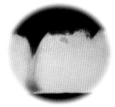

LOS TORBELLINOS

Los torbellinos se originan en las nubes de tormenta, cuando el aire caliente gira hacia arriba a gran velocidad. Adoptan la forma de ciclones, huracanes o tornados y son bastante frecuentes en Oriente Próximo. En la Biblia suelen aparecer como una señal enviada por Dios.

LA CUADRIGA DE ORO

Este modelo dorado de una cuadriga tirada por cuatro caballos data, aproximadamente, del año 500 a.C. Los ejércitos de Israel usaban carros para combatir, pero estos también se empleaban para transportar a determinadas personalidades. El carro y los caballos de fuego que llevaron a Elías al cielo en un torbellino simbolizan el poder del espíritu santo que había acompañado el sacerdocio de Elías.

LA CASA BÍBLICA

Al parecer, una zona elevada separaba la estancia del lugar en el que se guardaban los animales por la noche y se gestionaban los negocios familiares por el día.

EL NIÑO JASÍDICO

Los jasídicos son judíos místicos. En la época bíblica los hijos eran importantes porque perpetuaban la línea familiar y podían mantener a la familia cuando el padre fallecía.

VISTA DEL MONTE CARMELO

En hebreo, «Carmelo» significa 'viñedo' o 'jardín de Dios'. En la Biblia, esta zona era famosa por su bella y exuberante vegetación. Las laderas estaban pobladas de densos bosques de robles, olivares y viñedos. Actualmente, gran parte de esta zona está considerada reserva natural.

¡Salva a mi hijo!

2.º REYES 4

Estando una vez en Sunem, Eliseo recibió la invitación de ir a comer a casa de una mujer rica. Se hicieron amigos y siempre que estaba en la ciudad, comían juntos.

Un día en el que Eliseo se había hospedado en su casa, le preguntó si podía hacer algo para corresponder a su amabilidad. Ella le dijo que estaba plenamente satisfecha, pero que sería bonito tener un hijo. Él le prometió: «Dentro de un año darás a luz a un niño».

La mujer pensó que se estaba burlando de ella y le rogó que no fuera tan cruel, pero, efectivamente, dio a luz a un niño, tal y como Eliseo había predicho.

El niño creció. Un día, había ido con su padre al campo cuando, de repente, empezó a retorcerse y a gritar que le dolía la cabeza. Lo llevaron corriendo a casa con su madre, pero pocas horas más tarde, yacía muerto en el regazo de esta. Ella lo tomó en brazos, lo llevó a la habitación de Eliseo y lo acostó en la cama. Quería contarle la desgracia a Eliseo, así que se fue corriendo al monte Carmelo. Nada más verla, Eliseo supo que algo iba mal.

«Cuando me dijiste que iba a tener un hijo, ¿no te dije que no te burlaras de mí? Ahora está muerto, una extraña enfermedad ha acabado con él», gritó la mujer.

Eliseo dijo a su criado que fuera a la casa y pusiera su bastón sobre el niño. El criado obedeció, pero no ocurrió nada, así que regresó adonde estaba su señor, que iba tras la madre del niño. Una vez en la casa, Eliseo fue solo a ver al niño y rezó a Dios. Entonces se tendió sobre el niño, cuyo cuerpo empezó a entrar en calor. Eliseo se levantó, dio una vuelta por la habitación y se tendió sobre él nuevamente. El niño estornudó siete veces y abrió los ojos.

«Ve a buscar a su madre», dijo Eliseo y ella irrumpió en la habitación y abrazó a su hijo.

«Toma a tu hijo», susurró Eliseo en voz baja. Y la madre y el niño dejaron al profeta solo en su habitación.

Curación de Naamán

2.º REYES 5

Naamán, el comandante en jefe del victorioso ejército del rey de Aram, padecía lepra, una enfermedad cutánea. Su esposa tenía una criada israelita que había sido capturada en una incursión en Israel.

«En mi tierra hay un profeta que podría curarlo», dijo a su señora. Así que Naamán pidió permiso al rey para ir a Israel a buscar un remedio. El rey dio su aprobación y lo envió al rey de Israel.

El rey de Israel pensó que solo se trataba de una trampa. «¿Crees que yo puedo curar la lepra? ¡Es una artimaña para causar problemas entre nuestros países!», gritó.

Cuando Eliseo se enteró de la reacción del rey, le envió un mensaje: «Mándamelo a mí y así sabrá que hay un profeta en Israel».

Así que Naamán fue a ver a Eliseo. Pero este simplemente le envió un mensaje diciendo: «Báñate siete veces en el río Jordán y te curarás».

Eso hizo enfadar a Naamán. «Esperaba que me viera, que rezara a su Dios y me curara. Tenemos ríos en Damasco. ¿Por qué no puedo lavarme en uno de ellos?»

Sus criados trataron de calmarlo. «Si te hubiera pedido que hicieras algo complicado, lo habrías hecho. Así que ¿por qué no vas a hacer esto tan simple?»

Naamán hizo lo que Eliseo le había dicho y al salir del agua la séptima vez, su piel era como la de un niño.

Regresó adonde Eliseo y le dijo: «Ahora sé que no hay otro Dios más que el tuyo. A partir de ahora solo le ofreceré sacrificios a Él».

Naamán recibió la bendición de Eliseo y regresó a su país.

Derrota final de Israel

2.º REYES 17

EL DIOS ASIRIO DEL HOGAR
En muchos hogares asirios había estatuillas de dioses del hogar como esta. Los israelitas también las tenían, pese a las advertencias de Dios de no adorar a otros dioses. En hebreo se conocían como «terafín».

La caída de Israel
La caída de Israel, el reino del norte, fue el resultado de que el pueblo no adorara solo a Dios. Israel fue conquistado por Asiria y enviado al exilio. El pueblo de Israel había desoído los mensajes que Dios le había dado a través de los profetas Elías, Eliseo, Oseas y Amós para que volviera a Él.

EL IMPERIO ASIRIO
En la época de máximo esplendor, el Imperio asirio era vasto. Salmanasar deportó a los israelitas a Asiria hacia el año 722 a.C., cuando atacó a Oseas por negarse a rendirle tributo y en su lugar aliarse con el rey de Egipto.

D esde que Dios sacara al pueblo de Israel de las tierras de Egipto, los israelitas le desobedecieron una y otra vez. Adoraban a otros dioses e imitaban las religiones de la gente que vivía en la Tierra Prometida. Construyeron altares y monumentos para todo tipo de dioses, llenando la tierra de ídolos de madera y piedra.

Dios les advirtió de su comportamiento en repetidas ocasiones a través de los profetas, cuyo mensaje era siempre el mismo: «Dejad de ir por mal camino. Cumplid la Ley que os di por boca de mis siervos».

Peso eso no cambió nada; cada nueva generación era tan orgullosa y arrogante como la anterior. Rechazaban todo lo que tenía que ver con Dios y preferían las costumbres de las naciones que los rodeaban. Adoraban a Baal, se inclinaban ante las estrellas que brillaban en la noche, sacrificaban a sus hijos en el fuego, practicaban la brujería y consentían todo tipo de maldades.

Pese a tener una gran paciencia y una enorme disposición para perdonar, Dios estaba cada vez más enfadado con ellos y dividió la nación en dos. Incluso entonces el hombre que había escogido como rey de Israel, Jeroboam, rehusó reconocer a Dios. Tanto sus descendientes como él cometieron pecados sin pararse a pensar en que Dios los amaba.

Finalmente todo acabó, ya que Dios cumplió su amenaza de deportar a su pueblo a una tierra lejana. Por entonces reinaba Oseas y este, en lugar de respetar al rey de Asiria, formó una alianza con el rey de Egipto. Por su traición, Salmanasar, rey de Asiria, atacó a Oseas, lo capturó y lo encerró en una de sus cárceles.

Seguidamente, Salmanasar deportó a toda la nación a Asiria, donde la gente se asentó a orillas del río Jabor. Así pues, Oseas fue el último rey perverso de la rebelde nación de Israel. El pueblo no regresó nunca más a la tierra que Dios había dado a sus antepasados siglos atrás.

Los nobles reyes de Judá

2.° REYES 18-23

Los reyes de Judá eran en su mayoría perversos y no seguían a Dios como lo requerían sus leyes y mandamientos. Con la única excepción de Ezequías. Este ordenó destruir todos los ídolos, santuarios y altares que se hubieran dedicado a otros dioses. Incluso rompió su alianza con el rey de Asiria y contó únicamente con el poder y la protección de Dios. Cuando Senaquerib, el rey asirio, se enteró del desafío de Ezequías, envió a su ejército para que asediaran Jerusalén.

Su comandante envió un mensaje a Ezequías: «No confíes en Dios. Mi rey, Senaquerib, es el único que puede protegerte. Déjanos entrar en la ciudad y te colmaremos de bellos caballos y otros presentes. Si no prestas atención a mis palabras, moriréis todos».

Ezequías pidió consejo al profeta Isaías. La respuesta de este fue simple pero firme: «No escuches a los asirios. Dios te mantendrá a salvo».

Entonces Isaías clamó contra los asirios: «Yo soy Dios y haré que volváis al lugar del que habéis venido. No tomaréis Jerusalén».

Efectivamente, esa misma noche, un ángel de Dios acabó con el ejército asirio, dejando que solo unos pocos supervivientes regresaran a casa y contaran el desastre acaecido.

Josías, que fue coronado rey cuando tenía ocho años, también fue un rey bueno.

Después de haber reinado durante dieciocho años, dictó una orden real: «Id y reconstruid el templo». Los obreros pronto descubrieron algo de gran valor. «¡Hemos encontrado el Libro de la Ley», informaron al rey.

«Leédmelo», ordenó Josías. Cuando lo hicieron, este se dio cuenta de cuánto se había desviado el pueblo del camino de Dios. Josías se sintió enormemente disgustado.

«Averiguad qué es lo que Dios quiere que hagamos» ordenó. Sus criados hablaron con la profetisa Juldá, quien les dijo lo que debían hacer.

«Como cuando os disteis cuenta de que os habíais olvidado de Dios, os lamentasteis por ello, Él ha prometido protegeros», dijo ella.

Entonces Josías reunió al pueblo y todos escucharon atentamente la palabra de Dios. Después, renovaron su alianza con Él y le prometieron volver a seguir su camino.

EL LIBRO DE LA LEY

El Libro de la Ley redescubierto durante el reinado de Josías pudo tratarse de una copia de los cinco primeros libros del Antiguo Testamento o de parte o todo el libro del Deuteronomio. En su origen fue escrito por Moisés para recordar a los israelitas sus obligaciones y alianzas con Dios. Se escribió en columnas estrechas en un rollo de papiro y se leía de derecha a izquierda.

RELIEVE MURAL

Senaquerib hizo de Nínive la capital del Imperio asirio. Construyó murallas y puertas nuevas para la ciudad y mejoró notablemente su suministro de agua. Se han encontrado muchos tesoros allí. Este relieve mural del palacio real muestra al rey combatiendo en su carro. Tras no lograr vencer a Ezequías, Senaquerib volvió a su casa, donde dos de sus hijos lo asesinaron.

David adora a Dios

1.° CRÓNICAS 16

Cuando David llevó el Arca de la Alianza a Jerusalén, ofreció varios sacrificios a Dios. Repartió pan, dátiles y pasas entre todos aquellos que participaban en la ceremonia. Después eligió a los levitas para que oficiaran delante del Arca, para que rezaran, dieran las gracias a Dios y lo alabaran con liras, arpas, platillos y trompetas.

El propio David escribió un salmo de alabanza a Dios:

> Alabado sea el Señor;
> que todo el mundo oiga lo que ha hecho.
> Que Él llene de alegría y de fuerza
> a todos aquellos que lo contemplan.
> Dios es el Señor de toda la tierra,
> nunca olvida su alianza,
> la promesa que hizo a nuestro padre Abraham
> sobre su deseo de darnos la tierra
> de Canaán para siempre.
> Aunque eran pocos,
> Dios protegió a nuestros antepasados;
> ellos vagaron de un país a otro.
> ¡Publicad la gloria de Dios!
> Él debe ser honrado sobre todos los dioses,
> quienes no son más que ídolos sin vida.
> El Señor Dios creó solo el mundo
> con su gloriosa belleza y su enorme poder.
> Haced ofrendas a Dios;
> venid y postraos ante su santo nombre,
> adoradlo, porque Él es santo y puro.
> Con su palabra puso a la tierra en un lugar firme:
> nada se puede mover de su sitio.
> Que los mares, los arremolinados campos
> y los árboles de los apacibles bosques
> canten a una voz a Dios.
> Dios es bueno porque su amor es eterno.
> Sálvanos de todos los que nos odian,
> para que así podamos alabarte
> con toda el alma hasta el final de los días.

Tras oír este canto de alabanza, el pueblo gritó: «¡Amén! ¡Alabado sea Dios!». Entonces, David dejó que los sacerdotes continuaran con sus tareas y despidió a los israelitas, quienes regresaron a sus casas.

LOS SALMOS

En la Biblia hay 150 salmos. Como muestra esta ilustración (extraída de una Biblia iluminada), tanto los judíos como los cristianos los emplean en el culto. A veces expresan alabanzas a Dios, pero también lamentaciones o incluso enfados. Todas las emociones humanas se pueden expresar devotamente a Dios.

LA MAJESTAD DE DIOS

Los escritores de los salmos, poetas en muchos periodos, suelen ver la grandeza de Dios reflejada en las maravillas y la belleza de la creación (como en el salmo de esta página). Los escritores de la Biblia subrayan que Dios es más grande que la creación; Él no forma parte de ella y no se debe rendir culto a la creación.

Triunfo de las alabanzas

2.º CRÓNICAS 20

LA ANTIGUA CIUDAD DE JERUSALÉN

Jerusalén ha estado habitada desde la época del Antiguo Testamento, lo que impide conocer a ciencia cierta la historia de la ciudad. Unas excavaciones en el casco antiguo han revelado la existencia de diferentes ocupantes. Es probable que en tiempos de Josafat, la ciudad siguiera siendo como en la época de Salomón.

L os moabitas y sus aliados se unieron para atacar a Josafat, rey de Judá. Cuando este se enteró de sus intenciones, ordenó a su pueblo que ayunara y se guiara por Dios.

Josafat se colocó de pie delante de todos ellos y oró: «¡Oh, Señor, Tú eres rey de todas las naciones y nadie puede oponerse a ti! En el pasado, Tú solo expulsaste a los antiguos habitantes de esta tierra y nos la diste. Hemos construido este templo en tu honor creyendo que siempre que tu pueblo te invocara desde el interior de sus muros, escucharías y responderías a sus plegarias. Pues ahora nuestros enemigos están dispuestos a invadirnos, pese a que no les hemos hecho ningún daño. Por consiguiente, protégenos, porque no podemos enfrentarnos a ellos, ya que somos pocos. No sabemos qué hacer y por eso te estamos pidiendo ayuda».

Todo el pueblo estaba allí de pie. El espíritu de Dios vino sobre Yajaziel, quien declaró: «Dios dice: "No temáis. Esta guerra es de Dios. Mañana, aunque vayáis de cara a ellos, no tendréis que luchar para vencer. Basta con que mantengáis vuestras posiciones y entonces veréis el poder de Dios"».

Josafat y el pueblo se arrodillaron en señal de agradecimiento.

A la mañana siguiente salieron temprano. Josafat designó a varios hombres para que marcharan al frente y fueran cantando. Cuando iniciaron sus cantos, Dios hizo que los moabitas y sus aliados lucharan entre sí. Pelearon hasta que no quedó vivo ningún soldado. Cuando llegó el ejército de Judá, no vieron más que cuerpos tendidos en el suelo. Pasaron tres días expoliando los cadáveres. Luego regresaron a Jerusalén regocijándose de la victoria que Dios les había otorgado.

El niño Joás es coronado rey

2.º CRÓNICAS 22-24

EL COFRE DE IMPUESTOS
La gente depositaba dinero para la restauración del templo en un cofre que estaba situado a la entrada del mismo. Los fondos para llevar a cabo las obras debieron de proceder de los donativos y del impuesto aplicado por Joás. Los oficiales de la corte y del templo administraban los ingresos y de este modo se recaudó el dinero suficiente para completar las obras y equipar el interior.

El reino de Judá

Cuando Salomón murió, el reino se dividió en dos: Israel, al norte, y Judá, al sur. Los reyes de Judá eran descendientes del rey David y gobernaron en su capital, Jerusalén, hasta que los babilonios invadieron la ciudad y exiliaron a las tribus del sur a Babilonia en el año 586 a.C. La caída de Judá se consideró un castigo de Dios por no haber cumplido sus leyes. Tras el exilio en Babilonia, la tierra de Judá quedó destruida y despoblada. Fue a partir de entonces cuando el pueblo exiliado de Judá empezó a denominarse «pueblo judío».

Cuando el rey Ocozías de Judá murió, su madre, Atalía, empezó a asesinar a toda la familia real de Judá. Pero la hermanastra de Ocozías, Yehosebá, tomó a su sobrino Joás y lo mantuvo escondido en el templo durante seis largos años.

Transcurrido ese tiempo, Yehoyadá, sacerdote y esposo de Yehosebá, juró lealtad al joven príncipe delante del pueblo, en el templo.

Yehoyadá declaró: «Joás es el próximo en la línea sucesoria al trono, por lo que reinará, como Dios tenía pensado. Protejámoslo con nuestras vidas. Quienquiera que intente entrar en el templo morirá».

De modo que tres compañías de hombres permanecían apostados en torno al templo para proteger al niño.

Yehoyadá y sus hijos coronaron rey a Joás y lo ungieron gritando: «¡Larga vida al rey!».

Al oír el alboroto, Atalía entró en el templo y vio a Joás allí de pie con la corona en la cabeza.

«¡Traición!», gritó, pero Yehoyadá ordenó que la arrestaran.

«Ejecutadla fuera del templo», ordenó. Así pues, la agarraron entre unos cuantos guardias y la ejecutaron.

Hasta que Joás no alcanzó la edad de gobernar, Yehoyadá actuó como regente. Dirigió los asuntos reales con dignidad acatando todas las órdenes de Dios.

Más tarde el propio Joás decidió reparar el templo. Ordenó a los levitas que gravaran impuestos para restaurarlo. Estos pusieron un cofre en la entrada para que la gente pudiera depositar su dinero. Se recaudó la cantidad suficiente para llevar a cabo las obras y equipar el interior del templo.

Mientras Yehoyadá vivió, el pueblo obedeció a Dios. Pero cuando murió, dejaron de ir al templo y empezaron a creer nuevamente en otros dioses. Dios envió profetas para que instaran al pueblo a obedecerle, pero este no los escuchó.

Incluso Joás desatendió a Dios. Así que este envió al ejército de Aram a atacar y saquear Jerusalén. Joás fue herido de muerte y asesinado.

La reconstrucción del Templo

ESDRAS 1-6

En su primer año de gobierno, Ciro, el rey de Persia, emitió un decreto real por todo su reino: «Dios me ha hecho rey de toda la tierra y me ha escogido para reconstruir su templo en Jerusalén. Por consiguiente, quien pertenezca a su pueblo puede, si lo desea, regresar a su capital para llevar a cabo tan sagrada tarea».

Más de 40.000 israelitas hicieron el viaje de regreso. Una vez se hubieron reinstalado, se congregaron en Jerusalén para empezar a trabajar.

Cuando fue colocada la primera piedra, todo el pueblo oró a Dios diciendo: «Él es bueno, su amor por Israel será eterno».

Algunos de los sacerdotes de más edad que todavía recordaban cómo era el templo inicial lloraban de pena, mientras que otros lo hacían de alegría. Sus gritos se convertían en uno solo, por lo que era imposible diferenciar los unos de los otros.

Al ver esto, quienes se oponían a la reconstrucción se acercaron al líder Zorobabel, pero este les dijo: «No podéis intervenir. Tenemos que construirlo como ha ordenado el rey».

Sin embargo, los enemigos de Judá siguieron molestando a los constructores, por lo que estos, desesperados, dejaron de trabajar. Durante dieciséis años no se hizo nada, hasta que el profeta Ageo alentó al pueblo a proseguir las obras.

Tan pronto como lo hizo, sus oponentes escribieron a Darío, el nuevo rey, diciéndole que los judíos estaban planeando rebelarse. Pero el rey consultó sus archivos y vio que los judíos tenían permiso para reconstruir el templo.

«Dejad de molestarlos —ordenó—. Y aseguraos de que tengan todo lo que necesiten.»
Se reanudaron las obras y pronto el Templo estuvo acabado. Se dedicó a Dios con gran júbilo.

EL CILINDRO DE CIRO

El Cilindro de Ciro es un tonel de arcilla cocida con inscripciones en cuneiforme que fue encontrado en unas excavaciones llevadas a cabo en Babilonia. En él se relata cómo Ciro tomó Babilonia sin combatir y cómo dejó que los exiliados regresaran a sus tierras y reinstauraran a sus dioses. Esta acción le valió la lealtad de la gente y ayudó a mantener la paz.

EL IMPERIO PERSA

La política de los reyes de Babilonia había sido deportar a los pueblos que conquistaban. Pero cuando Babilonia cayó en manos de Persia, Ciro, el rey persa, cambió esta política. Los judíos exiliados pudieron regresar a Judá con los tesoros del Templo. Este mapa muestra las dimensiones del Imperio persa y nos da una idea de la distancia recorrida por la gente para regresar a Jerusalén. ¡Y todo ello a pie!

MURALLAS DE JERUSALÉN

Las murallas eran básicas para la seguridad de la ciudad, y fueron reconstruidas y remodeladas varias veces. Estaban construidas con enormes bloques de piedra. Hoy, la Ciudad Antigua, al este de Jerusalén, ocupa el lugar de la antigua Jerusalén. La Ciudad Antigua sigue rodeada de murallas de piedra de casi 12 m de altura y 4 km de longitud. Aunque la mayor parte de la muralla fue construida en el siglo XVI, algunos fragmentos datan de tiempos bíblicos.

Jerusalén, una pila de escombros

NEHEMÍAS 1-2

Jananí, que acababa de regresar de Judá, visitó a Nehemías, sirviente real en la corte de Babilonia, con noticias sobre los judíos que vivían en Judá. «Los supervivientes del exilio deben esforzarse para seguir vivos. Los muros de Jerusalén están en ruinas y las puertas son solo restos carbonizados.»

Nehemías se sintió abatido y lloró desconsoladamente. Tras unos días dijo: «Gran Dios de los cielos, Tú que mantienes tu alianza de amor con aquellos que te aman y te obedecen, escucha mi oración en nombre de tu pueblo. Te hemos desobedecido al descuidar las leyes que nos enviaste a través de tu siervo Moisés. Aun así prometiste que, si tras un periodo de deslealtad volvíamos a ti, recogerías a tu pueblo de cualquier rincón del mundo y lo llevarías de nuevo a Jerusalén, la ciudad que elegiste para nosotros. Oye mi oración y la oración de todos aquellos que te veneran.

Dame fuerzas cuando hable con mi señor el rey sobre lo que hay en mi corazón».

Nehemías servía al rey Artajerjes que, notando que estaba triste, le dijo: «¿Por qué estás tan abatido?».

Nervioso, Nehemías contestó: «Señor, la ciudad en la cual reposan mis antepasados está en ruinas».

«¿Puedo ayudarte?», preguntó el rey.

En silencio, Nehemías oró al Señor y contestó: «Con vuestro permiso, me gustaría regresar a Jerusalén y reconstruir la ciudad».

Después de interrogar a Nehemías más a fondo, el rey le dio permiso para partir. También le entregó papeles oficiales que le permitirían viajar de modo seguro a Jerusalén, y pedir madera y otros materiales para llevar a cabo la labor.

Con los documentos bajo el brazo, Nehemías partió hacia Jerusalén para llevar a cabo su plan.

La muralla vuelve a estar en pie

NEHEMÍAS, 2-7

Tres días después de su llegada a Jerusalén, Nehemías partió una noche en secreto para ver la muralla. Junto a un puñado de hombres de confianza, se aventuró entre los escombros, examinando los restos de la muralla y de las puertas quemadas.

Al día siguiente se dirigió a los gobernantes de la ciudad: «Reconstruyamos las murallas de la ciudad y disipemos la desgracia que se cierne sobre nosotros. Dios me ha bendecido en mis menesteres con el rey y nos ayudará a llevar a cabo esta tarea».

Todos acogieron bien la propuesta y se mostraron entusiastas, excepto Sambal·lat y sus seguidores.

Nehemías asignó grupos diferentes a los distintos tramos de la muralla, algunos formados por familias, otros por profesionales tales como sacerdotes o sirvientes.

Sambal·lat, gobernador de Samaria, se mostró indignado por los progresos y comenzó a burlarse. «Estos miserables judíos no lograrán reconstruir las murallas. ¡Pierden el tiempo!», se mofaba.

Pero la gente hacía oídos sordos y pronto la muralla estaba ya mediada. Esto hizo enfadar aún más a Sambal·lat y a los demás, que planearon interrumpir el trabajo atacando la ciudad.

Nehemías respondió a la amenaza colocando guardias en puntos estratégicos a lo largo de la muralla.

La mitad del pueblo seguía con la reconstrucción, mientras que la otra mitad vigilaba y esperaba el ataque enemigo. Si alguien viera acercarse a sus oponentes, haría sonar una alarma y los soldados se apresurarían a ir en su defensa.

Cuando Sambal·lat vio que Nehemías estaba preparado para un ataque inesperado, trató de engañarle citándole fuera de las murallas. Le envió varios mensajes pidiéndole que se reuniera con él, pero Nehemías rechazó todas las invitaciones puesto que sabía que solo quería matarle. Sus enemigos trataron de intimidarle de otros modos, pero nunca se acobardó y siguió animando a los constructores día tras día. Cincuenta y dos días después, la muralla estaba reconstruida. Sambal·lat y los demás se dieron cuenta de que el trabajo había sido llevado a cabo con la ayuda de Dios y no causaron más problemas a Nehemías.

El sueño de Nehemías, que había comenzado en el palacio del rey Artajerjes, se realizó por fin.

EL TEMPLO

Nabucodonosor destruyó el templo en el año 586 a.C. Cuando los exiliados regresaron, empezaron a reconstruirlo, pero avanzaban lentamente. Los profetas Zacarías y Ageo presionaron y el templo se terminó alrededor del año 515 a.C. Los judíos pudieron celebrar de nuevo la Pascua en Jerusalén.

FIJA DE CANTERO

Apenas quedan restos de las herramientas empleadas por los canteros que ayudaron a reconstruir la muralla de Jerusalén. La de la imagen es egipcia. Los canteros clavaban estaquillas de madera en agujeros de la roca y luego las humedecían para que la madera se hinchara y agrietara la piedra. Entonces se serraban los bloques y se les daba forma.

EL TABERNÁCULO

El tabernáculo era una especie de gran tienda en cuyo interior estaba el Lugar Sagrado con el altar dorado para el pan bendito, el pie de lámpara dorado y el altar de incienso. Una cortina lo separaba del Sanctasanctórum, donde se guardaba el Arca de la Alianza.

LA PUERTA DUNG

Jerusalén tenía muchas puertas: la puerta Dung, la puerta del Agua, la puerta del Valle y la puerta del Pescado. Cada noche las puertas se cerraban para evitar un ataque inesperado.

JUDÍOS ORTODOXOS

Actualmente hay unos 13 millones de judíos en el mundo: 6 viven en Estados Unidos y 4 en Israel. Su Biblia hebrea se convirtió en la piedra angular de otras dos grandes religiones en el mundo: el cristianismo y el islamismo.

El pueblo pide perdón

NEHEMÍAS, 8-9

Después de la reconstrucción de la muralla, todos volvieron a sus ciudades. Más tarde viajaron de nuevo a Jerusalén y se reunieron en la plaza cercana a la Puerta del Agua.

«Trae el libro de la Ley de Moisés», pidieron a Esdras el escriba. Al alba, Esdras subió a una plataforma de madera, abrió el libro y comenzó a leer en voz alta para el pueblo.

Cuando empezó, todo el mundo se inclinó y rezó a Dios. Esdras leyó hasta el mediodía. Mientras leía, algunos levitas explicaban el significado de las palabras para que todos pudieran entender lo que Esdras decía. Muchos fueron los que comenzaron a llorar, pero Nehemías les interrumpió: «No lloréis. Hoy es un día santo».

Al verles cansados, Nehemías dijo: «Id y tomad una buena comida. Compartidla con aquellos que no tienen nada. ¡Hoy es el día sagrado de Dios! La dicha que Dios os dé os hará fuertes».

Así que la gente fue a comer y a beber con los corazones llenos de gozo porque habían entendido la palabra del Señor.

Al día siguiente la gente volvió para escuchar leer a Esdras. Mientras hablaba, descubrieron que estaban en el mes de la Fiesta de los Tabernáculos, cuando el Señor quería que vivieran en pequeñas tiendas. Así que fueron a buscar ramas cortadas de árboles, y pronto toda la ciudad se cubrió de diminutas tiendas verdes.

Durante un mes Esdras leyó el libro de la Ley al pueblo, mientras los levitas se lo explicaban.

A finales de mes el pueblo se reunió para ayunar. Todos vestían hábito, símbolo de arrepentimiento, y se cubrían el pelo de polvo.

Juntos confesaron sus pecados. «A pesar de todas las cosas buenas que has hecho por nosotros, nuestra liberación de Egipto, tus cuidados en el desierto y tu entrega de la tierra, te hemos desobedecido continuamente. Ahora hemos regresado a Jerusalén, pero seguimos viviendo como esclavos de forasteros. Aún nos estás castigando por nuestros pecados. Sé misericordioso y alívianos este sufrimiento, al igual que lo hiciste en el pasado, aunque no lo merezcamos. Si lo haces, entonces te serviremos para siempre y obedeceremos tus órdenes al pie de la letra.»

La gente escribió estas palabras en un documento y todos sus líderes lo firmaron en su nombre. Entonces todos volvieron a sus casas una vez más.

Ester evita la conspiración

ESTER, 1-10

E ster era la esposa del rey Asuero, gobernador del gran Imperio Persa. Un día, su primo Mardoqueo, un oficial de la corte, descubrió una conspiración para asesinar a Asuero, y Ester se lo contó a su marido. Este mandó colgar a los dos conspiradores y escribió lo acontecido en el real libro de registros.

Mardoqueo se negó a rendir pleitesía al nuevo primer ministro, Amán, porque los judíos solo honraban a Dios. De manera que Amán, airado, juró matar no solo a Mardoqueo si no a todos los judíos del Imperio Persa.

«Los judíos se niegan a obedeceros —dijo el taimado Amán al rey—. Lo más sabio sería ordenar su aniquilación.»

Cuando Mardoqueo escuchó las órdenes del rey se sintió muy afligido. Le suplicó a la reina Ester que implorara al rey el perdón de su pueblo. «Quizá Dios te ha concedido esa posición influyente para una situación desesperada como ésta», le dijo.

Ester se acercó al rey Asuero, y cuando él le ofreció amablemente lo que deseara, organizó un banquete para el orgulloso y fanfarrón Amán, quien se divirtió muchísimo.

Esa misma noche, el rey empezó a leer acerca del éxito de Mardoqueo al frustrar la conjura de asesinato, tal y como estaba escrito en el real libro de registros. «¿Qué recompensa ha recibido este hombre tan leal?», preguntó, y ordenó a Amán que acompañara a Mardoqueo por las calles para honrarle.

En un segundo banquete para Amán, Ester audazmente pidió al rey que salvara a los judíos de su enemigo asesino. «¿Quién es ese enemigo?», preguntó el rey enfadado. Cuando Ester señaló a Amán, el rey ordenó que fuera colgado en la horca que Amán había construido para colgar a Mardoqueo.

Así Mardoqueo sustituyó a Amán como oficial más poderoso del reino. El rey permitió a los judíos que se defendieran contra el ataque y estos celebraron la liberación que Dios les había concedido por medio de la reina Ester.

BRAZALETE PERSA
Tal vez Ester llevara joyas como este brazalete de oro con grifos enastados cuando se acercó a implorar al rey Asuero. Debió de hacer una entrada grandiosa, porque acercarse a un rey sin su autorización era un delito penado con la muerte.

EL PERGAMINO DE ESTER
La fiesta judía de Purim conmemora la historia de Ester. La víspera de la fiesta se lee en voz alta el texto del pergamino de Ester, y cada vez que se menciona el nombre de Amán la gente abuchea y silba. Es una ceremonia muy alegre y ruidosa.

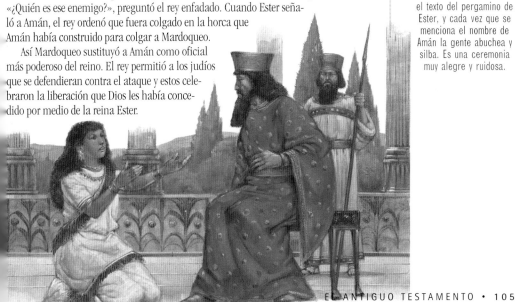

Job confía en su Dios

JOB, 1-42

Aunque Job era un buen hombre, Satán, el malvado acusador, sugirió que Job solo amaba a Dios porque este le había bendecido con una gran riqueza.

«¡Despoja a Job de sus posesiones y entonces veremos si sigue adorándote!», dijo Satán a Dios con desdén.

Dios sabía que eso no era cierto, y por tanto permitió que Satán pusiera a prueba a Job. «Muy bien, toma todo lo que quieras de él, pero que no sufra ningún daño.»

Los mensajeros hicieron llegar a Job la noticia de que sus animales habían sido robados o muertos, y sus criados asesinados. Pero aún no había llegado lo peor. «¡Todos tus adorados hijos e hijas han muerto en una terrible tormenta!»

Job cayó de rodillas y aun así dijo: «Dios todopoderoso, no puedo enfadarme pues Tú me diste todo lo que yo tenía y Tú tienes el derecho de quitármelo. Seguiré honrándote.» Job había superado la primera prueba.

«Pero, ¿y si le golpeas con una terrible enfermedad? —continuó Satán—. ¡Seguro que entonces blasfemará ante tu propio rostro!»

Así que Dios permitió que Satán infligiera dolorosas heridas en todo el cuerpo de Job. Su estado era lamentable, pero conocedor de que la vida proporciona tanto bendiciones como desgracias, todavía respetaba a Dios, le ocurriera lo que le ocurriera.

Sus amigos acudieron a compadecerse de él, pero solo empeoraron las cosas. «Dios te está castigando por algún pecado oculto —sugerían—. Pide perdón y Él acabará con tu sufrimiento.»

Aunque Job sabía que era inocente, comenzó a cuestionar la justicia con la que Dios le trataba. «¿Por qué no me curas? ¡Prefiero morir a sufrir este dolor!», gemía.

Entonces, en tanto se desencadenaba una tormenta en el cielo, Dios mostró su poder y majestuosidad ante Job. «¿Te obedecería el sol si le ordenaras levantarse? —preguntó a Job—. ¿Eres tan inteligente que puedes discutir con alguien tan poderoso como yo?»

Job seguía sin entender por qué Dios le había infligido tanto sufrimiento, pero ahora se había dado cuenta de que Dios era un amigo sabio en el cual siempre se podía confiar. Finalmente, Dios curó las heridas de Job y le dobló las riquezas que tenía antes, incluidos muchos más hijos e hijas.

LOS SUFRIMIENTOS DE JOB

El libro de Job habla de por qué Dios permite el sufrimiento de su pueblo. En los tiempos de Job, la gente asumía que si eras bueno Dios cuidaría de ti. Quien se comportaba mal era «castigado» con algún sufrimiento. Job sabía que no merecía lo que le estaba ocurriendo, pero descubrió que nunca hay una respuesta sencilla. Supo que nadie, ni siquiera él, es tan bueno como Dios quiere que sea, y que Dios siempre es justo. En la Biblia, Dios promete ayudar a los que sufren y acabar con el sufrimiento en el cielo.

El camino a la felicidad

SALMOS

L os Salmos son un conjunto de canciones que se recopilaron durante mucho tiempo en la historia del pueblo de Israel, desde los tiempos de David hasta después del exilio en Babilonia. Los Salmos expresan la respuesta del pueblo de Israel a Dios en diversas circunstancias. Estas son algunas de las ideas expresadas en los Salmos.

Dios nos muestra el camino de la felicidad
«Dichoso el hombre
que no sigue el consejo de los impíos,
ni en la senda de los pecadores se detiene,
mas se complace en la ley de Dios, su ley susurra día y noche.»
(Salmo 1: 1-2)

Dios es el creador de todas las cosas
«De Dios es la tierra y cuanto hay en ella,
la ciudad y los que en ella habitan.»
(Salmo 24: 1)

Dios cuida de su pueblo
«El Señor es mi pastor, nada me falta.»
(Salmo 23:1)

Dios es amor
«Clemente y compasivo es el Señor,
tardo a la cólera y lleno de amor,
y no nos trata según nuestros pecados.»
(Salmo 103: 8, 10)

Dios es justo
«¡Levántate, juez de la tierra,
da su merecido a los soberbios!
¿Hasta cuándo los impíos triunfarán?»
(Salmo 94: 1-3)

Dios guía a su pueblo a través de las escrituras
«Para mis pies antorcha es tu palabra,
luz para mi sendero.»
(Salmo 119: 105)

Un día Dios reinará en todo el mundo
«El Señor viene a juzgar la tierra.
Él juzgará al pueblo con justicia,
y cantarán con júbilo los árboles del bosque.»
(Salmo 96: 13)

EL LIBRO MEDIEVAL DE LOS SALMOS
Los cristianos usan salmos en sus ritos desde los tiempos del Nuevo Testamento. Hoy algunos se cantan como salmodias y otros se reescriben como himnos.

EL RABINO Y LA TORÁ
La Torá es la enseñanza básica para el credo judío, especialmente el contenido en la Ley de Moisés.

LA CREACIÓN DEL PUEBLO
Muchos salmos glorifican a Dios por la belleza del mundo y el valor que Dios otorga a las personas. Sus escritores claman al pueblo para que le adore y le sirva.

El Señor es mi pastor

SALMO 23

EL LOBO

En los tiempos del Nuevo Testamento los lobos eran tan comunes que suponían un peligro para los rebaños de ovejas y vacas. El lobo de Palestina es más pequeño que el que habita el centro y el norte de Europa. Jesús decía que sus seguidores eran como ovejas entre lobos, puesto que la gente quería que dejaran de compartir el amor de Dios e incluso podían llegar a atacarles.

Este salmo muestra que Dios se ocupa de su pueblo. Es como un buen pastor cuidando a sus ovejas, guiándolas a los pastos donde podrán alimentarse y a las fuentes donde podrán refrescarse y beber. Dios las protege, las defiende de las bestias salvajes.

El Señor es mi pastor; nada me falta.
Por prados de fresca hierba me apacienta,
hacia las aguas de reposo me conduce,
y conforta mi alma;
me guía por senderos de justicia,
en gracia de su nombre.
Aunque pase por valle tenebroso,
ningún mal temeré, porque tú vas conmigo;
tu vara y tu callado, ellos me sosiegan.
Tú preparas ante mí una mesa
frente a mis adversarios;
unges con óleo mi cabeza,
rebosante está mi copa.
Sí, dicha y gracia me acompañarán
todos los días de mi vida;
mi morada será la casa del Señor
a lo largo de los días.

¿Dónde encontraré ayuda?

SALMO 121

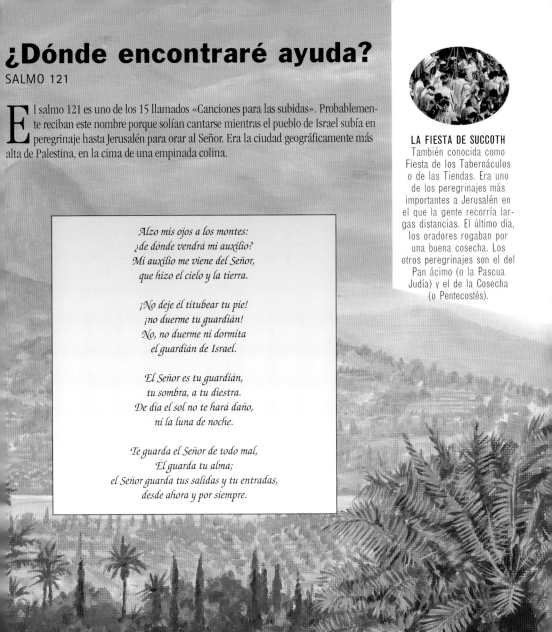

El salmo 121 es uno de los 15 llamados «Canciones para las subidas». Probablemente reciban este nombre porque solían cantarse mientras el pueblo de Israel subía en peregrinaje hasta Jerusalén para orar al Señor. Era la ciudad geográficamente más alta de Palestina, en la cima de una empinada colina.

LA FIESTA DE SUCCOTH

También conocida como Fiesta de los Tabernáculos o de las Tiendas. Era uno de los peregrinajes más importantes a Jerusalén en el que la gente recorría largas distancias. El último día, los oradores rogaban por una buena cosecha. Los otros peregrinajes son el del Pan ácimo (o la Pascua Judía) y el de la Cosecha (o Pentecostés).

Alzo mis ojos a los montes:
¿de dónde vendrá mi auxilio?
Mi auxilio me viene del Señor,
que hizo el cielo y la tierra.

¡No deje él titubear tu pie!
¡no duerme tu guardián!
No, no duerme ni dormita
el guardián de Israel.

El Señor es tu guardián,
tu sombra, a tu diestra.
De día el sol no te hará daño,
ni la luna de noche.

Te guarda el Señor de todo mal,
Él guarda tu alma;
el Señor guarda tus salidas y tu entradas,
desde ahora y por siempre.

Alabad al Señor

SALMO 150

El Salmo 150 nos exhorta a alabar a Dios con todos los instrumentos de la orquesta: los de viento (trompetas y flautas), los de cuerda (arpas y liras) y los de percusión (panderetas y platillos). La música era una parte esencial de la vida social y religiosa de Israel. Los instrumentos musicales se empleaban en todas las ocasiones: tras una batalla victoriosa, en fiestas y festivales nacionales, y en bodas y funerales.

ALABANZA AL SEÑOR

La música es una parte importante de todos los cultos religiosos. Los cristianos de distintos países han adaptado los salmos bíblicos, y han compuesto cánticos e himnos para adecuarlos a sus diferentes estilos musicales.

La música

El lenguaje de la música es universal y puede ser entendido y disfrutado por todos. Testimonios de los tiempos del Antiguo Testamento nos muestran que la música era muy apreciada. El músico era un miembro muy respetado de la comunidad y sus servicios muy solicitados. David era conocido como un músico muy hábil con el arpa. Su música templaba el temperamento del rey Saúl, al igual que la música puede ayudar a la gente a relajarse hoy en día.

¡Aleluya!
Alabad a Dios en su santuario,
alabadle en el firmamento de su fuerza,
alabadle por sus grandes hazañas
alabadle por su inmensa grandeza.

Alabadle con clangor de cuerno, alabadle con arpa y cítara,
alabadle con tamboril y danza,
alabadle con laúd y flauta,
alabadle con címbalos sonoros,
alabadle con címbalos de aclamación.

¡Todo cuanto respira alabe a Dios!
¡Aleluya!

LA PANDERETA

La pandereta era un instrumento de percusión con cascabeles, muy similar a la actual. Se sostenía y golpeaba con la mano, y se usaba para acompañar la danza y el canto. En el Antiguo Testamento este instrumento siempre se asociaba a la alegría y las celebraciones.

Sabiduría popular

PROVERBIOS 1-31

E l libro de los Proverbios es una colección de dichos de la sabiduría popular acerca de la mejor manera de vivir. Para sus escritores, la clave para la vida y la sabiduría era una vida centrada en Dios. Su sabiduría se revela en expresiones concisas, contrastes brillantes y descripciones gráficas de la vida cotidiana. La sabiduría ha de aplicarse en casa y en el trabajo, en palabra y en obra, en las relaciones familiares y de amistad.

FAMILIA Y AMIGOS
En tiempos de la Biblia, las familias eran muy numerosas, con abuelos, tíos y tías que vivían cerca los unos de los otros. El libro de los Proverbios anima a las familias a ayudarse y alaba el valor de tener buenos amigos que nos dirán la verdad y nos ayudarán cuando lo necesitemos.

Sabiduría y necedad
«La veneración a Dios es el punto de partida de toda sabiduría,
pero el loco rechaza la sabiduría y el conocimiento.
Es mucho mejor tener solo un poco, y respetar a Dios,
que ser extremadamente rico y vivir en confusión.
Si eres orgulloso, el orgullo te destruirá,
el ser altivo será tu perdición.»

Amigos y vecinos
«Si perdonas lo que está mal, el amor entonces aumentará,
pero un pecado repetido separa buenos amigos.
Un amigo verdadero ama todo el tiempo,
los parientes nacen para compartir los problemas.
Aquel que cuida al pobre es como si ayudara a Dios,
él le recompensará por su bondad.»

EL REY SALOMÓN
Se cree que el Rey Salomón es el autor de la mayor parte del libro de los Proverbios.

Hablar y escuchar
«Una persona que cotillea traiciona la confianza de un amigo,
pero un amigo verdadero mantiene los secretos.
Las malas palabras se clavan en el corazón como espadas,
pero las palabras de la sabiduría son reparadoras.»

Honestidad y deshonestidad
«Dios odia el uso de balanzas y medidas deshonestas.
La comida que obtengas por medio del engaño
será deliciosa en un principio
pero pronto se convertirá en arena en tu boca.»

Disciplina y holgazanería
«Una persona de manos ociosas siempre es pobre,
pero quien trabaje duro se enriquecerá.
Dar empleo a un trabajador holgazán es tan irritante como
tener la boca llena de vinagre, o humo en los ojos.
Educad a los niños para que se comporten bien,
y de adultos distinguirán lo correcto de lo incorrecto.»

TRABAJO DURO
«¡Ve y observa a la hormiga!», dice el escritor de los Proverbios. «Ella trabaja duro todo el día. Eso deberías hacer tú, de lo contrario acabarás pobre y menospreciado.» Este es un ejemplo del sentido común práctico del libro. Toda la Biblia nos alienta a evitar la holgazanería.

¿Tiene sentido la vida?

ECLESIASTÉS, 1-12

Ya de anciano, el escritor volvió la vista atrás para ver las lecciones que había aprendido. «He construido palacios suntuosos, los he llenado de tesoros y he disfrutado de mujeres, he reído y cantado —dijo—, pero al final, el placer por el placer no significa nada. Nada dura para siempre, tan solo lo que conozco acerca de Dios».

«Estudié aplicadamente para ser erudito pero descubrí que, sin las respuestas de Dios, esto no me ayudaba a llevar una vida mejor. Es bueno trabajar duro, divertirse y conformarse con lo que Dios te da, pero esperar retener riquezas es tan inútil como perseguir el viento.»

El anciano sabía que Dios había planificado su vida y que el tiempo lo había puesto todo en su lugar. No podía predecir el futuro, pero siempre que viviera de modo honesto según las leyes de Dios, ayudando al prójimo y sacando el máximo provecho de cada situación, la vida tendría un sentido.

El mundo era imperfecto y en ocasiones parecía injusto, pero siempre que respetara a Dios y obedeciera sus mandamientos, podría llevar una vida plena.

HAY UN MOMENTO PARA TODO

Tradicionalmente se ha pensado que el autor del Eclesiastés era el rey Salomón. Este texto trata sobre el significado de la vida. Nos enseña que hay un momento adecuado para todo, que hay una temporada para cada actividad. Por ejemplo, hay un tiempo para la siembra y otro para la cosecha, uno para nacer y otro para morir.

¡Qué hermosa sois!

EL CANTAR DE LOS CANTARES, 1-8

D esde que el rey Salomón conoció a una campesina sulamita que cuidaba las vides de su viñedo real, nunca más pudo olvidar su excepcional belleza. Regresó y se propuso conseguir su amor hasta que ella accedió a ser su esposa.

«Sois tímida, como una paloma oculta tras una roca —le dijo el rey—. Por favor, mostradme vuestro bello rostro y dejadme oír la dulzura de vuestra voz. Me habéis robado el corazón. Venid para que pueda oler vuestro perfume y besar vuestros labios escarlata.»

La mujer le respondió con ternura: «Qué apuesto sois, como un cervatillo que corretea por el monte. Me habéis colmado con un festín del amor y cuando me abrazáis, también desfallezco de amor por vos.»

Los dos se enamoraron y comenzaron a preparar su boda. Las amigas de la mujer sentían curiosidad y le pidieron que describiera al rey Salomón.

«Mi amado es tan atractivo, sus cabellos son negros, sus ojos brillan como piedras preciosas y sus labios son como lirios que destilan mirra —les contó, creyéndole el hombre más maravilloso de la Tierra—. Su cuerpo es de marfil pulido y está adornado con zafiros, y sus brazos parecen barras de oro.»

Así que el rey Salomón y la mujer sulamita se casaron y se amaron profundamente. Su amor era tal, que la mujer decía que ardía como el fuego más fiero, que el agua no podía apagar ni los ríos arrastrar.

LA MIRRA
La mirra es una sustancia gomosa que se obtiene al cortar las ramas de un árbol. La goma brota en forma de «lágrimas», que al solidificarse se convierten en una resina aceitosa de color marrón amarillento o rojizo. Se empleaba para preparar cosméticos y como ingrediente de los santos óleos de unción, y era muy apreciada por su aroma.

LAS RIQUEZAS DEL REY SALOMÓN
Sin guerras que librar, Salomón se dedicó en cuerpo y alma al comercio y a la acumulación de riquezas. Se dio cuenta del valor estratégico de Israel, entre Egipto y Asia, y se dispuso a explotarlo. Abrió nuevas rutas comerciales hacia tierras desconocidas. Envió flotas de barcos a países lejanos, cargados con cobre de sus minas, que volvían llenos de oro, plata, piedras preciosas, maderas duras y marfil.

SEPULCRO DEL REY OZÍAS
En el sepulcro del rey Ozías, décimo rey de Judá, se lee el epitafio: «Aquí yacen los restos de Ozías, rey de Judá. No deberá abrirse».

EL PROFETA ISAÍAS
Los profetas transmitían la palabra de Dios. Se aseguraban de que el pueblo de Dios cumpliera sus leyes. Isaías procedía de una familia aristocrática. Fue profeta en Judá desde el 740 a.C. y predijo la destrucción de Israel a manos de los asirios.

LA VISIÓN DE ISAÍAS
Este tipo de ángel se llama serafín, y esta es la única mención a ellos en la Biblia. Cuando se mostraban ante Dios se cubrían el rostro y los pies en señal de reverencia, humildad y temor.

Dios convierte a Isaías en profeta

ISAÍAS, 6

Dios eligió a Isaías para que fuera uno de sus más grandes profetas, para que advirtiera y alentara a la nación de Judá a volver a obedecer sus leyes. Un día, le reveló una visión increíble.

«El año que murió el rey Ozías, vi a Dios sentado en su trono con todo su poder y majestuosidad», explicó Isaías asombrado. «Los ángeles volaban sobre él, cubriéndose el rostro y los pies con las alas, y haciendo temblar el edificio con sus poderosas voces cuando exclamaban "¡Santo, santo, santo Tú eres, Señor todopoderoso! Tu gloria llena la Tierra entera".

Me sentí abrumado ante la presencia de mi Dios, que es perfecto y puro. Por eso exclamé: "¡Soy un pecador, Señor, demasiado sucio para estar ante vuestra presencia!" Un ángel voló hacia mí con una brasa en la mano, que había tomado del altar sagrado. Tocó con él mis labios y para mi alivio pronunció estas palabras: "Ahora tu culpa ha desaparecido y tus pecados han sido perdonados".

Entonces Dios preguntó: "¿Quién quiere ser mi mensajero?"

Y contesté: "Aquí estoy, Señor. ¡Envíame!"

Dios me dijo: "Ve y da a mi pueblo este mensaje. Mi pueblo siempre escucha, pero nunca entiende. Mira, pero nunca ve. Porque su corazón es duro, no vendrá a mí para que le sane. Mi juicio seguirá hasta que sus ciudades sean destrozadas y envíe lejos a todos ellos, dejando atrás solo a unos pocos elegidos".»

Isaías sabía que era un mensaje muy severo para el pueblo de Dios, que creía que no hacía falta obedecerle para que les bendijera. Pero estaba dispuesto a cumplir lo que Dios le había encomendado.

Ezequiel suplica su curación

ISAÍAS, 38

Justo cuando el rey Ezequiel necesitaba ser un líder fuerte para luchar contra los asirios que amenazaban con atacar Jerusalén, cayó gravemente enfermo. Le apareció un forúnculo en la piel y la infección se le extendió por todo el cuerpo hasta dejarle agonizando.

El profeta Isaías fue a verle y le dijo: «Dios dice que no te recuperarás de esta enfermedad, así que debes darte prisa en ordenar tus asuntos antes de morir».

El corazón de Ezequiel se llenó de amargura. Volvió el rostro bañado en lágrimas hacia la pared y rogó: «Mi Señor, ten piedad, recuerda que te he amado con sinceridad y que siempre he intentado hacer el bien. ¿Merecen los mejores años de mi vida acabar de esta manera? ¡Escucha mis ruegos, oh Señor, y ten piedad de mí!».

Dios dio a Isaías otro mensaje para el monarca agonizante.

«Dile a Ezequiel que he oído sus tristes plegarias y que le daré quince años más de vida. Y con la fuerza de mi mano defenderé Jerusalén de sus enemigos asirios! ¡Observa! Como señal de que cumpliré mi promesa, haré retroceder la sombra del reloj de sol diez pasos.»

Entonces Isaías dijo al rey que tomara una masa de higos y se la aplicara en el forúnculo como medicina. Ezequiel así lo hizo y sanó completamente, y entonces observó asombrado cómo la sombra del reloj de sol retrocedía diez pasos.

«Te glorifico, oh Dios, por salvarme de la muerte», escribió Ezequiel un tiempo después. «Mi sufrimiento me ha hecho humilde y pasaré el resto de mis días cantando sobre tu fidelidad.»

Dios consuela a su pueblo

ISAÍAS, 40

I saías transmitió una profecía que se refería a los exiliados de Judea en Babilonia. Era una profecía llena de ánimos en la que Dios cuidaba de su pueblo y anunciaba un día en que les daría la paz y la prosperidad que ansiaban.

ÁGUILA
En la Biblia, la fuerza y la velocidad con que el águila se abalanza sobre su presa representan a las naciones que atacan Israel. Ezequiel describe a Nabucodonosor como un águila. Isaías dice que las personas que confían en Dios serán como águilas, superando sus problemas.

PESOS BABILÓNICOS
Los babilonios hicieron grandes descubrimientos y tenían una cultura muy sofisticada. Poseían conocimientos matemáticos y astronómicos, y se consideran los primeros que emplearon un sistema de pesos. Estos pesos en forma de león datan de 2.600 a.C.

EL MAPA DE BABILONIA
Esta tablilla de arcilla se remonta al 2.300 a.C. Muestra el mundo como un círculo rodeado de agua con Babilonia en el centro. Por ahora este es el «mapamundi» más antiguo que conocemos. Las antiguas civilizaciones ignoraban que la Tierra es redonda, como una pelota. Pensaban que era más bien parecida a un disco plano.

Hay una voz que clama:
«Abrid un camino recto en el desierto para Dios.
Alzad todos los valles, rebajad todas las montañas y que se allane
el suelo desigual. Así la gloria de Dios se mostrará ante todos.

«Somos como hierba y flores, que se marchitan y desaparecen.
Pero cada una de las palabras de Dios permanecerá para siempre.»

Anunciad a Jerusalén y a todas las ciudades de Judá la buena nueva,
«¡Vuestro Dios está aquí!»
¡Mirad, viene a dirigirnos con su infinito poder!
Con ternura cuida de su pueblo, como el pastor que lleva a sus ovejas
en brazos, cerca del calor de su corazón.

Dios es tan poderoso que midió los océanos y los cielos con sus manos.
Nadie puede enseñarle la sabiduría y el conocimiento. Para Él las naciones
son como gotas de agua en un cubo, las islas como granos de arena.
¿Quién puede compararse a Dios?
Sin duda, ningún ídolo hecho de oro, plata o maderas especiales.
Dios todopoderoso gobierna todo el mundo, sus habitantes parecen pequeños
saltamontes. Él aniquila a los tiranos, que arraigan como plantas,
pero entonces Dios sopla y los arrastra como el viento a la paja.

«¿Quién es tan poderoso como yo?», pregunta Dios.
Mirad las estrellas, Él sabe el nombre de cada una de ellas.
Gracias a su poder, ninguna se pierde jamás.

¿Por qué se queja el pueblo de Israel?
«¡Dios no ve cómo estamos sufriendo!», decís.
¿No os dais cuenta de que Dios nunca se fatiga?
Da fuerzas al cansado y poder al débil.
Incluso los jóvenes se cansan, se tambalean y caen.
Pero aquellos que confían en Dios verán renovadas sus fuerzas.
Como águilas planeando en el cielo, correrán sin fatigarse.

El siervo paciente

ISAÍAS, 52-53

L a profecía de Isaías contiene cuatro «Cantos del siervo» en los que el siervo es el Salvador, que no solo lleva la liberación al pueblo de Israel sino a todo el mundo. Será rechazado y sufrirá enormemente por liberarnos.

EL REY NABUCODONOSOR
Era ya un comandante del ejército reconocido cuando su padre murió en el 605 a.C. y él heredó el imperio. Se le menciona a menudo en la Biblia porque atacó Judá en varias ocasiones y conquistó Jerusalén en el 586 a.C. Fue famoso por sus construcciones, como los «jardines colgantes» de Babilonia.

Mi siervo alcanzará lo que yo he planeado,
y será respetado y ensalzado.
Muchos se horrorizaron porque
estaba tan desfigurado que no parecía humano.
Él purificará muchas naciones, silenciando a los reyes ante él.
No era agraciado,
ni tenía apariencia de rey.
Nada en él era atractivo.
La gente le odiaba y rechazaba,
causándole penas y sufrimiento.
Le dimos la espalda,
odiándole, porque creíamos que no había en él nada especial.
Pero soportó los sufrimientos que deberían haber sido nuestros,
cargando voluntariamente con todas las debilidades y miserias.
Incluso pensamos que Dios le había infundido maldad.
La verdad es que estaba herido y despedazado por nuestros pecados,
y su castigo nos ha traído la paz.
Como ovejas andábamos descarriadas,
siguiendo nuestro propio camino,
y él cargó con nuestro castigo.
Aunque fue cruelmente maltratado,
no protestó.
Como una oveja trasquilada o conducida al matadero,
guardó silencio.
Fue falsamente acusado y sentenciado a muerte,
por los pecados de mi pueblo.
Nunca había sido violento o deshonesto,
y sin embargo fue enterrado entre los malvados.
No olvidéis que Dios decidió permitir su sufrimiento,
ofrecerle como sacrificio para expiar los pecados de todos nosotros.
Dios le recompensará generosamente,
concediéndole una posición de grandeza y poder.
La gente pensaba que era malvado,
pero él expió nuestros pecados y rezó por nuestro perdón.

LAMENTACIONES POR LA DESTRUCCIÓN DE JERUSALÉN
El rey Nabucodonosor conquistó Judá y arrasó Jerusalén en el 586 a.C. La ciudad fue incendiada y saqueada, y sus habitantes deportados a Babilonia.

LOS CAUTIVOS
Los reyes que caían cautivos (el más preciado trofeo de guerra) eran sometidos a las torturas más crueles. Se les llevaba sujetos por una anilla en los labios antes de dejarles ciegos, torturarles y humillarles. El final era una muerte terrible o una esclavitud. El rey Sedecías de Judá fue capturado y cegado.

EL TRABAJO DEL ALFARERO

La manera de modelar la arcilla de los alfareros apenas ha cambiado desde que los egipcios inventaron el torno manual, unos cuatro mil años atrás. Este alfarero emplea un torno con pedal que seguramente se introdujo alrededor del año 300 a.C.

ALFARERÍA Y ARQUEOLOGÍA

La alfarería es esencial para estudiar las antiguas civilizaciones. Todo el mundo la usaba, pues era barata y casi irrompible. Gracias a la forma, la decoración y el estilo de una pieza, los arqueólogos pueden determinar su antigüedad, su procedencia e incluso la cantera de la que se extrajo la arcilla.

TORNO DE LOS ALFAREROS

Los primeros alfareros eran mujeres que hacían vasijas con restos de arcilla. La invención del torno hizo que se convirtiera en un oficio masculino. Los tornos más antiguos estaban hechos con dos piedras. La superior se giraba con una mano mientras pivotaba sobre un corte hecho en la inferior.

El alfarero moldea la arcilla

JEREMÍAS, 18-20

Un día, Dios envió a Jeremías al taller del alfarero para mostrar al profeta el mensaje que tenía para el pueblo. Mientras Jeremías observaba al alfarero tornear hábilmente la arcilla, la vasija perdió su forma y se estropeó. De manera que el alfarero volvió a comprimir la arcilla en forma de bola y a fabricar una nueva vasija, lisa y perfecta.

«Cuéntale a mi pueblo que yo soy como el alfarero, modelo Israel como un país fuerte del que pueda estar orgulloso —dijo Dios a Jeremías—. Adviértele que deje de hacer el mal, pues de lo contrario, como arcilla en mis manos, destruiré todo lo que no me agrade.»

Entonces Dios dijo a Jeremías que comprara una vasija y llevara a algunos ancianos y sacerdotes al vertedero de la ciudad, donde les transmitiría otro importante mensaje. Allí, Jeremías se puso ante ellos y pronunció lo que Dios quería que escucharan.

«En este valle habéis desobedecido a Dios adorando a dioses falsos y cometiendo muchos asesinatos. Ahora Dios os castigará. Hará añicos esta nación del mismo modo en que yo voy a destrozar esta vasija.»

Entonces Jeremías arrojó la vasija al suelo y esta se rompió en tantos pedazos que era imposible recomponerla.

Cuando el pueblo le oyó repetir el mismo mensaje desagradable en el templo, se enfureció y pidió que fuera castigado. De manera que Jeremías fue golpeado y encadenado hasta la mañana siguiente.

Los higos buenos y malos

JEREMÍAS, 24

Las terribles advertencias de Jeremías al pueblo de Judá no tardaron en hacerse realidad cuando el rey de Babilonia, Nabucodonosor, les derrotó y tomó el control sobre la ciudad de Jerusalén. Cuando Nabucodonosor regresó a Babilonia con los tesoros robados y algunos de los ciudadanos más inteligentes y habilidosos de Jerusalén, aquellos que se habían salvado se sintieron aliviados en un primer momento. Al menos no les habían capturado y arrancado de sus hogares. Pero eran personas vanidosas que se equivocaban al creer que no necesitaban respetar a Dios, y esa fue su perdición.

Para explicar lo que les pasaría, Dios mostró a Jeremías la visión de dos cestos llenos de higos frente al templo, y le pidió que describiera lo que veía.

«Un cesto está repleto de higos maduros y apetitosos, pero en el otro hay higos podridos que nadie comería», contestó Jeremías preguntándose qué intentaba decirle Dios.

«Los higos buenos representan a aquellos que he enviado al exilio en Babilonia, aquellos que poseen corazones que aprenderán a escucharme —explicó Dios—. Les cuidaré y, una vez hayan aprendido la lección y se arrepientan, les traeré de vuelta y me obedecerán. Los higos malos representan al nuevo rey de Judá, Sedecías, y a todos aquellos que no están cautivos en Babilonia. Sus duros corazones nunca me amarán, y por eso les maldeciré con hambrunas y pestes hasta que desaparezcan completamente. Como los higos podridos, nunca harán ningún bien.»

UN ÁRBOL MUY VALIOSO

La higuera es muy apreciada, tanto por sus frutos como por la sombra que proporciona. En la Biblia suele asociarse con la prosperidad y el bienestar, junto con el olivo y la vid. Hoy este árbol forma parte del paisaje de Oriente Próximo. Las higueras siempre resultan llamativas, tanto si están plantadas en un jardín particular como en un viñedo, o si crecen silvestres junto a un manantial. Los higos también se cultivan con fines comerciales.

Jeremías reescribe el manuscrito

JEREMÍAS, 36

En el cuarto año de gobierno del rey Yoyaquim en Judá, Dios pidió a Jeremías que escribiera un manuscrito con sus profecías. «Quizá así mi pueblo tema todos los desastres que prometo infligirle, se aleje de sus pecados y yo pueda perdonarlo.»

Jeremías pidió a su escriba y amigo Baruc que escribiera las palabras que él le dictaba, para más tarde leer el manuscrito a las personas de todas las ciudades que se reunían en el templo de Judá en un día de ayuno. Jeremías sabía que la ira de Dios contra ellos era mucha y deseaba fervientemente que escucharan sus palabras.

Los hombres del rey lo oyeron y pidieron a Baruc que volviera a leerlo para ellos. Se miraron consternados, pues sabían que esas palabras poderosas podían poner en peligro el gobierno del rey. «Tú y Jeremías debéis esconderos mientras le mostramos esto al rey», dijeron.

El rey Yoyaquim estaba en sus aposentos, calentándose con un brasero, cuando sus hombres entraron con el manuscrito. Tras haberle leído unas columnas, el rey de malvado corazón tomó un cuchillo, rasgó esa parte y la arrojó al fuego, sin mostrar ningún temor por las advertencias de Dios. Poco a poco fue rasgando y quemando el manuscrito, hasta que no quedó nada.

«¡Detened a Jeremías y a Baruc!», ordenó el rey, pero ya estaban escondidos y a salvo.

El rey pensó que había destruido completamente las amenazadoras palabras que anunciaban que el rey de Babilonia conquistaría su reino, pero se equivocaba.

«Toma otro pergamino —ordenó Dios a Jeremías—, y escribe las palabras que había en el primero y más aún. Dile al rey que por no haberme escuchado, la desgracia se cernirá sobre ellos.»

Arrojado al pozo

JEREMÍAS, 37-38

El rey Nabucodonosor nombró a Sedecías rey de Judá. Sedecías y sus oficiales nunca hicieron demasiado caso a los mensajes que Dios daba a Jeremías. Sin embargo, Sedecías pidió a Jeremías que rezara por él.

«Dile al rey que el ejército de Babilonia se ha ido para luchar contra los egipcios, pero volverá para incendiar Jerusalén», dijo Dios a Jeremías.

Jeremías había irritado a los gobernantes de la ciudad durante muchos años. Por eso, cuando el capitán de la guardia le vio abandonando la ciudad, le arrestó, le encerró en una mazmorra y Jeremías fue falsamente acusado de desertor y de querer unirse al ejército de Babilonia.

«¡Soy inocente! —protestaba Jeremías ante Sedecías—. ¿Por qué me castigáis si estoy en lo cierto al advertir al pueblo de que aquellos que se entreguen a los babilonios se salvarán?»

Los oficiales del rey se inquietaban al oír a Jeremías. «¡Este hombre siempre anima a los soldados y al pueblo a que dejen de luchar! —le decían al rey—. Hay que matarle.»

«Haced lo que os plazca», contestó Sedecías. Y así Jeremías fue llevado al patio de los guardias y le bajaron con unas cuerdas al fondo de un pozo seco. Jeremías se preguntaba qué le sucedería, mientras la oscuridad se cernía sobre él y sus pies se hundían en el lodo.

Pero Dios no tardó en enviar a alguien en su ayuda. Ébed Mélek, un oficial del rey, protestó ante el monarca: «Jeremías ha sido tratado injustamente y pronto morirá de hambre».

Gracias a él, el rey cambió de opinión y ordenó que liberaran a Jeremías. Ébed Mélek sacó al agradecido Jeremías del pozo y quedó confinado en el patio de los guardias.

Un día Sedecías le pidió que le dijera la verdad de Dios, prometiéndole que no le mataría. El rey escuchó atentamente, pero no les contó a los oficiales lo que le había dicho Jeremías. Más adelante se cumplió la palabra de Dios y la ciudad de Jerusalén fue invadida por el rey de Babilonia.

EL POZO

Este pozo está construido con ladrillos especiales y tiene una profundidad de 25 m. Es más estrecho en la parte superior, de manera que puede cubrirse la abertura, y el acceso se realiza mediante una escalera. A Jeremías le bajaron a un pozo similar, que se utilizaba como mazmorra. Aunque estaba seco, el lugar se hallaba a oscuras y el fondo se encontraba cubierto de lodo.

Vestiduras púrpuras

Bajo el reinado de Nabucodonosor, Babilonia gozaba de una cultura rica y sofisticada. El lujo de la ropa de la época se refleja en sus colores. El púrpura simbolizaba el estatus de los más ricos e importantes. El tinte se extraía a mano de la secreción glandular de un tipo de crustáceo que poblaba el mar Mediterráneo. Como era un proceso lento y por tanto muy costoso, la tela púrpura era muy escasa y un lujo costoso.

SEDECÍAS ORDENA A SUS SOLDADOS

Sedecías fue el último rey de Judá. Era un monarca débil que se rebeló contra Babilonia a pesar de que Jeremías le advirtió de que no lo hiciera. Nabucodonosor le capturó, mató a sus hijos y le dejó ciego.

El pueblo de Dios en el exilio

Ezequiel advierte al pueblo

Senaquerib

Senaquerib reinó en Asiria entre los años 705 y 681 a.C. Fue un gran guerrero y se esforzó por fortalecer la posición del imperio asirio enviando sus tropas a someter a las naciones rebeldes. Cuando Ezequías se negó a pagarle los impuestos, su ejército cercó Jerusalén pero no la tomaron porque se desviaron hacia el Sur, para luchar contra los egipcios. Senaquerib regresó a Nínive y murió asesinado a manos de dos de sus hijos.

Daniel en la corte de Nabucodonosor

Los profetas advirtieron al pueblo de Dios que este les juzgaría si se negaban a escucharle y obedecerle. Sin embargo, el pueblo desoyó sus consejos y el reino del norte de Israel desapareció en el año 722 a.C. y el del sur de Judá en el 586 a.C. Entonces sus habitantes fueron llevados a Asiria y Babilonia, respectivamente.

Auriga en un relieve de pared del palacio de Senaquerib, en Nínive

Los babilonios

Nabucodonosor reinó en Babilonia entre el 605 y el 562 a.C. Le mencionan a menudo los profetas Daniel, Ezequiel y Jeremías. Levantó un poderoso imperio gracias al poder de su ejército. En el año 586 a.C. asedió Jerusalén. La ciudad quedó destrozada, el templo ardió en llamas y todos sus tesoros se llevaron a Babilonia, adonde fueron deportados sus habitantes.

Los asirios

Como muchos otros pueblos del mundo antiguo, los asirios adoraban a distintos dioses y diosas. Aunque Azur era la deidad nacional, cada ciudad tenía un templo donde adoraba a su dios particular; por ejemplo, Istar, la diosa del amor y la guerra, era adorada en Nínive. Pensaban que los dioses lo controlaban todo, y en los días de fiesta sacaban a sus ídolos en procesión por las calles.

Los asirios recaudaban impuestos y exigían tributos. El rey Hoshea de Israel se negó a pagar, y el rey asirio Shalmaneser V sitió durante tres años Samaria, la capital del reino del norte de Israel. El ejército asirio era muy disciplinado y estaba bien equipado, con un cuerpo de cuadrigas, estrategas, arqueros, honderos y lanceros. Samaria fue tomada en el año 722 a.C. y sus habitantes hechos prisioneros y deportados a Asiria.

El ejército asirio asedia Samaria

Judá en el exilio: el nacimiento del judaísmo

En el exilio en Babilonia, el pueblo de Judá disfrutaba de libertad para conservar su propia cultura y practicar su propia religión. Algunas personas, como Daniel, entraron a formar parte de la corte de Nabucodonosor; mientras que otros, como Ezequiel, se asentaron en las afueras. Sin embargo, con el fin de sobrevivir como nación en el exilio, se vieron obligados a modificar su religión, periodo en el que nació el judaísmo. Para estos judíos el exilio se convirtió en una espera, ansiosos por restituir y reconstruir el templo.

Daniel es arrojado a los leones

Soldado persa

Los persas

Conocemos Persia como nación situada al este del golfo Pérsico desde aproximadamente el año 650 a.C. En el reinado de Ciro el Grande los persas comenzaron a ampliar sus fronteras y tomaron el control por el Oeste hasta la actual Turquía y por el Este hasta India. Ciro el Grande conquistó el imperio de Babilonia en el año 539 a.C. y unificó su gran imperio convirtiendo el arameo en idioma oficial y controlando un sabio sistema administrativo. Fue una época de grandes riquezas y su corte fue famosa por sus lujos y esplendor artístico.

El regreso a la Tierra Prometida

Ciro cambió la política de sus predecesores y repatrió a todos los exiliados extranjeros. Los judíos regresaron en el año 538 a.C. con todos los objetos saqueados del templo y con el permiso real para reconstruir su templo en Jerusalén.

El exilio fue una oportunidad para la limpieza y renovación nacional, y el pueblo de Dios pudo volver a Él. El regreso de los exiliados a Jerusalén supuso la restauración de la vida religiosa de la ciudad y las costumbres de la época de Ezra y Nehemías, además de la reconstrucción del templo con la aprobación de los profetas Ageo y Zacarías.

Los imperios asirio, babilónico y persa
El cambio de gobernantes asirios a babilónicos y a persas no afectaba en gran medida la vida cotidiana del pueblo llano. Los pueblos que eran conquistados podían seguir sus propias costumbres y religiones.

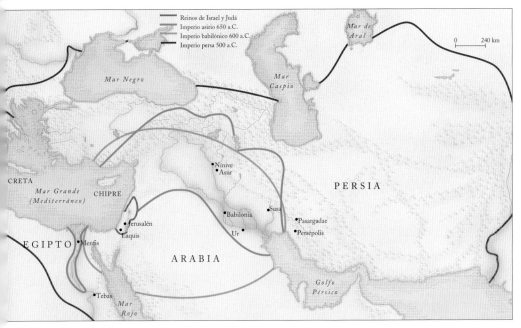

Reinos de Israel y Judá
Imperio asirio 650 a.C.
Imperio babilónico 600 a.C.
Imperio persa 500 a.C.

0   240 km

Mar de Aral

Mar Negro

Mar Caspio

CRETA

Mar Grande (Mediterráneo)   CHIPRE

PERSIA

•Nínive
•Asur

•Jerusalén
•Laquis

•Babilonia   •Susa

•Pasargadae

Ur   •Persépolis

EGIPTO •Menfis

ARABIA

Golfo Pérsico

•Tebas
Mar Rojo

LA PUERTA DE ISTAR

La puerta de Istar, llamada así por la diosa babilonia del amor y la guerra, era la del norte de Babilonia. Decorada con los símbolos del dios Marduk, la puerta de dos hojas alcanzaba 12 m de altura y abarcaba el principal camino procesional, que unía el templo de Marduk en la ciudad con un importante centro religioso fuera de las murallas.

EZEQUIEL

Ezequiel se preparaba para ser sacerdote en un templo de Jerusalén cuando fue deportado a Babilonia. Pero allí, cinco años más tarde, Dios le llamó para que ejerciera de profeta entre los exiliados.

RUINAS EN JERUSALÉN

Los orígenes de Jerusalén se remontan a más de 4.000 años. Su importancia histórica empezó cuando el rey David tomó la ciudad de los jebuseos en el 1000 a.C. y la convirtió en la capital de las tribus unidas de Israel.

Ezequiel advierte de la ira de Dios

EZEQUIEL, 4-5

Dios quería advertir a los exiliados en Babilonia sobre los malos tiempos que esperaban a los habitantes de Jerusalén. Pero en lugar de decir al profeta que transmitiera su mensaje con palabras, le pidió que lo representara con acciones para que solo aquellos que le prestaran atención entendieran lo que quería decirles.

Ezequiel se sentó donde se reunía el pueblo, dibujó Jerusalén en un ladrillo y después agrupó montoncitos de tierra alrededor que recordaban campamentos enemigos.

Entonces colocó una plancha de hierro entre él y el ladrillo que simbolizaba un muro. Dios pidió a Ezequiel que horneara un panecillo y le dejó muy poca agua para beber, de manera que la gente viera su escasa dieta y entendiera que Jerusalén sería sitiada por sus enemigos y que pasarían mucha hambre.

Como otra advertencia, Ezequiel tomó una espada muy afilada y se afeitó el cabello y la barba. Dividió el pelo en tres montones iguales y quemó uno de ellos sobre el ladrillo. Esparció el segundo montón alrededor, y finalmente lanzó el tercero al aire.

LOS HUESOS DE LOS MUERTOS

Tras diez años de cautiverio y con Jerusalén destruida, los exiliados habían abandonado toda esperanza. Pero en una visión, Ezequiel vio cómo un valle de huesos se convertía en un gran ejército. De ese modo Dios animaba a su pueblo para que tuviera esperanzas en el futuro.

Entonces Dios explicó que algunas personas serían asesinadas, otras morirían de hambre y otras serían deportadas. Ezequiel encontró unos cuantos cabellos sueltos y los ocultó en sus vestiduras para demostrar que solo unos pocos habitantes de Jerusalén se salvarían.

Los huesos cobran vida

EZEQUIEL, 37

Los cautivos de Babilonia habían recibido las duras advertencias de Dios sobre los tiempos difíciles que les deparararía el futuro, pero ahora quería transmitirles un poco de esperanza. En una visión, Dios llevó a su profeta Ezequiel a un valle lleno de montones de huesos humanos. Donde una vez había habido vida, solo quedaba el vacío de la muerte, como el pueblo de Dios que se había alejado de su bondad.

«¿Pueden cobrar vida esos huesos? —preguntó Dios a Ezequiel; pero el profeta dudó—. Di a esos huesos que les voy a devolver la vida, para que sepan lo poderoso que soy», anunció Dios.

Apenas había terminado de hablar Ezequiel cuando oyó el increíble sonido de huesos que entrechocaban y observó asombrado cómo se unían los unos a los otros. Primero se cubrieron de músculos, luego de piel, hasta parecer personas de verdad. Aun así, seguían muertas.

«Ahora, Ezequiel —dijo Dios—, pide a los vientos que soplen en todas las direcciones e insuflen vida en estos cuerpos inertes.»

Ezequiel así lo hizo, e inmediatamente los cuerpos empezaron a incorporarse, hasta que fueron tantos que parecían un gran ejército.

«Explica que igual que acabo de dar vida a este valle lleno de huesos, también daré una nueva vida a mi pueblo —dijo Dios a Ezequiel, a la vez que le explicaba su plan para Israel—. Le llevaré a su hogar y le cuidaré como un pastor, y se hará poderoso y vivirá en paz.»

Educado para servir al rey

DANIEL, 1

AVENTANDO EL FUEGO

Esta pieza de madera egipcia muestra a un hombre aventando una lumbre de carbón vegetal, seguramente para cocinar. La comida se cocía en una vasija sobre el fuego. Para cocer pan se calentaban piedras planas. Cuando la masa estaba lista, se quitaban las piedras del fuego y se colocaba la masa sobre ellas para cocerla.

ESPECIAS

Como otras civilizaciones antiguas, los babilonios usaban especias para condimentar sus alimentos. Una de las más habituales era el comino, cuyas semillas aromáticas se molían y empleaban en lugar de pimienta.

DIETA VEGETARIANA

La dieta vegetariana que pidió Daniel podía ser muy limitada. Muchas hortalizas, como los pepinos, se comían crudas, mientras que las lentejas, las alubias y los puerros se cocían en agua o aceite. Para dar más sabor a las verduras y evitar una dieta aburrida, solían sazonarse con ajo o comino.

Cuando los babilonios tomaron Jerusalén, seleccionaron un grupo de israelitas entre los más habilidosos y los llevaron a Babilonia. Uno de esos hombres era Daniel.

El rey babilonio, Nabucodonosor, ordenó al jefe de sus oficiales que escogiera a los mejores entre todos esos jóvenes. Se les educaría para que le ayudaran a gobernar su reino.

Daniel deseaba afanarse por el monarca, pero también quería seguir siendo fiel a Dios. Cuando se dio cuenta de que tendría que tomar la misma comida y el mismo vino que el rey, incluyendo los alimentos prohibidos por su fe, Daniel pidió al jefe de los oficiales que le permitiera alimentarse con una dieta más frugal.

«Lo siento, Daniel —dijo amablemente el oficial— pero el rey ha ordenado que tomes esta comida. Si no la comieras y estuvieras más débil que los demás, ¡me ejecutaría!»

Así que Daniel recurrió a su guardia. «Durante diez días alimentadme a mí y a mis tres amigos solo con hortalizas y agua. Entonces veremos si nos hemos debilitado o no.»

El guardia accedió. Tras diez días siguiendo la nueva dieta, Daniel y sus amigos estaban más fuertes y sanos que los israelitas que habían comido los mismos alimentos que el monarca, por lo que les permitieron continuar así.

A medida que Daniel seguía su formación, Dios le dio grandes conocimientos y sabiduría, y el don de interpretar sueños y visiones. Al cabo de tres años, el rey habló con Daniel y se dio cuenta de que era mucho más inteligente que sus magos. Así, Daniel se convirtió en siervo del monarca.

Daniel interpreta el sueño del rey

Al rey Nabuconodosor le atormentaba una inquietante pesadilla que no comprendía, por lo que convocó a todos sus sabios.

«Tenéis que decirme exactamente qué vi en mi sueño y qué significa, ¡sin que yo os dé ningún detalle! —repetía—. Si no lo hacéis, haré que os ejecuten.»

«Pero solo los dioses revelan tales cosas», protestaban los sabios. Entonces el rey, furioso, ordenó que los mataran a todos, incluyendo a Daniel y sus compañeros.

Sabiamente, Daniel pidió más tiempo al rey. Fue a su casa y rezó a Dios para que salvase sus vidas mostrándole el significado del sueño. Para alivio de Daniel, Dios le reveló el misterio en una visión.

«Ningún hombre, tampoco yo, es tan inteligente como para interpretar tu sueño —dijo Daniel al rey con humildad al día siguiente—, pero hay un Dios en el cielo que puede revelar todos los misterios». Daniel explicó que el sueño era una visión de lo que sucedería en el futuro.

«En el sueño viste la estatua enorme y aterradora de un hombre —le dijo al rey—. Su cabeza era de oro, el cuerpo de plata y las piernas de bronce. Mientras la contemplabas, una roca desmenuzó los pies de la estatua, que eran de hierro y arcilla.

Entonces toda la estatua se rompió en pedazos diminutos que el viento dispersó, sin dejar rastro alguno. Pero la piedra se convirtió en una gran montaña que cubrió todo el mundo.

Su Majestad, el oro representaba tu poderoso reino y las otras partes de la estatua simbolizaban otros reinos menos poderosos. Y la piedra que acabó con todos ellos es el reino eterno de Dios que, un día, cubrirá todo el mundo.»

El rey se dio cuenta de que Daniel decía la verdad y le mostró su agradecimiento haciéndole gobernador de toda la provincia de Babilonia.

MOJONES BABILÓNICOS

Los babilonios grababan los registros en tablas o piedras. En ocasiones, los registros de los terratenientes se hacían públicos y las piedras se colocaban en el campo o el templo al que se refería el acuerdo. Los mojones como el de la imagen se marcaban con los símbolos de las deidades que se creía que eran testigos del contrato.

EL IMPERIO BABILÓNICO

El pueblo de Babilonia alcanzó su esplendor alrededor del año 600 a.C., durante el reinado de Nabucodonosor. En ese momento controlaban un gran imperio, que se extendía desde el Mediterráneo en el Oeste hasta el golfo Pérsico en el Este. La historia de Daniel tiene lugar después de la conquista de Jerusalén por parte de los babilonios, en el 286 a.C.

Los signos del zodíaco
Los astrólogos creen que las estrellas y los planetas influyen de manera decisiva en el carácter y el destino de las personas. Los astrólogos proliferaron en la Babilonia dominada por los sacerdotes. Se cree que el zodíaco y sus doce signos tienen allí su origen. La Biblia rechaza creencias como la astrología, pues únicamente Dios controla el Universo que ha creado.

Un horno abrasador

DANIEL, 3

EL CILINDRO DE ARCILLA DE NABUCODONOSOR
Este cilindro proclama la reconstrucción del templo del dios del Sol. En el reinado de Nabucodonosor se construyeron grandes edificios. Los ladrillos se hacían con barro y arcilla mezclados con paja. Eran cuadrados de 30 cm y unos 10 cm de grosor. En los ladrillos solía grabarse el nombre del monarca reinante.

MÚSICOS
Estos músicos asirio-babilonios tocan (de izquierda a derecha) la gaita, la flauta y el arpa. Los instrumentos musicales estaban hechos de diversos materiales, como madera, piel, tripas, marfil, nácar, oro y plata. La música ha sido un elemento importante de los ritos religiosos en todas las culturas. Todos tenían que postrarse ante la estatua de Nabucodonosor cuando comenzaba la música.

El rey Nabucodonosor decidió construir una estatua de oro gigantesca que todos sus súbditos adorarían. Medía 27 metros de alto y casi 3 de ancho.

«En cuanto oigáis la música —anunció el pregonero del rey—, arrodillaos y adorad la estatua. Todo aquel que desobedezca será arrojado a un horno en llamas.»

Cuando Nabucodonosor se enteró de que Sadrak, Mesak y Abed Negó no habían querido hacerlo, porque los judíos solo adoraban a su Dios, se enfureció. «Tenéis una última oportunidad antes de que os haga arrojar al horno. ¿Ese Dios vuestro vendrá a salvaros entonces?», les increpó.

Los tres se enfrentaron con valentía al rey. «Nuestro Dios puede salvarnos de las llamas, pero aunque no lo hiciera, jamás adoraremos a vuestros dioses», le contestaron.

La ira del rey creció aún más y ordenó que el horno fuera siete veces más abrasador de lo que solía. Las llamas eran tales que los soldados que arrojaron a Sadrak, Mesak y Abed Negó al horno murieron inmediatamente.

El rey esperaba que los tres quedaran reducidos a cenizas, pero quedó asombrado. «¡Mirad! No veo tres, sino cuatro hombres caminando entre las llamas. ¡Salid, siervos del Dios supremo!»

Sadrak, Mesak y Abed Negó salieron del horno. Las llamas no habían tocado ni sus cuerpos ni sus ropas. Ni siquiera olían a humo.

«¡Todos deberían rezar al Dios de Sadrak, Mesak y Abed Negó! —dijo Nabucodonosor—. Estaban dispuestos a morir antes que adorar a otros dioses, pero Dios envió un ángel para que les salvara. El monarca quedó tan impresionado que les ofreció cargos más altos en el reino.

La escritura en la pared

DANIEL, 5

DANIEL
Dios dio a Daniel gran sabiduría para que pudiera interpretar los extraños sueños del rey Nabucodonosor. Ahora es el rey Baltasar quien le necesita para explicar el significado de la escritura sobre la pared del palacio.

Una noche, cuando el rey Baltasar y mil de sus oficiales más influyentes disfrutaban de un banquete, el rey ordenó: «¡Bebamos vino en las copas sagradas de oro y plata que mi padre robó del templo de Jerusalén». Al poco tiempo todos estaban borrachos y empezaron a adorar a sus ídolos.

De repente, bajo la luz de una lámpara, el rey vio cómo unos dedos humanos escribían en la pared del palacio. Su rostro palideció de miedo y empezaron a temblarle las rodillas. El mensaje estaba escrito en una lengua que no entendía, por lo que decidió convocar a sus sabios.

«¡Decidme qué significa!», ordenó el rey, pero ninguno supo explicárselo y el miedo aumentó. La reina le tranquilizó diciéndole que Daniel le ayudaría a resolver el enigma.

«Me han dicho que Dios te ha dado sabiduría para comprenderlo todo. Si me dices qué significa esa escritura, te haré uno de los hombres más poderosos del reino», prometió el rey.

«No quiero ninguna recompensa —respondió humildemente Daniel, pues él solo deseaba servir a Dios—. Dios dice que, como has utilizado las copas sagradas para un banquete y has adorado a falsos dioses, ha menguado tu reino. Te ha juzgado y ha decidido que no eres lo suficientemente bueno para ser rey. Por eso tu reino se dividirá entre los medos y los persas.»

A pesar de todo, Baltasar cumplió su promesa y convirtió a Daniel en un poderoso gobernador.

Esa misma noche, el mensaje de Dios se cumplió. El ejército invasor mató al rey Baltasar y Darío tomó posesión de su reino.

LA ESCRITURA EN LA PARED
Las excavaciones arqueológicas del lugar donde estaba el palacio de Babilonia han descubierto un salón del trono construido en el reinado de Nabucodonosor. Una de las paredes estaba decorada con ladrillos esmaltados azules y el resto eran de yeso. En una de estas paredes Baltasar vio las palabras MENÉ, TEQEL, PARSÍN. Escritas en arameo de los siglos VI y V a.C., significan contado, pesado y dividido.

EL TORO DE LA PUERTA DE ISTAR
La gran deidad babilónica, Marduk, solía representarse en forma de toro. Se honraba en primavera en una fiesta en la que el resto de los dioses avanzaban ante él, quizá para determinar el curso de las vidas de las personas durante el año siguiente.

Daniel ante los leones

DANIEL, 6

NOBLES MEDOS
La influencia de Media era tal en el imperio persa que a menudo se representan juntos medos y persas. Este relieve de Persépolis muestra a dos nobles ataviados con las ropas típicas de Media. Los tocados redondos y las túnicas cortas de los medos les distinguían de los persas.

EL MUNDO BABILÓNICO
Esta pintura muestra cómo veían los babilonios el conjunto del mundo. En lo más alto estaban los cielos, a continuación el aire, mientras que debajo y alrededor de la Tierra se hallaban los océanos. Cada una de estas tres capas tenía sus propios dioses: Anu era el dios de los cielos; Enlil, el del aire, y Ea el «señor de los profundos océanos». El monarca reinaba como representante de los dioses en la Tierra y se creía bendecido por ellos.

Daniel era un gobernador tan diligente que el rey Darío quería ponerle al frente de toda Babilonia. Pero los otros oficiales del rey estaban celosos de su éxito. Buscaron algún error en el trabajo de Daniel para así perjudicarlo.

Pero Daniel era tan honesto que no lo consiguieron. Así que engañaron al monarca para que promulgara una ley. Según esta, durante treinta días el pueblo solo podría rezar al rey. Nadie estaba autorizado a rezar a ningún dios, y quien desobedeciera sería arrojado a los leones como castigo.

Daniel sabía que esa ley no era correcta y decidió seguir orando a Dios. En su casa, se arrodillaba tres veces al día, como hacía siempre, y daba gracias a Dios por su bondad.

Pero los malvados oficiales le espiaban, y un día le sorprendieron rezando y pidiendo ayuda a Dios. Apresuradamente se presentaron ante el rey y le dijeron, regodeándose, «Daniel ha desobedecido tu nueva ley rezando a su Dios. Debe ser castigado».

Darío estaba horrorizado porque Daniel era un sabio gobernante, pero no podía cambiar la ley. Así que, de mala gana, ordenó a sus guardias que arrojaran a Daniel al foso de los fieros y hambrientos leones. El rey permaneció despierto toda la noche, rogando que de alguna manera Daniel se salvara.

Dios perdona a Nínive

JONÁS, 3-4

Una vez más, Dios dijo a Jonás que fuera a Nínive y pidiera a sus habitantes que dejaran de ser malvados. En esta ocasión, tras su terrible aventura en el mar, Jonás obedeció presuroso.

Recorrió las calles mientras clamaba: «¡Habitantes de Nínive, si no regresáis a Dios, él destruirá vuestra ciudad dentro de cuarenta días!».

Allá donde iba, la gente escuchaba el mensaje de Jonás y cambiaba su comportamiento. El rey de Nínive ordenó que nadie comiera sus sabrosos alimentos y que se vistieran con sacos en señal de sincero arrepentimiento y de deseo de ser perdonados por Dios.

Dios se alegró de no tener que castigar a Nínive. Pero Jonás se enfureció y oraba: «Señor mío, ya sabía que serías bondadoso con este pueblo, incluso aunque sean nuestros enemigos. ¡Preferiría verlos a todos aniquilados! Estoy tan furioso que deseo la muerte».

Jonás salió de la ciudad y se sentó bajo un chamizo que había hecho para contemplar la ciudad, por si acaso Dios cambiaba de idea y castigaba a aquellas personas. Para protegerle del abrasador sol, Dios hizo que creciera una frondosa parra sobre la choza y así hubiera más sombra.

Sin embargo, a primera hora de la mañana siguiente, Dios envió a un gusano que se comió la parra hasta que se secó y murió. Y así quedó Jonás solo y a la merced del viento y el sol, deseoso de estar muerto.

«No deberías enfurecerte porque soy bondadoso con los habitantes de Nínive —le dijo Dios—. Tú te lamentas por la muerte de la parra, aunque ni siquiera la plantaste o la cuidaste. ¿Cómo no iba a preocuparme yo por todas las personas que viven en la ciudad y no demostrarles que las amo?»

EL RICINO
No se sabe exactamente qué planta dio sombra a Jonás. La Biblia habla de una parra, pero también es posible que fuera un ricino. El ricino crece rápidamente y tiene unas hojas grandes en forma de abanico que dan mucha sombra. Suele crecer en lugares baldíos cerca del agua y se dice que se marchita en cuanto se le toca, aunque sea levemente.

Reconstruid mi templo

AGEO, 1-2

C uando el pueblo de Dios regresó a Jerusalén de su exilio en Babilonia, Dios le dijo que reconstruyera el templo que había quedado destruido muchos años antes. El pueblo emprendió la tarea con entusiasmo, pero sus enemigos dificultaron pronto su trabajo, y el pueblo lo abandonó y se entregó a sus propios asuntos.

Ageo transmitió a Zorobabel, el gobernador, y a Josué, el sumo sacerdote, una advertencia de parte de Dios. «¿Creéis que está bien que la gente se construya casas lujosas mientras mi casa sagrada sigue en ruinas? Parece que nunca tienen suficientes alimentos para comer, ropas para vestirse o dinero para gastar. Las cosechas nunca les harán ricos hasta que no aprendan primero a honrarme.»

Zorobabel y Josué le escucharon atentamente e inmediatamente se dispusieron a obedecer a Dios. Respetaban a Dios y no querían que el pueblo de Jerusalén sufriera ningún otro castigo. Así que la gente volvió a trabajar en el templo.

Los más ancianos recordaban el primer templo construido por el rey Salomón y se entristecían al pensar que el nuevo no sería tan hermoso. «Dejadme que os anime a trabajar duramente —les tranquilizó Dios por medio de Ageo—. El nuevo templo estará lleno de mi presencia y será aún más glorioso que el construido por el rey Salomón.»

Tan pronto como el pueblo de Jerusalén colocó las primeras piedras del templo, Dios empezó a bendecir sus cosechas y a darles riquezas.

Seguid mi consejo

ZACARÍAS, 1-6

Pese a sus pecados, Dios no olvidó que había prometido a los que volvieran a Jerusalén que serían los elegidos. Para animarles, mostró varias visiones a su profeta Zacarías que explicaban cómo sería el futuro.

«He visto mensajeros de Dios a caballo con documentos que acreditan que Judá recibió el castigo de sus enemigos con mucha más crudeza de la que quería. Ahora Dios mostrará el amor que siente por Jerusalén aniquilando con furia a esos enemigos. También he visto a un hombre que medía la nueva y próspera Jerusalén junto a una miríada de miembros del pueblo de Dios de naciones distintas. El Todopoderoso será la única muralla que protegerá la ciudad para siempre.

He visto al sumo sacerdote, Josué, vestido con ropas inmundas igual que Judá estaba mancillada de pecado.

Dios olvidará el pasado y concederá a Josué vestiduras sacerdotales limpias para que Satán no pueda acusar a su pueblo. Y Dios dijo: "Si seguís mis pasos, os nombraré guardianes del templo". Y Dios me enseñó a una mujer en el interior de una cesta enorme que simbolizaba los delitos que mi país cometió. La devolvió a Babilonia, dejando una Judá pura y sagrada.

Después Dios me dio un mensaje importante para Zorobabel, el gobernador: "No por la fuerza, ni por el poder, sino solo por mi Espíritu". Aunque debe trabajar mucho y crear un ejército poderoso, solo logrará reconstuir el templo con la ayuda de Dios.» Zacarías supo gracias a estas visiones que la bondad y la misericordia de Dios devolverían a la ciudad de Jerusalén el esplendor que tenía en el pasado.

LA VISIÓN DE ZACARÍAS

En una visión, Zacarías vio cuatro cuadrigas que se acercaban desde dos montañas de bronce. La primera iba tirada por caballos rojos, la segunda por negros, la tercera por blancos y la cuarta por pintos. Esa visión era para alentar al pueblo de Dios: para mostrarles que Dios tenía el control, que vencería sobre sus enemigos y que sus enviados ya habían partido para llevarles su juicio divino.

¿Por qué no me honráis?

MALAQUÍAS, 1-3

LA CÚPULA DE LA ROCA
La cúpula de la Roca se halla en Jerusalén, en el lugar conocido como monte Moria. La mezquita musulmana fue construida en el 691 y se alza donde se erigía el templo de Salomón. Se cree que en la gran roca que hay en su interior Abraham preparó el sacrificio de Isaac.

GANADO
Las ovejas y las vacas eran animales muy valiosos y se ofrecían sacrificados en señal de respeto a Dios. Se escogía el mejor becerro y se le cebaba para la celebración. Malaquías se queja porque el pueblo de Dios no sacrifica a los mejores animales para ofrendárselos.

EL MURO DE LAS LAMENTACIONES
Hoy en día es el lugar más sagrado para los judíos, que acuden a él para rezar. Las grandes piedras son los únicos vestigios del muro occidental sobre el que se erigió el templo de Herodes, destruido por los romanos en el año 70 tras una rebelión.

Finalmente, el pueblo de Dios había regresado de Babilonia y reconstruido el templo en Jerusalén. Pero no todo iba bien. No era nada fácil rehacer una vida próspera y la nación estaba perdiendo la bendición de Dios porque no seguía sus leyes con entusiasmo. Malaquías llevó las palabras de ánimo al pueblo abatido.

«Te he amado sinceramente, Israel, y aún así tú cuestionas mi amor al ver lo dura que es tu vida. Ese es el problema —dijo Dios al pueblo—. El hijo honra al padre, y el siervo a su señor, ¡pero mirad vuestro comportamiento! ¿Por qué no me honráis? Como líderes vuestros, los sacerdotes deberían saber que no podéis hacerme en el templo ofrendas de animales enfermos y heridos en vez de lo mejor del rebaño. Seguramente vuestro gobernador no se contentaría con eso, ¿por qué pensáis que podéis engañarme? Solo las ofrendas más puras son dignas de mi santo nombre.

Los sacerdotes habláis en mi nombre, de modo que todos os buscan para obtener conocimiento y reglas. Pero vuestras pobres enseñanzas han hecho que muchos tropezaran en sus vidas y no habéis aplicado la ley equitativamente. Por eso haré que todos os desprecien.»

Pueblo mío, de nada sirve gemir y llorar cuando os deis cuenta de que no aceptaré vuestras ofrendas ni os bendeciré. ¿Qué esperáis cuando os divorciáis de vuestras esposas para ir con mujeres que adoran falsos ídolos? Estoy cansado de oír vuestras mentiras, "los que hacen el mal son buenos", y preguntáis "¿Dónde está el Dios de la justicia?".

Escuchad, un día enviaré a un mensajero que repentinamente aparecerá en mi templo. Con el abrasador calor de las llamas consumirá todas las impurezas de los corazones de las personas, dejando a aquellas que me volverán a hacer ofrendas sinceras.»

El regreso a Dios

MALAQUÍAS, 3-4

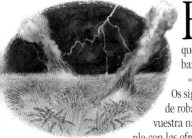

El pueblo de Israel, que deseaba recibir las bendiciones de Dios tras tantas generaciones en el exilio pero que no entendía por qué la vida seguía siendo tan difícil, se preguntaba: «¿Cómo podremos regresar a Dios?»

«Yo nunca he cambiado —explicó Dios—. Os sigo ofreciendo mi perdón, siempre que dejéis de robar lo que me pertenece. He maldecido toda vuestra nación porque no llenáis el almacén del templo con las ofrendas adecuadas. Si me dais la décima parte de vuestras ganancias, me aseguraré de que no os falte la comida. ¡Ved cómo abro el cielo y derramo sobre vosotros tantas bendiciones que no tendréis espacio para almacenarlas!

Protegeré vuestras cosechas de las plagas y las vides estarán cargadas de frutos. Los extranjeros verán vuestras ricas cosechas y dirán que os bendigo.

Así que dejad de repetir: "Es inútil servir a Dios y obedecerle. Los malvados se enriquecen fácilmente, e incluso los que retan a Dios parece que nunca son castigados".

No os confundáis. Algún día mi castigo furioso les quemará como si fueran paja y no serán más que meras cenizas bajo los pies de mis hijos preciados, aquellos que me aman y respetan. Mi poder resplandecerá sobre vosotros como los rayos sanadores del sol y vuestra fidelidad será recompensada. Basta con que no olvidéis obedecer las leyes que di a Moisés.»

EL PUEBLO ELEGIDO

Los israelitas se consideraban a sí mismos «el pueblo elegido» por Dios, llamados a ser testigos de su amor y sus planes para el mundo. A pesar de que muchas veces se rebelaron contra él, siempre protegió lo que quedaba para continuar su obra. En el Nuevo Testamento Pedro dice que los cristianos son el nuevo pueblo elegido de Dios, llamados a llevar el mensaje de Jesús al mundo.

Malaquías
Malaquías fue el último profeta del Antiguo Testamento. El nombre de Malaquías significa «mi mensajero». El profeta Malaquías hablaba de la llegada de aquel que prepararía el camino al Señor. Aquel que purificaría y restauraría el culto verdadero a Dios. El Nuevo Testamento interpreta esta referencia como la llegada de Juan el Bautista, quien preparó el camino para la llegada del Mesías, que los cristianos creen que es Jesús.

LA CEBADA

El trigo y la cebada eran los principales cereales cultivados en Israel. La cebada, en esta imagen, madura antes que el trigo y se cosecha a principios del verano. La harina y el pan de cebada son de peor calidad que los de trigo, pero como era más barata solía alimentar a los pobres y darse a los animales. El pan de cebada llegó a simbolizar la pobreza y lo despreciable.

El Nuevo Testamento

Aquí conocemos a Jesús, sus curaciones milagrosas y sus enseñanzas. El Nuevo Testamento habla de su amor, su muerte y su resurrección para liberarnos. Muestra cómo cambió la vida de los primeros discípulos y de cómo hablaron a los demás de Jesús y crearon la Iglesia Cristiana.

Yo he venido para que tengan vida y la tengan en abundancia.

(Juan, 10:10)

El Nuevo Testamento

El Nuevo Testamento contiene 27 libros, cuatro de los cuales describen la vida y el mensaje de Jesucristo, la historia de los primeros cristianos, cartas de los apóstoles a los cristianos, y un libro profético.

Los Evangelios y los Hechos

La palabra *evangelio* significa 'buena nueva'. Casi la mitad del Nuevo Testamento consiste en cuatro narraciones de la vida de Jesucristo y las buenas noticias que trajo al mundo. Los Evangelios hacen hincapié en lo sucedido en la última semana de vida de Jesús, en su muerte y resurrección.

Cada uno de los Evangelios se centra en un tema. Mateo se interesa por los judeo-cristianos: Jesús es el Mesías tan esperado por los judíos. Marcos hace un breve repaso de la vida y la obra de Jesús. El Evangelio de Lucas y los Hechos de los Apóstoles

son dos partes de un mismo libro. Lucas se centra en Jesús como Salvador, especialmente de los pobres y necesitados. El Evangelio de Juan se diferencia de los otros tres: siete señales (milagros) y siete dichos que apuntan a Jesús como el Hijo de Dios.

Los Hechos de los Apóstoles continúan el relato desde la ascensión de Jesús al cielo, el regalo del Espíritu Santo en Pentecostés y el nacimiento de la Iglesia. Pedro, y luego Pablo, se convierten en líderes, y el mensaje de Jesús se extiende desde Jerusalén hasta el Imperio Romano oriental.

Las Cartas

Durante los primeros años la Iglesia contó con la ayuda de los apóstoles, que escribían cartas con enseñanzas de Dios y el Evangelio, con normas sobre aspectos prácticos de la vida cristiana.

La carta a los romanos, la primera y segunda a los corintios y la carta a los gálatas se centran en la esencia del Evangelio predicado por Pablo; las cartas a los efesios, a los filipenses, a los colosenses y a Filemón, todas escritas por Pablo cuando estaba preso en Roma, contienen la enseñanza sobre el significado de ser cristiano. Seguramente las dos cartas de Pablo a los tesalonicenses fueron las primeras que escribió, y versan sobre la segunda llegada de Cristo. En las dos cartas a Timoteo y Tito se dan consejos sobre la organización de la Iglesia.

La carta a los hebreos demuestra que Jesús era mejor que el sacerdocio y el sistema de sacrificios, y el cumplimiento de todo lo que habían defendido. La carta de Santiago versa sobre el cristianismo práctico; la primera de Pedro va dirigida a los cristianos perseguidos por su fe, y la segunda de

Cronología del Nuevo Testamento

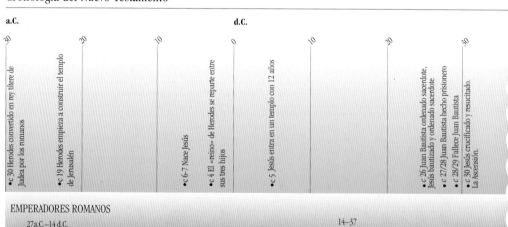

a.C.

30   20   10

d.C.

0   10   20   30

• c 30 Herodes convertido en rey títere de Judea por los romanos

• c 19 Herodes empieza a construir el templo de Jerusalén

• c 6-7 Nace Jesús

• c 4 El «reino» de Herodes se reparte entre sus tres hijos

• c 5 Jesús entra en un templo con 12 años

• c 26 Juan Bautista ordenado sacerdote, Jesús bautizado y ordenado sacerdote

• c 27/28 Juan Bautista hecho prisionero

• c 28/29 Fallece Juan Bautista

• c 30 Jesús crucificado y resucitado. La Ascensión.

EMPERADORES ROMANOS

27a.C.–14 d.C.
Augusto

14–37
Tiberio

El mundo del Nuevo Testamento (con nombres actuales de los países)
El Imperio Romano dominaba toda el área que rodeaba el mar Mediterráneo. La red de carreteras y la ausencia de conflictos bélicos permitió que los cristianos viajaran y dieran a conocer su mensaje. Algunos cristianos se vieron obligados a emigrar de Judea porque eran perseguidos.

Pedro y la de Judas advierten sobre los falsos maestros. La primera carta de Juan quiere ayudar a los cristianos a no vacilar en su fe, y la segunda y tercera muestran las implicaciones de una vida de amor y verdad.

La revelación

El libro final de la Biblia es un libro profético de visiones y símbolos, escrito cuando los cristianos eran perseguidos. Se cree que es obra de Juan. Se inicia con la visión de Cristo en la Gloria y prosigue con cartas a las siete iglesias. Se describen visiones de juicios y la victoria, tras lo cual la soberanía de Dios triunfa sobre la maldad. El libro termina con la imagen de un cielo y nueva tierra nuevos.

30
- c 30 Pentecostés
- c 35 Esteban hecho mártir
- c 35 Pablo se convierte al cristianismo

40
- c 40 «Pentecostés» gentil en Cesarea
- c 44 Santiago hecho mártir y Pedro encarcelado
- c 46-48 Primer viaje de Pablo como misionero

50
- c 49/50 Concilio de Jerusalén
- c 50-52 Segundo viaje de Pablo
- c 51 Cartas de Pablo a los tesalonicenses
- c 52-56 Cartas de Pablo a los corintios
- c 53-57 Tercer viaje de Pablo

60
- c 59-61/62 Pablo encarcelado en Roma: cartas a los efesios, colosenses y filipenses
- c 64 Nerón acusa a los cristianos del incendio de Roma
- c 65-67 Cartas de Pablo a Timoteo y Tito
- c 65-80 Empiezan a circular los cuatro Evangelios
- c 67/68 Fallece Pablo

70
- c 70 Destrucción de Jerusalén

80
- c 81 El emperador Domiciano persigue a los cristianos
- c 85 Escritura de las tres cartas de Juan

90
- c 90-95 Exilio de Juan en Patmos

37-41	41-54		54-68		69	69-79	79-81	81-96
Calígula	Claudio		Nerón		Galba, Oto, Vitelio	Vespasiano	Tito	Domiciano

El hijo prometido de Zacarías

LUCAS, 1

EL ÁNGEL GABRIEL

El ángel Gabriel fue enviado a Zacarías para anunciar el nacimiento de Juan Bautista. Gabriel era el mensajero especial de Dios y su nombre puede significar 'Dios es mi héroe' u 'hombre poderoso de Dios'. Gabriel y Miguel son los únicos ángeles que se mencionan por su nombre en la Biblia.

EL ALTAR DEL INCIENSO

Frente al Santuario del Señor, en el templo, estaba el altar del incienso de oro. Un sacerdote mantenía encendido el incienso y se aseguraba de que hubiera suficiente antes del sacrificio matinal y tras la ofrenda vespertina. Era un gran honor y los sacerdotes se elegían al azar. Así fue escogido Zacarías.

EL GÁLBANO

Uno de los ingredientes del incienso sagrado era el gálbano, la resina aromática de una planta similar al hinojo que se cultivaba en Siria y Persia. El resto de los ingredientes del incienso sagrado eran resina gomosa, uña marina (del caparazón de los moluscos) e incienso.

Zacarías era un sacerdote que vivió durante el reinado de Herodes. Él y su esposa Isabel eran creyentes temerosos de Dios y obedecían todas sus órdenes. Tenían una avanzada edad y su vida era triste porque no tenían hijos.

Un día Zacarías fue elegido para quemar el incienso en el altar. Cuando se disponía a hacerlo, llegó un ángel que se situó cerca del mismo. Zacarías estaba aterrorizado, pero el ángel le calmó con estas palabras: «No temas. Tras todos estos años tus plegarias han sido escuchadas. Isabel tendrá un hijo llamado Juan. No solo te colmará a ti de felicidad, sino que su nacimiento traerá gran dicha a muchas personas. Estará lleno del Espíritu Santo desde el momento de nacer y convencerá a muchos israelitas de que regresen a Dios. Además, está destinado a preparar el camino al Señor».

«¿Cómo sabré que lo que dices es cierto? ¿No somos Isabel y yo demasiado viejos para tener un hijo ahora?», balbuceó Zacarías.

«Yo, Gabriel, he venido desde la presencia del Señor para traerte este mensaje maravilloso. Pero como has dudado de mí, no podrás hablar hasta el día en que nazca el niño», le respondió el ángel antes de desaparecer.

Afuera, la gente se preguntaba por qué tardaba tanto Zacarías. Cuando finalmente salió, supieron que había tenido una visión porque no podía hablarles.

Isabel quedó embarazada, tal y como el ángel anunció, y en su momento dio a luz al hijo prometido. Sus parientes se alegraron mucho por su suerte.

Cuando tomaron el bebé para circuncidarle iban a llamarle Zacarías, pero en ese momento Isabel les interrumpió: «No, queremos que se llame Juan.»

Todos quedaron muy sorprendidos porque nadie en la familia se llamaba así, por lo que preguntaron a Zacarías cómo debían llamar al pequeño. Le dieron una tablilla y quedaron asombrados cuando él escribió con letra clara el mismo nombre, «Juan». En cuanto hubo acabado de escribirlo, pudo volver a hablar y dar gracias al Señor.

Todos los que oían lo ocurrido quedaban muy intrigados y se preguntaban qué futuro aguardaría al niño.

Un ángel lleva noticias a María

LUCAS, 1

Estando Isabel embarazada de seis meses, Dios envió a Gabriel a Nazaret, en Galilea, donde vivía María. Estaba prometida con José, de la casa de David. «Dios te salve, llena de gracia, el Señor está contigo», dijo el ángel. La pobre María se asustó al oír ese saludo y empezó a temblar de miedo.

«No temas, María. Dios se alegra de bendecirte. Vas a tener un hijo llamado Jesús. Será llamado Hijo del Altísimo. Dios le entregará el reino de David y reinará sobre la casa de Jacob para siempre.»

«¿Cómo es posible? Todavía no estoy casada con José», preguntó María.

Gabriel le respondió: «El poder del Espíritu Santo descenderá sobre ti. Por eso el niño que nacerá será llamado Hijo de Dios. Incluso tu prima Isabel está esperando un niño en su vejez. Nada es imposible para el poder de Dios».

María se había quedado sin palabras. Todo lo que pudo decir antes de que el ángel desapareciera fue: «He aquí la esclava del Señor; hágase en mí según tu palabra».

Poco después María empaquetó sus cosas y se dirigió a visitar a Isabel. Cuando se vieron, el hijo de Isabel saltó de gozo en su vientre y, con la inspiración del Espíritu Santo, Isabel exclamó: «Bendita tú entre todas las mujeres y bendito el fruto de tu vientre. ¿Por qué tengo el honor de que me visite la madre de mi Señor? Cuando oí tu voz, saltó de gozo el niño en mi seno. ¡Bienaventurada la que ha creído las palabras del Señor!».

Cuando María oyó las palabras de Isabel, dijo: «Mi espíritu glorifica a Dios porque ha puesto los ojos en su humilde esclava. Desde ahora todos me llamarán Bienaventurada, porque en mí ha hecho maravillas el Todopoderoso. Siempre se mostró clemente con los que le honran y humilló a los soberbios. Destronó a reyes y exaltó a los humildes. A los hambrientos colmó de bienes y despidió a los ricos sin nada. No se olvidó de su pueblo de Israel, sino que recordó la promesa hecha a nuestro padre Abraham».

María se quedó tres meses en casa de Isabel, tras los cuales partió hacia Nazaret.

Dios tranquiliza a José

MATEO, 1

Cuando José se dio cuenta de que María estaba esperando un niño antes de que estuvieran casados, se disgustó mucho. Ella parecía tan pura y buena que jamás se habría imaginado que pudiera haberle sido infiel con otro hombre.

Muy apenado, José sabía que no podía casarse con ella. Bondadosamente decidió romper su compromiso en secreto, para que ella no sufriera el escarnio público y la vergüenza.

Todavía estaba pensando José en su decepción, cuando se le apareció un ángel de Dios en un sueño con un mensaje tranquilizador: «No te disgustes, José. Toma a María como esposa, porque Dios engendró al niño por medio del Espíritu Santo. Dará a luz a un hijo, y tú le pondrás por nombre Jesús, porque él salvará a su pueblo de sus pecados».

Al despertar, José se sintió aliviado al saber que María no había pecado con otro hombre. Estaba orgulloso y nervioso porque, como descendiente del poderoso rey David, sería en su familia donde nacería el tan ansiado Mesías.

Como era un hombre justo que confiaba plenamente en Dios, José obedeció al ángel y se casó enseguida con María, tal y como habían planeado. Sin embargo, no durmió con ella hasta que María no dio a luz a su hijo, Jesús.

JOSÉ

Católicos romanos, ortodoxos orientales e iglesias episcopales honran a José como santo. Poco sabemos sobre su vida después de que él y su familia se instalaran en Nazaret, pero se dice que era artesano o carpintero. Las primeras leyendas cristianas le representaban como un viudo de edad y con hijos propios cuando se casó con María, pero lo más probable es que no llegara a los veinte años cuando se desposó.

En casa de mi padre

LUCAS, 2

ada año, los padres de Jesús iban a Jerusalén para celebrar la fiesta de la Pascua. Cuando Jesús tenía doce años, les acompañó.

Cuando la fiesta hubo terminado, sus padres partieron de regreso a casa, viajando con un gran grupo de familiares y amigos. Pensaban que Jesús estaba en algún lugar de la comitiva y no se dieron cuenta de que se había quedado atrás en Jerusalén.

Tras un día de viaje, cuando se detuvieron a descansar, María y José descubrieron preocupados que Jesús no estaba con ellos. Preguntaron a todos sus familiares y amigos, pero nadie había visto a Jesús desde que habían dejado la ciudad.

Así que sus padres se apresuraron a volver a Jerusalén y comenzaron a buscar cualquier rastro del niño. Durante tres días de sufrimiento, buscaron por todas partes, pero no lograron encontrar a Jesús en ningún sitio.

Finalmente fueron al templo y allí le encontraron. Jesús estaba sentado entre los maestros de la ley, escuchándoles y haciéndoles todo tipo de preguntas. Todos los que le escuchaban se quedaban asombrados por su inteligencia y sus respuestas.

Pero su padre y su madre no se dejaron impresionar. «Jesús, ¿por qué nos has hecho esto? Hemos estado angustiados desde que nos dimos cuenta de que no estabas con nosotros», dijeron al unísono.

«¿Por qué me buscábais? ¿No sabíais que yo estaría aquí, en casa de mi Padre?», les respondió.

Pero ellos no entendieron el significado de su respuesta.

Aliviados porque habían encontrado a su hijo, abandonaron Jerusalén y regresaron juntos a Nazaret. La sabiduría de Jesús siguió creciendo. Obedecía a sus padres en todo y crecía en gracia ante Dios y la gente que le conocía.

LOS VIAJES DE MARÍA Y JOSÉ

María y José fueron primero a Belén, después huyeron a Egipto y al final regresaron a Nazaret. Arquelao, el nuevo rey de Judea y Samaria, era un tirano, por lo que María y José decidieron evitar su territorio y establecerse en Galilea, al norte.

LOS NIÑOS DE MEA SHARIN

El barrio de Mea Sharin, en Jerusalén, es una zona judía ortodoxa. Cuenta con muchas sinagogas con colegios que enseñan a los niños la historia judía, el hebreo y el judaísmo, la religión importante más antigua del mundo y la primera en predicar la fe en un solo Dios.

JESÚS Y LOS MAESTROS DE LA LEY

Los maestros del templo tal vez fueran fariseos y otros expertos de la ley judía. Estos hombres basaban sus estudios en la Torá, los primeros cinco libros del Antiguo Testamento.

Juan bautiza a Jesús

MATEO 3; MARCOS 1; JUAN 1

JUAN EL BAUTISTA
Juan el Bautista era primo de Jesús. Preparó a las personas para el ministerio de Jesús instándolas a rechazar sus pecados y recibir el perdón de Dios. Predicó en el desierto de Judea, y fueron muchos los que recorrieron un largo camino para confesar sus pecados y recibir el bautismo en el río Jordán.

EL RÍO JORDÁN
El río Jordán discurre desde el monte Hermón, al norte de Galilea, hasta el mar Muerto. Atraviesa el valle Jordán, la fosa tectónica más baja del mundo. En los tiempos bíblicos era un valle frondoso habitado por una extensa fauna salvaje. El río resulta difícil de atravesar por su extremo sur debido a que fluye a gran velocidad. En la época en que se escribió la Biblia, ningún puente lo cruzaba.

Juan el Bautista difundió un importante mensaje acerca de Dios en el desierto de Judea. Las multitudes se agolpaban en torno a él. Vestía pieles de camello y se alimentaba de langostas y de miel.

«Arrepentíos de vuestros pecados y Dios os perdonará», anunciaba el profeta, preparando a la gente para la llegada de Jesús, el Mesías. Juan bautizó en el río Jordán a quienes se apartaron de su antigua vida pecaminosa y aceptaron servir a Dios.

Juan sabía que los líderes religiosos nunca cambiarían de fe. «Sois un nido de serpientes —les espetó—. Hacéis ver que sois buenos cuando vuestros actos hablan por sí solos. El mero hecho de ser judíos no os salvará de ser juzgados por Dios.»

«Se avecina la llegada de alguien mucho más importante que yo —anunció—, alguien cuyas sandalias no soy digno de desatar. Él os bautizará con el poderoso Espíritu Santo.»

El hombre de quien hablaba era Jesús, quien pidió a Juan que lo bautizara. Este se inclinó humildemente ante él. «Maestro, ¿no deberías ser tú quien me bautizara a mí?»

El diablo tienta a Jesús

MATEO 4

Una vez bautizado, el Espíritu Santo guió a Jesús hasta el desierto para que Dios pudiera permitir a su enemigo, el diablo, ponerlo a prueba.

Allí, Jesús pasó 40 días sin comer y el hambre empezó a devorarle. El diablo intentó hacerle sucumbir diciéndole: «Si de verdad eres el hijo de Dios, ¿por qué no usas tu poder para convertir estas piedras en pan?».

Jesús respondió con firmeza: «Las Escrituras dicen que no solo de pan vive el hombre, sino que debe obedecer la palabra de Dios».

Luego el diablo condujo a Jesús a la parte más alta del templo de Jerusalén e intentó tentarle de nuevo:

«¡Salta y comprueba si Dios te salva! ¿No dicen las Escrituras que los ángeles de Dios vendrán a recogerte?». Pero Jesús le contestó: «Dios también dice que no debemos jugar con Él y ponerle a prueba».

Finalmente, el diablo se llevó a Jesús a una montaña muy alta para que pudiera contemplar todo el mundo. «Te daré todo lo que ves si me adoras como maestro.»

Pero nada logró desviar a Jesús de su misión. «¡Vete, Satán! —exclamó—. La única persona a la que serviré es al Señor mi Dios.» El diablo supo que no podía tentar a Jesús y lo dejó tranquilo. Dios envió a sus ángeles para ayudar a Jesús a recuperarse.

Pero Jesús insistió en que esa era la voluntad de Dios. Cuando Jesús emergió del agua, el Espíritu Santo descendió sobre él en forma de paloma y una voz retumbó en el cielo: «Este es mi amado Hijo, mi gran orgullo».

EL DIABLO

El diablo es un espíritu que se opone a los designios de Dios tentando a las personas a desobedecerle. Las tentaciones a las que Jesús resistió fueron reales y el hecho de que permaneciera fiel a Dios sirve de modelo a los cristianos cuando se hallan ante la tentación.

El ministerio de Dios

El ministerio de Juan el Bautista allanó el camino a la llegada de Jesucristo, que empezó a predicar en Galilea. La oposición a sus milagros y enseñanzas creció a medida que Jesús se aproximaba a Jerusalén.

Jesús

Se cree que Jesús nació alrededor del año 6-7 a.C. Hechos milagrosos rodearon su concepción y nacimiento en el establo de Belén. Sus padres huyeron a Egipto escapando de Herodes y, a su regreso, se establecieron en Nazaret, una aldea recóndita de Galilea. Jesús tuvo una infancia común. Es probable que aprendiera el oficio de José como carpintero y que viviera en una casa humilde con varios hermanos y hermanas más jóvenes. Dado que José apenas se menciona en la Biblia, se cree que debió de morir siendo Jesús muy joven. El ministerio público de Jesús dio comienzo cuando tenía unos treinta años y duró apenas tres.

El Sermón de la Montaña

La coyuntura política

Jesús nació durante el mandato del emperador Augusto, cuando Palestina estaba ocupada por los romanos. Augusto había unificado todo el mundo mediterráneo bajo un único gobierno pacífico, y cada provincia le pagaba impuestos periódicamente. A su muerte, en el año 14, fue sucedido por Tiberio. Los romanos gobernaron mediante la dinastía de reyes judíos de los Herodes. Fue el rey Herodes Antipas quien mandó construir la ciudad de Tiberíades en el lago de Galilea, ordenó ejecutar a Juan el Bautista y juzgó a Jesús. Los romanos respetaban las costumbres y las creencias de sus súbditos, si bien les resultaba difícil manejar la religión y el nacionalismo de los judíos.

María y José huyen

Las enseñanzas de Jesús

Las enseñanzas de Jesús se basan en el Antiguo Testamento y sus métodos son muy similares a los empleados tradicionalmente por los rabinos judíos, como delata, por ejemplo, el uso que hace de las Escrituras o de las parábolas. Lo que diferenció sus prédicas de las demás es que Él dio vida a las enseñanzas formales del Antiguo Testamento. Usó ejemplos de vivencias personales y anécdotas de la vida cotidiana para ilustrar las verdades religiosas y las lecciones morales. Las ilustraciones que empleó resultaban familiares a quienes le escuchaban y sus enseñanzas, lejos de ir dirigidas a una elite privilegiada, resultaban accesibles a todo el mundo.

Los fariseos se enfrentaron con violencia a Jesús porque vieron que sus enseñanzas ponían en peligro su interpretación de la Ley. Hasta entonces, ellos habían estudiado e interpretado las Escrituras para las masas, en su mayor parte analfabetas, y habían exigido una adhesión estricta a la ley ritual y a las tradiciones establecidas. Jesús criticó a los fariseos porque se dio cuenta de que habían distorsionado la intención original de la ley de Dios, que se había convertido en una carga pesada y ardua de llevar para la población.

El reino de Dios

Cuando Jesús habló del reino de Dios, no se refería a un lugar, sino a su «reinado», a su mandato. Tampoco aludía a algo político, ya que no había venido a liberar a los judíos de los caciques romanos. Para Jesús, el reino de Dios significaba el gobierno de Dios sobre el corazón humano. Al hablar sobre ello invitaba a las personas a reconocer el reinado de Dios y las instaba a obedecerlo con humildad.

Caná, en Galilea

Lugares donde Jesús ejerció su ministerio

Gran parte del ministerio de Jesús tuvo lugar en la zona de Galilea, en Palestina. Su primer milagro lo obró en Caná, Galilea, donde convirtió el agua en vino en un banquete nupcial. El mar de Galilea es el lugar donde pidió a sus discípulos que se le unieran y el marco de muchos de sus milagros. Se estableció en Cafarnaúm, un próspero pueblo pesquero a orillas de un lago. Allí enseñó en la sinagoga, y en la ladera junto al lago pronunció el Sermón de la Montaña y alimentó a cinco mil personas. Jesús viajó de pueblo en pueblo curando y enseñando. En Naím resucitó al hijo de una viuda; en Betsaida, devolvió la vista a un ciego y en Cafarnaúm sanó a un paralítico.

El ministerio de Jesús
En tiempos romanos, Galilea era la región más septentrional de Palestina, situada entre el mar Mediterráneo al Oeste, y el río Jordán y el mar de Galilea al Este. Hoy forma parte de Israel.

LOS DOCE APÓSTOLES

Simón Pedro: nacido Simón, era un pescador que se convirtió en uno de los discípulos más allegados a Jesús. Jesús lo rebautizó como Pedro, que significa 'piedra' en arameo. Pedro negó a Jesús tres veces, pero se puso a su servicio de nuevo cuando este resucitó.

Andrés: el hermano de Simón Pedro y también pescador. Es célebre por su papel en la presentación de Jesús al pueblo.

Santiago: hijo de Zebedeo y hermano de Juan. Junto con Pedro y Juan, fue uno de los discípulos más próximos a Jesús. Fue el primer apóstol que murió por defender su fe.

Juan: hijo de Zebedeo y hermano de Santiago. Fue el único apóstol que presenció la crucifixión y el primero en ver el sepulcro vacío.

Felipe: procedía de Betsaida y presentó a Jesús y Natanael.

Bartolomé: también llamado Natanael.

Mateo: también llamado Leví. Era recaudador de impuestos empleado por el Gobierno romano.

Tomás: uno de los dos gemelos que dudó, en un principio, de la resurrección de Jesús.

Santiago: hijo de Alfeo, llamado probablemente «Santiago el Joven» para diferenciarlo de Santiago, hijo de Zebedeo.

Simón, el zelote: miembro de un grupo que había iniciado una rebelión contra el Gobierno romano.

Judas: hijo de Santiago, también conocido como Tadeo.

Judas Iscariote: zelote judío y tesorero de los discípulos. Traicionó a Jesús por treinta monedas de plata pero no pudo soportar los remordimientos y se suicidó.

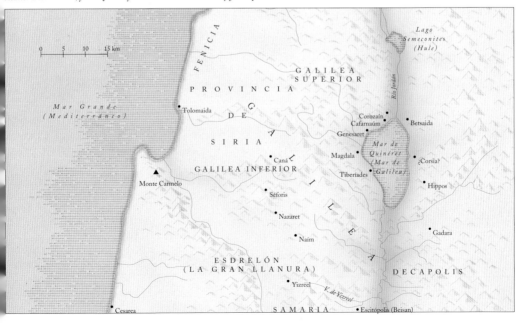

El Espíritu de Dios está en mí

LUCAS 4

LA PALOMA

La paloma se ha utilizado como símbolo de la paz desde que una de ellas llevó una ramita de olivo a Noé tras el diluvio. La paloma que se posó sobre Jesús fue un símbolo de que este había recibido el amor de Dios y su misión había dado comienzo. En Palestina había varias especies de palomas.

LAS OLIVAS

Las olivas se comían frescas y prensadas, como aceite. El aceite de oliva se vertía sobre la cabeza de las personas para «ungirlas» como símbolo de que habían sido llamadas por Dios para cumplir una misión especial. Jesús dijo que él había sido «ungido» por el Espíritu Santo.

JESÚS LEE EN LA SINAGOGA

Jesús iba a la sinagoga cada semana, donde lo más probable es que leyera un extracto del pergamino de Isaías en hebreo y, luego, Él mismo u otra persona parafraseara verso por verso lo leído en arameo, la lengua usada entonces.

Las noticias sobre Jesús circularon rápidamente por las aldeas y pueblos de Galilea. Mientras enseñaba bajo la guía del Espíritu Santo, todos los que oían sus prédicas en las sinagogas quedaban maravillados.

Un día de sábado, Jesús acudió a la sinagoga de su aldea natal, Nazaret, como era su costumbre. Allí se le entregó el pergamino que contenía las palabras del profeta Isaías. El pasaje que seleccionó comenzaba como sigue:

«El Espíritu de Señor está sobre mí porque me ha ungido para anunciar a los pobres la Buena Nueva. Me ha enviado a proclamar la libertad a los cautivos, a devolver la vista a los ciegos, a liberar a los oprimidos y a proclamar el año de misericordia del Señor».

Tras aquellas palabras, enrolló el pergamino, se lo devolvió al hombre que se lo había entregado y se sentó. Toda la congregación clavó los ojos en él, previendo lo que iba a decir.

Luego anunció: «Hoy se han cumplido las palabras de esta profecía».

Elogiándolo, la multitud afirmó: «¿No es este el hijo de José?».

Jesús continuó: «¿Esperáis que obre un milagro como los que habéis oído decir que hice en Cafarnaúm?».

Se hizo un silencio absoluto y Él volvió a hablar: «La verdad es que ningún profeta es bienvenido en su tierra. En los tiempos de Elías, cuando la sequía y las hambrunas sacudieron el mundo durante más de tres años, el gran profeta no fue enviado a su propio pueblo, sino a una viuda extranjera de la región de Sidón. ¿Creéis que no había leprosos en los tiempos de Eliseo? Y, sin embargo, solo Naamán, el sirio, fue a verle para que lo sanara».

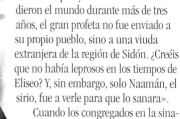

Cuando los congregados en la sinagoga oyeron aquellas palabras enfurecieron, sacaron a Jesús a empujones de la sinagoga y lo llevaron a través de las calles angostas hasta la cima de la colina sobre la que se erigía la aldea. Se sentían tan indignados por sus palabras que querían despeñarlo. Sin embargo, justo cuando todo parecía perdido, Jesús caminó entre la multitud sin hallar oposición y la dejó allí, desconcertada y confusa.

Seguidme

LUCAS 5-6

Una mañana Jesús estaba enseñando la palabra de Dios junto al mar de Galilea. Vio entonces dos barcas vacías a orillas del lago. Jesús embarcó en la que pertenecía a Simón Pedro y le rogó que la apartara un poco de la orilla para poder continuar predicando sin ser aplastado por la multitud.

Cuando Jesús cesó de hablar, se volvió hacia Simón y le dijo: «Navega mar adentro y echa tus redes para pescar».

Simón protestó: «Llevamos toda la noche en la mar y no hemos pescado ni un solo pez. No obstante, si insistes, echaré las redes una vez más».

Para gran sorpresa de Simón, las redes quedaron repletas de peces. Llamó a sus compañeros, Santiago y Juan, quienes acudieron a prestarle ayuda en otra barca. Pero era tal la cantidad de peces apresados que las barcas, a punto de romperse, empezaron a hundirse.

Simón se dio cuenta de que Jesús había obrado un milagro. Se arrodilló y lloró: «Aléjate de mí, Señor, porque soy un hombre pecador».

Jesús le sonrió con afabilidad: «No temas. Desde ahora serás pescador de hombres».

Abandonaron tras de sí todo lo que tenían y siguieron a Jesús a todas partes.

Poco a poco, Jesús reunió un gran grupo de seguidores. Pasó una noche rezando en la cima de una montaña. Cuando descendió, seleccionó a doce de sus discípulos para que se convirtieran en unos mensajeros especiales llamados apóstoles. Fueron: Simón Pedro, Andrés, Santiago, Juan, Felipe, Bartolomé, Mateo, Tomás, Santiago, hijo de Alfeo, Simón, el Zelote, Judas, hijo de Santiago, y Judas Iscariote.

EL MAR DE GALILEA

El mar de Galilea aparece también como «mar de Genesaret» y «lago Tiberíades» en el Nuevo Testamento. A diferencia del mar Muerto, posee una abundante fauna submarina. La pesca en sus aguas era famosa en tiempos del Nuevo Testamento y generaba un floreciente comercio de exportaciones por todo el Imperio romano.

EL SÍMBOLO DEL PEZ

El pez, uno de los primeros símbolos del Cristianismo, sigue disfrutando hoy de un uso prolífico entre los cristianos. Los cristianos perseguidos en tiempos romanos lo usaron para identificarse entre sí. El término griego para pez, «ichthus», está formado con las iniciales de las palabras de la frase «Jesucristo, hijo de Dios, el Salvador». En la Biblia, el pez simboliza las provisiones abundantes de Dios.

UVAS

El clima y el suelo de Israel son perfectos para cultivar vides. La producción de uva en la región ha sido importante desde tiempos ancestrales. Además de comerse frescas, se secan a modo de pasas o se fermentan para elaborar vino. En el Nuevo Testamento, el vino se mezclaba con otros ingredientes.

Tinajas de agua

Existían vasijas de agua fabricadas con oro, plata o marfil, pero, sin duda, la forma más común y práctica de transportar y almacenar el agua era en tinajas de piedra o de cerámica. El barro cocido, al ser poroso, absorbía parte del líquido, impidiendo que se evaporara, y lo mantenía fresco. Las tinajas más grandes debieron de tener capacidad para unos 100 litros.

La Ley obliga a los judíos a purificarse lavándose, sobre todo antes de una comida o ceremonia religiosa, por lo que es probable que hubieran varias tinajas de agua en la boda para realizar los rituales de lavado de las manos y los utensilios. El vino debió de escanciarse de estas tinajas y servirse en jarras.

El agua se vuelve vino

JUAN 2

En una ocasión, Jesús, su madre, María, y sus discípulos asistieron como invitados a una boda que se celebraba en la población de Caná, en Galilea.

Durante el banquete, el vino se acabó y María dijo a su hijo: «No queda vino».

Jesús le respondió: «¿Por qué me dices eso? No es responsabilidad mía. Este no es un buen momento para actuar».

Haciendo caso omiso, María atrajo la atención de algunos de los sirvientes e inclinando la cabeza en dirección a Jesús, murmuró: «Haced lo que os diga ese hombre».

Se aproximaron a Jesús y le explicaron lo que había dicho su madre. Jesús miró a María (que esquivaba la mirada) y les dijo, apuntando a seis tinajas de piedra similares a las usadas para las purificaciones rituales que habían quedado olvidadas en una esquina: «Llenad esas tinajas con agua». Eran muy grandes, con capacidad para unos cien litros cada una.

Los sirvientes hicieron lo que les dijo y así le informaron. Jesús dijo entonces: «Servidle un poco al maestresala para que lo pruebe».

Los sirvientes sirvieron la bebida y le pidieron al organizador del banquete que la probara. Este, sin saber de dónde había salido aquel vino, le dio un sorbo y lo saboreó un rato antes de tragárselo.

Estaba delicioso. En privado, felicitó al novio. «Normalmente, el mejor vino se sirve primero para que, cuando se acabe y solo quede vino de calidad inferior, los invitados hayan bebido demasiado como para notar la diferencia. Sin embargo, has reservado el mejor vino para el final.»

Aquel fue el primer milagro que obró Jesús y, al hacerlo, mostró un atisbo de su gloria y sus discípulos depositaron en Él toda su confianza.

Jesús cura a los leprosos

MARCOS 1; LUCAS 17

Muchos de los que se acercaban a Jesús eran leprosos. Un día, uno de ellos se le aproximó y se arrodilló ante él, llorando de desesperación. «Si quieres, puedes hacer que me cure.»

Jesús se apiadó del hombre, alargó la mano y le tocó con delicadeza. «Claro que quiero —dijo—. ¡Queda limpio!»

Tan pronto pronunció aquellas palabras, el hombre quedó curado de la lepra.

Jesús despachó al hombre, pero antes le advirtió: «No cuentes a nadie lo que te ha pasado. Acude a los sacerdotes y haz las ofrendas tal y como se instruye en el libro de Moisés».

Sin embargo, el hombre no prestó atención a lo que Jesús le había dicho. En cuanto Jesús desapareció, empezó a explicarle a todo el mundo lo que había hecho por él.

En otra ocasión, mientras iba de viaje hacia Jerusalén, Jesús se encontró con diez leprosos a las afueras de la que había sido su población.

Cuando le reconocieron, le suplicaron: «Jesús, ten piedad de nosotros».

Al acercarse a ellos pudo apreciar que estaban afectados por la lepra. Entonces les dijo: «Acudid a los sacerdotes para que os examinen». De camino al templo sanaron.

Al darse cuenta de que se había curado, uno de ellos, un samaritano, regresó junto a Jesús y se postró a sus pies, en el polvoriento camino.

«¡Gracias, Jesús!», exclamó.

«¿Pero no érais diez? —preguntó Jesús—. ¿Qué ha sido del resto? ¿No han sanado los otros? ¿Acaso el único de entre ellos lo suficientemente agradecido para regresar y dar gracias a Dios era un forastero?»

Jesús miró al hombre y le dijo: «Levántate y vete. Tu fe en mí te ha curado».

CANÁ DE GALILEA

Israel se eleva unos 1.000 m por encima del nivel del mar en la costa mediterránea y desciende hasta la fosa del Jordán. Disfruta de inviernos templados y lluviosos, y de veranos secos y cálidos.

LEPRA

En tiempos bíblicos, la palabra «lepra» se aplicaba a muchas afecciones cutáneas. Los leprosos se confinaban en colonias aisladas para impedir que la infección se extendiera. Tenían que vestir harapos y gritar «Sucio, sucio» para que nadie se les acercara. Hoy la lepra puede tratarse.

JESÚS CURA A UN LEPROSO

Jesús no temía tocar a los leprosos. Su actitud contrastaba enormemente con la de otros líderes religiosos de la época. Tras sanarlo, Jesús dijo al hombre que acudiera al sacerdote para certificar su pureza por medio de un ritual y poderse insertar de nuevo en la sociedad.

El criado del centurión

MATEO 8; LUCAS 7

Un día, estando Jesús en la ciudad de Cafarnaúm, se le acercó un centurión y le dijo: «Te lo ruego, Señor, ayúdame. Mi siervo está muy enfermo. Está postrado en la cama, aquejado de un dolor terrible».

El centurión estaba disgustado porque era uno de sus mejores criados y no quería perderlo.

Inmediatamente, Jesús respondió: «Te acompañaré gustoso a tu casa y lo curaré».

Pero el centurión pensaba que aquello no era necesario. Sabía que Jesús tenía el poder de curar sin necesidad de estar junto al criado.

«Señor, eres demasiado importante para entrar en mi casa —dijo con humildad—. Sé que, con una sola palabra tuya, mi criado sanará sin necesidad de que lo veas, porque entiendo que tienes una gran autoridad. Yo mismo pertenezco al ejército y, cuando mi comandante me da órdenes, las obedezco, tal y como los soldados de rango inferior lo hacen conmigo.»

Al oír las palabras del centurión, Jesús quedó perplejo. «No había encontrado tanta fe en nadie, ni siquiera en Israel», comentó a la multitud que escuchaba en torno a ellos.

Luego, volviéndose al centurión, dijo: «Ahora regresa a casa y encontrarás a tu criado sano».

Cuando el centurión llegó a casa, descubrió complacido que su siervo se había levantado de la cama y se encontraba perfectamente. Había sanado en el momento en el que Jesús había hablado.

CENTURIÓN ROMANO
Un centurión era un oficial del Ejército romano. Estaba al mando de un grupo de cien soldados llamado «centuria». Los centuriones gozaban de una gran autoridad porque trabajaban en contacto directo con sus hombres. A menudo eran soldados rasos que habían logrado ascender graduaciones. Es posible que el centurión que acudió a ver a Jesús fuera un oficial del ejército de Herodes Antipas.

Jesús perdona los pecados

MATEO 9; MARCOS 2; LUCAS 5

P or entonces, grandes multitudes seguían a Jesús allá donde fuera, ansiosas de oír su mensaje sobre el perdón de Dios y de contemplar su don de sanar a los enfermos.

Un día, Jesús se encontraba predicando en una casa de Cafarnaúm en la que se había colado un tumulto de personas para escucharle.

Llegaron entonces cuatro hombres portando a un amigo enfermo en una estera, porque no podía andar. Querían pedir a Jesús que lo curara, pero no podían abrir camino hasta el interior para hablar con Él. Pensaron entonces en otro modo de entrar en la casa: treparon al techo e hicieron un agujero. Luego, con mucho cuidado, descendieron a su amigo paralítico en la estera hasta la estancia en la que Jesús estaba hablando.

Jesús apreció la fe que tenían en él y dijo al hombre: «Amigo, tus pecados han sido perdonados».

Al oír aquello, algunos líderes religiosos se molestaron. «¿Quién se creía aquel hombre que era?», se preguntaban. Solo Dios podía perdonar los pecados.

Jesús, consciente de sus pensamientos, les dijo: «Sanaré a este hombre para demostraros que tengo autoridad para perdonar los pecados».

Se volvió entonces hacia el paralítico y exclamó: «¡Levántate, coge tu estera y vete a casa!».

El hombre sacudió las piernas para comprobar si podía moverse, saltó y caminó enérgicamente ante la mirada de todos.

La multitud, maravillada, rezó a Dios.

JESÚS TIENE EL PODER DE CURAR

Uno de los propósitos de los milagros de Jesús era demostrar que era Dios. Cuando los cuatro amigos descendieron al paralítico a través del techo, Jesús supo que tenían fe, y curó al hombre. Su poder para curar era una señal visible de su poder para perdonar los pecados.

CASAS DE CUBIERTA PLANA

En los tiempos de Jesús, las casas tenían una cubierta plana a la que se subía por una escalera exterior. La cubierta se construía embarrando una capa de paja o de broza y extendiéndola sobre vigas de madera. La superficie se allanaba con un rodillo. Aún hoy se fabrican casas de este tipo en Oriente Próximo. En la foto, casas actuales en Jordania.

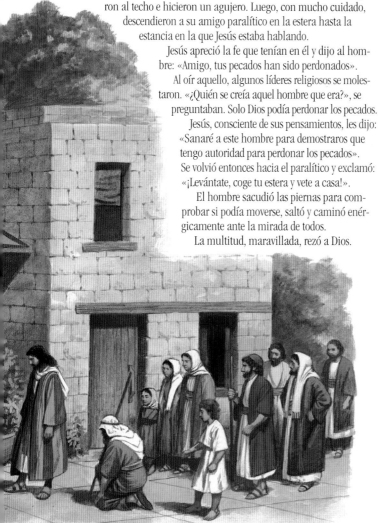

Señor del sábado

LUCAS 6

Paseaban un sábado Jesús y sus discípulos por unos maizales cuando los discípulos arrancaron algunas espigas de maíz, las desgranaron con las manos y empezaron a comer los granos.

A la vista de lo que estaban haciendo, algunos fariseos les preguntaron: «¿Por qué quebrantáis las leyes del sábado?».

Jesús respondió en nombre de sus discípulos: «¿Acaso no recordáis lo que habéis leído sobre la vez en la que el rey David y sus súbditos se sintieron hambrientos? Entraron en el templo, tomaron el pan consagrado y se lo comieron, pese a que solo los sacerdotes tenían derecho a hacerlo. Aún más, el rey David compartió el pan con sus súbditos. —Jesús hizo una pausa y luego concluyó—: El Hijo del Hombre es señor del sábado».

Otro sábado, Jesús se hallaba enseñando en una sinagoga. En la congregación había un hombre tullido de la mano derecha, que estaba atrofiada e inútil. Los fariseos y los escribas prestaban atención para ver si Jesús sanaba al hombre en sábado, porque buscaban una excusa para denunciarlo y llevarlo ante un tribunal religioso. Jesús, perfectamente consciente de lo que pensaban, ordenó al hombre que se pusiera de pie en un sitio donde todos pudieran verlo con claridad.

Acto seguido, Jesús se dirigió a la congregación: «Tengo una pregunta que plantearos. ¿Cuál es el modo correcto de comportarse en el día del sábado? ¿Es lícito hacer el bien o el mal? ¿Salvar una vida o quitarla?».

Miró alrededor en busca de alguien valiente que le diera una respuesta, pero, al no hallarlo, se volvió hacia el hombre y le dijo: «Extiende la mano».

Al momento, la mano recuperó su fuerza.

Los adversarios de Jesús se sintieron indignados y empezaron a debatir lo que debían hacer con él

INTERIOR DE UNA SINAGOGA

La sinagoga es el lugar en el que se reúnen los judíos cada sabbat (sábado) para rezar, escuchar y enseñar las lecturas de la Biblia. Incluso en la actualidad, en las sinagogas ortodoxas, las mujeres se sientan en una galería apartada o tras una pantalla y no pueden hablar. En el centro del edificio hay una caja o «arca» con los pergaminos de la Torá.

Recordad el día del sabbat

El sabbat es un día de descanso. Los musulmanes lo celebran el viernes; los judíos, el sábado, y los cristianos, el domingo. Su concepción como día sagrado (es decir, reservado a Dios) se recoge en los Diez Mandamientos dados a Moisés en el Antiguo Testamento. Tomarse un día de descanso tras seis de trabajo refleja lo que Dios hizo en la Creación: descansó el séptimo «día». En tiempos de Jesús, los fariseos tenían reglas estrictas sobre qué era o no era trabajo.

El agua de la vida eterna

JUAN 4

EL POZO COMUNITARIO
Tierra Santa es una zona muy árida, por lo que los pozos son una fuente vital de agua para personas, animales y cosechas.

De camino a través de Samaria, Jesús se detuvo en las afueras de una ciudad llamada Sicar, cerca del campo que Jacob entregó a su hijo José. Estaba exhausto y necesitaba descansar, por lo que se sentó junto al pozo de Jacob, mientras sus discípulos iban a la ciudad a buscar alimentos.

Jesús estaba sediento y, al ver a una samaritana acercarse al pozo para sacar agua, le preguntó: «¿Me darías de beber?».

La mujer, sorprendida por la petición, le respondió: «¿Como tú, un judío, me pides de beber a mí, que soy samaritana? Normalmente, nuestros pueblos no tienen trato».

Jesús le contestó: «Si reconocieras a quien te pide agua, serías tú quien se la habrías pedido a Él y Él te habría dado agua viva».

La mujer, intrigada, le replicó: «Pero este pozo es muy profundo y no tienes con qué extraer el agua. ¿De dónde puedes sacar esa agua viva? Quizá tengas más recursos que Jacob, quien descubrió este pozo y lo utilizó para dar de beber a sus rebaños y su familia».

Jesús contestó: «Todo aquel que beba de esta agua volverá a tener sed, pero quien beba de la que yo puedo darle nunca más volverá a estar sediento, pues el agua que yo le daré se convertirá, dentro de él, en un manantial de vida eterna».

«Dame de beber de esa agua para no tener que regresar aquí a saciar mi sed», le solicitó la mujer.

«Ve a buscar a tu marido y regresad aquí», le ordenó Jesús.

La mujer se sintió avergonzada: «No tengo marido», murmuró.

«Lo sé —le dijo Jesús amablemente—. Has estado casada en cinco ocasiones y el hombre con quien vives ahora no es tu marido.»

La mujer intentó cambiar de tema de conversación. «Está claro que eres un profeta. Siempre hemos rezado aquí, pero los judíos decís que debemos hacerlo en Jerusalén. ¿Quién tiene razón?»

«Pronto no tendrá importancia el lugar en el que se ore. Dios es Espíritu. Es mayor que ningún lugar en la Tierra. Quienes le adoran de corazón lo harán en espíritu y en verdad», respondió Jesús.

«Cuando venga el Mesías nos explicará todas estas cosas», dijo la mujer.

«Yo soy el Mesías», declaró Jesús.

La mujer se separó de él y salió corriendo en dirección a la ciudad. «He encontrado a un hombre que sabía toda la historia de mi vida pese a que nunca antes nos habíamos visto. ¡Quizá sea el Mesías!», dijo a la gente.

SAMARIA
El camino más directo entre Jerusalén y Galilea atraviesa Samaria. Sin embargo, como los judíos consideraban herejes «impuros» a los samaritanos, solían dar un rodeo viajando hasta la parte este del río Jordán.

El Sermón de la Montaña

MATEO 5-7

Jesús subió a una colina situada cerca de Cafarnaúm y se sentó. Muchos fueron los que le siguieron, y él empezó a instruirles:

«Bienaventurados los pobres, los abatidos, los humildes y los que buscan complacer a Dios, porque ellos recibirán las riquezas celestiales, comodidad, categoría y una gran satisfacción. Bienaventurados quienes se esfuerzan por ser buenos, quienes muestran misericordia, los puros de corazón, los pacíficos y los perseguidos, porque verán sus deseos cumplidos, hallarán misericordia, contemplarán el rostro de Dios y disfrutarán del reino de los cielos.

Sois la sal de la Tierra y la luz del mundo. Dejad que todos prueben vuestro sabor, observen vuestras buenas acciones y alaben a Dios en el cielo.

No he venido a abolir las leyes que os enseñaron Moisés y los profetas, sino a cumplirlas y a instruiros. Las leyes deben cumplirse en su totalidad.

Habéis oído decir: "No matarás". Pero yo os digo que incluso se os juzgará por estar enfadados con vuestros hermanos. Debéis perdonar a quien os enoja antes de ofrecer un sacrificio a Dios.

Habéis oído decir: "No cometerás adulterio". Pero yo os digo que incluso mirar a una mujer con pensamientos impuros constituye un acto de perversidad. Evitad el pecado. Es mucho mejor perder una parte de vosotros que perder vuestra vida en el infierno.

Habéis oído decir "Ojo por ojo y diente por diente". Pero yo os digo que si alguien os pega en la mejilla derecha debéis ofrecerle la izquierda.

Amad y rezad por vuestro peor enemigo, y recordad que Dios, vuestro Padre, hace brillar el sol y caer la lluvia sobre quienes obran el bien y el mal, sin discriminaciones. Todo el mundo ama a quien le ama. Pero vosotros debéis hacer más, debéis imitar la perfección de vuestro Padre celestial.

Cuando donéis dinero, cuando oréis o cuando ayunéis, no lo hagáis para que los demás lo vean y halaguen vuestro buen comportamiento. Hacedlo en secreto. Vuestro Padre celestial contemplará vuestros actos y os recompensará.

No acumuléis riquezas en la Tierra, donde jamás podréis evitar que las roben o destruyan. Acumulad riquezas en el cielo, donde estarán completamente a salvo.

Mientras obedecéis estas órdenes, no os preocupéis por qué ropas vestiréis, qué comeréis o beberéis. La vida es demasiado importante para preocuparse por estas cosas. Dios se ocupa de las flores en los campos y de las aves que vuelan, por lo que es perfectamente capaz de cuidar de vosotros, que sois

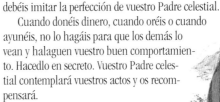

para Él criaturas mucho más preciadas que el resto. Buscad el reino de Dios y su bondad, y se os será entregado todo. No os preocupéis por el mañana; concentraos en el presente.

No juzguéis, o seréis juzgados. ¿Qué sentido tiene señalar los defectos de otras personas si los nuestros son mayores? Subsanad vuestros fallos antes de pensar en los de los demás.

Vuestro Padre celestial es perfecto y solo os dará cosas buenas. ¿Qué padre daría a un hijo una serpiente si le pidiera pan, o una piedra si le pidiera pescado? Pedid a Dios y Él os dará. Buscad y encontraréis. Llamad y se abrirá la puerta.

En todos vuestros actos, recordad tratar a los demás como os gustaría ser tratados.

Entrad por la puerta estrecha. Muchos escogen entrar por la puerta ancha que conduce a la destrucción. Solo unos cuantos hallarán la vida que se alcanza a través de la puerta estrecha».

LAS FLORES DEL CAMPO

En primavera, las colinas de Galilea se cubren de flores silvestres, como amapolas, azafranes, margaritas de los prados, anémonas y estas margaritas. En algunas traducciones de la Biblia, Jesús habla de los «lirios del campo», pero es posible que pensara en las flores silvestres en general, y no en una planta concreta.

Construir sobre roca

MATEO 7

Jesús estaba a punto de concluir su sermón en la ladera situada junto a Cafarnaúm, pero aún le quedaba una historia por narrar.

«Quienes no solo escuchan lo que digo, sino que me obedecen de verdad son como el sabio que construyó su casa sobre roca —explicó—. Fue sensato y realista. Sabía que la sequía no podía prolongarse para siempre. Llegaría un día en el que arreciarían las tormentas y los vientos sacudirían la casa. Por ello cavó profundo hasta encontrar roca. Entonces construyó unos cimientos sólidos sobre los que erigió su casa. Cuando las lluvias desbordaron los arroyos y los vientos soplaron con violencia, la casa se mantuvo intacta. Y fue así porque sus cimientos estaban construidos sobre roca, que era sólida y firme.

Por el contrario, quien escucha lo que digo pero no me obedece es como el insensato que construyó su casa en la arena. No vio necesidad de perder tiempo en echar cimientos, sencillamente levantó la casa sobre un suelo suelto de arena y guijarros. Cuando llegaron las tormentas, el agua debilitó las paredes y los vendavales derribaron la precaria estructura. La casa quedó totalmente destruida. Vuestra vida solo estará segura si ponéis en práctica todo lo que os he dicho.»

Mientras regresaban a sus casas, las multitudes reflexionaban sobre muchas ideas nuevas y sugestivas. Jesús había predicado la verdad y, no obstante, era tan distinto a algunos de sus maestros religiosos. Las estrictas reglas de los últimos, que hacían que Dios pareciera un ser duro y poco razonable, habían dejado de tener sentido.

CONSTRUCCIÓN DURADERA
Los edificios deben tener cimientos sólidos para soportar el clima adverso. Estos restos de una sinagoga de Cafarnaúm datan de hace 2.000 años.

La casa construida en la arena
Jesús utilizó el ejemplo de una casa construida en arena para ilustrar la insensatez de oír sus palabras y no ponerlas en práctica. La arena proporcionaba unos cimientos inestables y cualquiera podía entender que una casa debe tener cimientos sólidos para durar. Construir en arenas movedizas era sinónimo de buscarse complicaciones.

Jesús calma la tempestad

MATEO 8; MARCOS 4; LUCAS 8

Jesús y sus discípulos habían tenido un día agotador enseñando a las multitudes a orillas del mar de Galilea. Cuando cayó la noche y llegó la hora de irse, Jesús dijo: «Vayamos a la otra margen», y todos subieron a bordo de un pequeño barco pesquero.

Jesús, sintiéndose cansado, se tumbó en un cojín situado en la popa de la barca y, mientras sus discípulos navegaban por las tranquilas aguas, cayó dormido. Al poco se desató un viento violento sobre el lago y las olas zarandearon la barca con furia. Una de ellas chocó contra la barca y el agua llegó a los tobillos de los discípulos, amenazándoles con hundirlos.

Pese a que solían pescar en aquel mismo lago, los discípulos estaban aterrorizados y despertaron a Jesús: «¡Maestro, se ha desatado una tempestad! ¡Vamos a naufragar!».

Pero Jesús no sentía miedo. Lentamente, se puso en pie y habló al viento y a las olas. «¡Calmaos!», ordenó. Inmediatamente, el viento cesó y el lago recobró la tranquilidad.

Se volvió hacia sus compañeros y preguntó: «¿Por qué teníais tanto miedo? Después de todo lo que me habéis oído explicar, ¿seguís sin confiar en que Dios cuida de vosotros?».

Los discípulos intercambiaron miradas de perplejidad. «¿Qué tipo de hombre es el que ordena al viento y las olas que le obedezcan?»

EL MAR DE GALILEA

El mar de Galilea se adentra cerca de 250 m bajo el nivel del mar en la fosa del río Jordán y está rodeado de montañas. Esto lo expone a sufrir tormentas repentinas. En los climas semitropicales, bocanadas de aire frío descienden por las montañas y agitan las aguas.

LA PESCA EN EL MAR DE GALILEA

La pesca era la ocupación principal de los pueblos y las aldeas que bordeaban el mar de Galilea, sobre todo en las orillas septentrionales, donde los bancos de peces se alimentaban de la materia vegetal arrastrada por el río Jordán. Las pequeñas embarcaciones se impulsaban mediante velas o remos. Cuando el viento soplaba en contra, la tripulación remaba.

Resurrección de los muertos

MATEO 9; MARCOS 5; LUCAS 8

Se hallaba Jesús con una gran multitud cerca del mar de Galilea cuando Jairo, uno de los líderes de la sinagoga, se le acercó y se arrodilló ante él.

«Mi hija pequeña se muere. Ven conmigo y posa tus manos sobre ella para que se recupere y viva», le suplicó.

Jesús le acompañó. Un gran tumulto se arremolinaba en torno a ellos mientras caminaban. Había entre aquella gente una mujer que, durante doce largos años, había sufrido molestas hemorragias. Se había dejado todo el dinero en médicos que no habían logrado ayudarle. A decir verdad, su enfermedad empeoraba cada vez más.

Cuando supo todo lo que Jesús había hecho, se le acercó sigilosamente por detrás, pues pensaba: «Si toco sus ropas, me curaré». En cuanto le tocó, dejó de sangrar.

Jesús se dio cuenta de que parte de su poder lo había abandonado. Se volvió hacia la multitud y dijo: «¿Quién ha tocado mis ropas?».

Los discípulos exclamaron divertidos: «¡Con toda esta multitud empujando y dando empujones, todos te tocan!».

Jesús continuó buscando a quien le había tocado. La mujer sintió que no podía ocultarse por más tiempo entre la multitud y, presa de los nervios, confesó que había sido ella. Jesú le sonrió y le dijo: «Hermana, tu fe te ha curado. Ve en paz».

Mientras hablaba con ella, llegaron varios mensajeros procedentes de la casa de Jairo con malas noticias. «Tu hija acaba de morir. Maestro, ya no hace falta que vengas.»

Pero Jesús, sin prestar atención, dijo: «No te preocupes, Jairo, confía en mí».

Luego pidió a todos que le esperaran allí y continuó en compañía de Pedro, Santiago y Juan. A la entrada de la casa había un terrible alboroto.

«¿Qué significa toda esta barahúnda? La niña no está muerta, solo está dormida.»

Los allí presentes se burlaron de él y Jesús los expulsó de la casa. Entró en la habitación de la niña con sus discípulos y los padres de esta.

La tomó de la mano y susurró: «Despierta, pequeña». Al instante, la niña abrió los ojos y se puso en pie. Quedaron todos conmocionados, pero Jesús les advirtió que no debían explicar lo que habían visto.

TALLIT

Según establece la ley de Moisés, todos los hombres judíos deben llevar un fleco o borla en las cuatro esquinas de su prenda de ropa exterior. El tallit, como se conoce esta prenda, era un retal rectangular que se llevaba en la parte superior del cuerpo, sobre una túnica hasta los pies.

Ira en el templo

MATEO 21; MARCOS 11; LUCAS 19; JUAN 2

Justo antes de que diera comienzo la Pascua, Jesús visitó Jerusalén.

Mientras paseaba por los patios que rodeaban el templo se encontró con unos mercaderes que compraban y vendían toda suerte de cosas. Estaban comerciando con ganado, ovejas y palomas, mientras los cambistas permanecían sentados alrededor de mesas regateando el precio de las mercancías. Jesús, horrorizado, hizo un látigo de cuerdas y los fustigó hasta expulsarlos del templo. También echó a los animales y volcó las mesas de los cambistas, lanzando las monedas por todas partes. Luego se volvió hacia los vendedores de palomas y les gritó: «¡Llevaos esas aves de aquí! ¿Qué derecho tenéis a convertir la casa de mi Padre en un mercado?».

Los discípulos de Jesús, que jamás le habían visto reaccionar de aquella manera, recordaron el pasaje de los Salmos que decía: «¡El celo de tu casa me devorará, oh Señor!».

Los judíos, sintiéndose indignados por el comportamiento de Jesús, se le aproximaron y le desafiaron: «Obra un milagro para demostrar que tienes derecho a proceder así».

Por toda respuesta, Jesús les anunció: «Si destruís este templo, lo reharé en tres días».

Los judíos le miraron con sorna: «¿Sabes cuánto se tardó en construir este magnífico templo? ¡Cuarenta y seis años! ¡¿Y tú te atreves a venir aquí y decir que lo reconstruirás en tres días?!». No se daban cuenta de que el templo al que se refería Jesús era su propio cuerpo.

De hecho, fue tras su resurrección de entre los muertos, tres días después de su muerte, cuando los discípulos de Jesús recordaron esta conversación y finalmente entendieron que se había referido a sí mismo y no al templo de Jerusalén.

Volverás a nacer

JUAN 3

EL ARCÓN DE LA TORÁ

Todas las sinagogas modernas tienen en su interior un arcón en el que se guardan los pergaminos de la ley, o Torá. Los fariseos como Nicodemo estudiaban e interpretaban la ley de la Torá.

BAUTISMO

Es posible que cuando Jesús habló de «nacer por agua y el Espíritu» se refiriera al bautismo, que para los cristianos representa el comienzo de una nueva vida espiritual.

NICODEMO

Nicodemo era un fariseo que visitó a Jesús de noche. Es posible que temiera hacerlo de día, dada su posición, o tal vez solo quisiera tener tiempo para hablar con Jesús, lo cual habría resultado difícil de día, cuando las multitudes se agolpaban en torno a él.

Uno de los admiradores de Jesús era un hombre que pertenecía al consejo gubernamental de los judíos. Su nombre era Nicodemo. Una noche, al abrigo de la oscuridad, Nicodemo visitó a Jesús.

«Rabino —dijo, dirigiéndose a él—, todo el mundo sabe que has sido enviado por Dios. De otro modo, no podrías obrar todos los milagros que se te atribuyen.»

Haciendo oídos sordos a tal adulación, Jesús contestó a Nicodemo: «Solo aquel que vuelve a nacer puede ver el reino de Dios».

Nicodemo quedó perplejo por aquella respuesta e intentó entender lo que Jesús le decía. «¡Pero eso es imposible! ¡Ningún hombre puede volver a nacer! —exclamó Nicodemo—. ¿Cómo podría volver al seno de la madre y nacer por segunda vez?»

Luego Jesús añadió: «Quien no nace por el agua y el Espíritu nunca entrará en el reino de Dios. La carne da vida a más carne, pero las cosas espirituales nacen del Espíritu.

No te sorprendas porque haya dicho: "Debes volver a nacer". El viento sopla en la dirección que quiere. Aunque uno lo sienta y lo oiga, nunca sabe de dónde procede ni hacia dónde se dirige. Lo mismo ocurre con los nacidos por el Espíritu».

Nicodemo estaba confuso: «¿Qué quieres decir?», preguntó a Jesús.

«¿Cómo es posible que tú, un maestro de Israel, no entiendas estas cosas, pese a que he utilizado ilustraciones de la vida cotidiana? ¿Cómo podrías entenderme entonces si hablara de cosas celestiales? El Hijo del Hombre se elevará para dar vida eterna a todos aquellos que confían en él.

Es tal el amor que Dios profesa al mundo que ha enviado a su único Hijo. Todo aquel que confíe en él no perecerá, sino que vivirá para siempre. Pero quienes no tengan fe en él, están perdidos. Dios no envió a su Hijo al mundo para condenar al hombre, sino para ofrecerle vida y esperanza.»

Jesús envía a sus apóstoles en misión

MATEO 10; MARCOS 6; LUCAS 9

Jesús mandó llamar a sus doce apóstoles y les concedió autoridad para ahuyentar a los malos espíritus y sanar a personas. Luego los envió en parejas a misiones especiales a las poblaciones vecinas. Mientras se preparaban para partir, les dio las siguientes instrucciones:

«Decid a todo el mundo que el reino de los cielos está cerca. Curad todas las enfermedades, resucitad a los muertos y liberad a las personas poseídas por demonios.

Llevad solo lo puesto. Si alguien se niega a recibiros, abandonadlo. No os impogáis.

Os encontraréis con situaciones difíciles. Deberéis ser astutos como las serpientes y confiados como las palomas. Las personas aprovecharán cualquier oportunidad para atraparos y castigaros. Pero, incluso aunque os lleven ante las cortes supremas de esta tierra, no os preocupéis. Cuando os desafíen, el propio Padre os dirá qué debéis hacer.

Vuestra presencia dividirá familias y se os odiará por vuestra relación conmigo. Pero no os preocupéis. Sed valientes y predicad lo que os he enseñado. No temáis ante alguien que únicamente puede asesinar vuestro cuerpo. La única persona a quien debéis temer es a Dios, y tenéis mi palabra de que Él os quiere más que a nada en el mundo.

Mi aparición en este mundo no ha traído la paz, sino la guerra. Madres, padres e hijos están divididos por sus opiniones sobre mí. Y, no obstante, quienes aman a su familia más de lo que me aman a mí no tienen valor alguno para mí.

Mis seguidores deben prepararse para todo, incluso para la muerte. Quien dé su vida por mí, la encontrará, pero quien piense que puede vivir alejado de mí morirá.

Recordad que, cuando alguien os reciba, me estará aceptando a mí. Quien os dé un sorbo de agua por ser uno de mis discípulos, será recompensado.»

Tras alentarlos con estas palabras, Jesús partió rumbo a Galilea.

EL ZURRÓN DEL VIAJERO

Los granjeros, pastores y viajeros llevaban un pequeño zurrón confeccionado con tiras de piel o de otra fibra tejidas como talega y para llevar otros objetos personales de pequeño tamaño. Jesús les dijo a sus discípulos que no llevaran nada consigo, porque Dios les proporcionaría todo lo necesario. Debían confiar en la hospitalidad de la gente a la que encontraran.

BASTÓN

En tiempos de Jesús, casi todas las personas, desde las más ricas hasta los mendigos ciegos, llevaban bastón. En particular, los viajeros hacían buen uso de él, ya que los viajes solían implicar recorrer a pie largas distancias sobre terrenos quebrados. Un bastón no solo sirve como tercera pierna, sino también como punto de apoyo para descansar y como arma para ahuyentar animales o serpientes.

El sembrador y la tierra

MATEO 13; MARCOS 4; LUCAS 8

ALMENDRAS
Los almendros son los primeros árboles frutales que florecen en Palestina, y sus frutos eran muy populares en tiempos bíblicos. Las frutas más preciadas eran los dátiles, los higos, la uva, las olivas y los albaricoques. Sin embargo, la dieta de la mayoría consistía en pan y hortalizas, lo cual explica que Jesús hablara con tanta frecuencia sobre cereales y cosechas.

LA SIEMBRA
Esta pintura mural de una tumba egipcia muestra a un campesino sembrando a mano las semillas que lleva en una bolsa. El suelo se araba mediante bueyes. Era inevitable que algunas semillas cayeran en los senderos que atravesaban los campos, y que se las comieran las aves, porque la superficie era demasiado compacta para que arraigaran.

Jesús solía usar relatos simples, llamados parábolas, que encerraban mensajes importantes. En una ocasión, desde una barca anclada en la orilla, explicó a la multitud:

«Un campesino salió a sembrar sus campos. Lanzaba las semillas a voleo y algunas de ellas cayeron en el sendero trillado por el que iba caminando. Tan pronto como las semillas rebotaban en el suelo duro, los pájaros hambrientos descendían en picado y se las comían.

Otras semillas cayeron sobre terrenos pedregosos con una capa muy fina de suelo. Las plantas crecieron rápidamente al principio, pero se marchitaron en seguida, porque sus cortas raíces no encontraron agua suficiente para protegerlas del sol abrasador.

Algunas semillas fueron a caer entre zarzas que acabaron por asfixiar las plántulas.

En cambio, otras cayeron en suelo fértil y dieron hasta treinta, sesenta y cien granos por semilla».

Jesús concluyó: «Quien oiga mis palabras, que las escuche y las entienda».

«Maestro —le preguntaron sus discípulos—, ¿qué significa esta parábola?»

Jesús les contestó: «La semilla que cae en el sendero es como la persona que oye el mensaje del reino de Dios, pero no lo entiende. El diablo viene y le arrebata lo sembrado en su corazón.

La semilla que cae sobre suelo pedregoso es como quien escucha alegre el mensaje y se siente lleno de dicha. Pero, al carecer de raíces, esta no dura. En cuanto se presenta algún problema o dificultad, la persona pierde todo el entusiasmo y la fe.

La semilla que cae entre las zarzas es como la persona que oye la palabra pero se siente abrumada por los problemas de esta vida y no es capaz de dar fruto.

Y, por último, la semilla que cae en suelo fértil es como la persona que escucha y entiende el mensaje. Esa persona produce una cosecha treinta, sesenta o cien veces mayor que lo sembrado».

Jesús enseña a rezar

Viendo los discípulos orar a Jesús le dijeron: «Señor, Tú rezas siempre, por lo que sabemos lo importante que es. Por favor, enséñanos a rezar».

«Lo más importante es que améis a Dios —les explicó Jesús—. Rezad en secreto y no intentéis impresionar a nadie. Vuestras oraciones no tendrán más fuerza si utilizáis palabras complejas. Es mejor usar palabras llanas. Y recordad que Dios sabe lo que necesitáis, incluso antes de que abráis los labios. Confiad pues en su respuesta.»

Y Jesús les enseñó a orar.
«Padre Nuestro que estás en los cielos,
santificado sea tu nombre,
venga a nosotros tu reino,
hágase tu voluntad así en la tierra como en el cielo.
Danos hoy el pan de cada día
y perdona nuestras ofensas,
así como nosotros perdonamos a los que nos ofenden.
Y no nos dejes caer en la tentación.
Mas líbranos del mal.
Porque tuyo es el reino,
tuyo es el poder y tuya es la gloria,
ahora y por siempre.
Amén.»

ORACIÓN

Jesús nos enseñó que rezar es un modo de hablar con Dios y de escucharle. Enseñó a sus discípulos el Padre Nuestro como ejemplo de cómo orar a Dios. En lugar de hacer peticiones, incluye adoraciones y confesiones.

Dios Padre
Una de las principales enseñanzas de Jesús fue mostrarnos que Dios es como un padre que nos ama y se preocupa por nosotros.

¡Tráeme su cabeza!

MATEO 11 Y 14; MARCOS 6; LUCAS 7

Juan el Bautista era una persona franca, sin miedo a decir lo que sabía que era cierto. En una ocasión advirtió a los dirigentes judíos y al pueblo de a pie que el reino de Dios estaba próximo y que debían regresar a Dios. Criticó duramente a los líderes religiosos. Les dijo que no debían anclarse en la religión del pasado, pues era necesario un nuevo principio. Todo el mundo debía prepararse para el Mesías que estaba por llegar. Juan no quería atraer la atención: fue feliz cuando la gente siguió a Jesús.

Cuando Juan descubrió que el rey Herodes se había casado con Herodías, la esposa de su hermano, explicó a las multitudes que aquello era un pecado. El rey Herodes ordenó que Juan fuera encarcelado y encadenado. Sin embargo, como respetaba la santidad de Juan y temía enojar al pueblo si mataba al profeta, le permitió que siguiera con vida. Pero Herodías, la esposa de Herodes, odiaba a Juan con toda su alma por haberla avergonzado en público y deseaba su muerte.

En prisión, Juan tuvo dudas. Aunque estaba encarcelado, tenía derecho a visitas. Se sintió cada vez más desconcertado y decepcionado mientras Jesús continuaba predicando y curando a otras personas. ¿Por qué no había instaurado Jesús el reino que Juan y otros habían esperado? Llegó entonces a oídos de Jesús que Juan no estaba seguro de que Él fuera el Mesías. Al saber aquello, Jesús solicitó a los discípulos de Juan que relataran a su maestro las curaciones que habían presenciado.

En la fastuosa celebración del cumpleaños del rey Herodes, Salomé, la hija de su esposa, se levantó y bailó con tanta gracia para él que el rey Herodes, en un arrebato, le prometió que le daría lo que quisiera como regalo, aunque fuera la mitad de su reino. Salomé se acercó a Herodías y le preguntó: «¿Qué debo pedir?».

Herodías vio entonces su oportunidad de deshacerse de Juan y respondió con maldad: «Pide a Herodes que te entregue la cabeza de Juan el Bautista en una bandeja».

Cuando el rey Herodes escuchó lo que le pedía Salomé, sintió miedo de matar a un hombre tan bueno. Sabía que sería un error ordenar la ejecución de Juan, pero, como lo había prometido ante sus invitados, no podía desdecirse.

Así que el rey Herodes ordenó que Juan fuera decapitado.

JUAN EL BAUTISTA
Juan el Bautista había sido apresado por hablar en contra del matrimonio entre Herodes Antipas y la mujer de su hermano Filipo, Herodías. La ley de Moisés prohibía a un hombre casarse con la mujer del hermano mientras este estuviera vivo. Herodes temía a Juan, pero Herodías lo odiaba.

Un sirviente entregó la cabeza de Juan a Salomé, quien presentó orgullosa la bandeja a su madre. Herodías sonrió satisfecha. Entre tanto, los discípulos de Juan se llevaron su cuerpo decapitado para enterrarlo y dieron a Jesús la triste noticia.

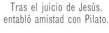

BAILARINA DE BRONCE

En los días de Jesús, los ciudadanos ricos contrataban a bellas mujeres para que los entretuvieran con sus danzas sugerentes en sus banquetes. La hija de Herodías, Salomé, bailó en la fiesta de aniversario de su padrastro y lo hechizó de tal manera que este le prometió darle lo que pidiera.

HERODES ANTIPAS

Los Herodes gobernaron Palestina entre el 48 a.C. y el 100 d.C. Herodes Antipas era hijo de Herodes el Grande y gobernó Perea y Galilea. Fue él quien encarceló y decapitó a Juan el Bautista, y quien juzgó a Jesús antes de ser crucificado. Tras el juicio de Jesús, entabló amistad con Pilato.

TIBERÍADES

Tiberíades, junto al mar de Galilea, fue fundada por Herodes Antipas, quien la designó capital de su reino por su estratégica posición defensiva. Los caminos de todas las partes de su territorio convergían en ella.

Jesús alimenta a la multitud

MATEO 14; MARCOS 6; LUCAS 9; JUAN 6

PANES Y PECES
Este mosaico del siglo v en el que aparece una cesta con cinco panes de cebada y dos mújoles de Galilea decora el altar de piedra de la iglesia bizantina de la Multiplicación, en Tabga.

TABGA, GALILEA
Tabga, a orillas del mar de Galilea, es el lugar en el que Jesús tomó, bendijo y partió el pan y los peces, y se los entregó a sus discípulos para que los repartieran entre 5.000 personas. Con frecuencia, Jesús predicaba en las colinas.

JESÚS MULTIPLICA LOS PANES Y LOS PECES
Al alimentar a una gran multitud obrando un milagro, Jesús demostró que Dios se preocupaba por el bienestar físico de las personas, además de por su relación espiritual con Él. La Biblia enseña a los cristianos a preocuparse por los necesitados y a confiar en que Dios provea sus necesidades.

Al regresar de predicar la buena nueva por los pueblos y ciudades, los discípulos estaban ansiosos por explicarle a Jesús lo que habían visto y hecho. Pero resultaba sumamente difícil, ya que eran tantos quienes se arremolinaban en torno a Jesús que ni siquiera les dejaban tiempo para descansar, comer y reponer fuerzas.

Jesús les dijo entonces: «Vayamos a un lugar apartado, lejos de la multitud, para poder estar a solas y descansar».

No obstante, cuando se alejaron, muchos salieron corriendo tras ellos y les adelantaron, por lo que cuando Jesús llegó con sus discípulos, el lugar apartado estaba repleto de gente. Cuando Jesús los vio, sintió piedad de ellos, ya que eraban sin rumbo como ovejas sin pastor. Empezó entonces a instruirles.

Al atardecer, sus discípulos se le acercaron y le dijeron: «Es tarde y hay que recorrer un largo camino hasta la ciudad más cercana. Ordena a estas gentes que se vayan para que puedan encontrar algo de comer en los pueblos de los alrededores».

«¿Por qué no les dais vosotros algo de comer?», preguntó Jesús.

«Comprar alimentos para toda esta gente costaría lo que gana una persona en ocho meses de trabajo», dijeron enojados.

Andrés, el hermano de Pedro, dijo en voz alta: «Este niño tiene cinco panes de cebada y dos pescados, pero eso es como una gota en un océano para alimentar a toda esta gente».

Jesús ordenó a los discípulos que pidieran a los presentes que se sentaran en la hierba. Había, como mínimo, cinco mil personas.

Entonces, Jesús tomó los panes y los peces. Oró y, delante de la muchedumbre, partió el pan en trozos. Tras esto, se lo entregó a los discípulos para que lo distribuyeran entre la multitud expectante.

A continuación, dividió también los peces.

De este modo, todos los allí presentes pudieron comer cuanto quisieron.

De hecho, cuando acabaron de hacerlo y los discípulos recogieron los restos, comprobaron con sorpresa que quedaban doce cestos llenos de panes y peces.

Ven a mí, Pedro

MATEO 14

En cuanto Jesús alimentó a la multitud, ordenó a sus discípulos que volvieran a subir al barco y zarparan hacia la otra orilla del lago. Luego dispersó a la muchedumbre antes de subir a la montaña para rezar a solas.

Entre tanto, el barco de los discípulos navegaba con dificultad por el lago. Fuertes vientos habían levantado inmensas olas que chocaban contra los lados del velero.

Cuando Jesús lo vio, fue al encuentro de sus discípulos, caminando sobre el agua como si se tratara de tierra firme.

Al ver los discípulos que una figura se les acercaba caminando, esquivando el terrible oleaje, quedaron petrificados: «Es un fantasma», gritaron aterrados.

Al oír sus gritos, Jesús les dijo para tranquilizarlos: «Soy yo. No temáis».

Pedro fue el primero en abrir la boca. «Señor, si eres Tú —balbuceó—, mándame ir hacia ti sobre las aguas.»

«Ven a mí», le ordenó Jesús amablemente.

Sin pensárselo, Pedro saltó de la barca y fue hacia Jesús caminando sobre las aguas.

Cuando se dio cuenta de lo que estaba haciendo y oyó el viento soplar junto a su cabeza, el miedo hizo presa de él. Empezó a hundirse y gritó: «¡Señor, sálvame!».

Jesús extendió la mano y le ayudó.

Miró fijamente a Pedro y dijo: «¡Tienes tan poca fe! ¿Por qué has dudado de mí?».

Caminaron juntos hasta la barca y, al subir a bordo, los vientos amainaron.

Al verlo, los que estaban en la barca se arrodillaron y adoraron a Jesús.

«No cabe duda de que eres el Hijo de Dios», exclamaron.

MAR DE GALILEA
No se trata de un mar, sino de un gran lago en forma de pera de unos 21 km de longitud por 11 de ancho. Se encuentra bajo el nivel del mar y está rodeado por montañas y barrancos.

EL PEZ DE SAN PEDRO
De la veintena de especies de peces que viven en el mar de Galilea, la más famosa es el pez de san Pedro, el pez que Pedro pescó con la moneda en la boca para pagar su impuesto anual del templo y el de Jesús. El macho lleva las huevas en una bolsita bajo la boca.

UBICACIÓN DE LOS MILAGROS
Este mapa muestra los puntos de Galilea donde Jesús obró muchos de sus milagros. Hoy, solo Tiberíades sigue siendo una ciudad y muchos relatos del Evangelio no pueden ubicarse con precisión.

La fe de una mujer

MATEO 15; MARCOS 7

PERROS

Los perros eran muy preciados en Egipto, pero no en Palestina, donde vagaban sueltos por las calles, alimentándose de restos y animales muertos. Para los judíos, los perros eran animales impuros y fuentes de enfermedades. Llamar a alguien «perro» no era ningún cumplido.

TIRO Y SIDÓN

Tiro y Sidón eran dos ciudades ricas y magníficas. En tiempos del Nuevo Testamento estaban muy influidas por la cultura griega, aunque se enorgullecían de su legado histórico como centros de religión y culto cananeos.

Los gentiles

La mujer griega de este relato era gentil, es decir, no era judía. Los judíos consideraban a los gentiles indignos de recibir la bendición de Dios y solían describirlos como «perros».

Jesús dijo que había venido a instruir primero a los judíos, «la oveja descarriada de Israel», pero la gentil, en lugar de sentirse ofendida, aceptó con humildad las «migajas» que los animales domésticos comen de las mesas de sus dueños. Jesús la recompensó por su fe y curó a su hija.

Jesús y sus discípulos viajaron a la región de Tiro y de Sidón. Se alojaron en una casa y procuraron que nadie supiera de su presencia.

No obstante, una mujer griega de la zona descubrió que Jesús se hallaba allí y acudió a verlo.

Estaba muy angustiada y hablaba entre sollozos. «¡Hijo de David! ¡Sé misericordioso conmigo, mi Señor! Tengo una hija que está poseída por un demonio y sufre terriblemente.»

Pero Jesús no le respondió.

Transcurrido un rato, sus discípulos fueron hasta Jesús y se quejaron: «Echa a esa mujer. Nos está molestando con sus súplicas. No hace más que lamentarse».

Jesús les respondió: «Solo me han enviado para salvar a la oveja descarriada de Israel».

Pero la mujer cayó de rodillas ante él y le suplicó de nuevo: «Por favor, Señor, ayúdame. Salva a mi hija del espíritu maligno».

«No estaría bien quitarles el pan a los niños para dárselo a los perros», le dijo Jesús.

«Es cierto lo que dices —admitió la mujer. Y luego añadió—: Sin embargo, cuando las migas y los pedacitos caen de la mesa, a los perros les está permitido comérselos.»

Jesús sonrió y habló una vez más a la mujer: «Tus respuestas muestran una gran fe. Regresa a tu hogar, tu súplica ha sido atendida».

La mujer se puso en pie y partió a toda prisa hacia su casa. Al llegar, encontró a su hijita tumbada, tranquila, en su cama. El diablo la había abandonado, tal como Jesús había anunciado.

Poco después, Jesús abandonó la región y regresó a las orillas del mar de Galilea.

Subió a una montaña y le siguió una multitud entre la que se contaban cojos, ciegos, lisiados, mudos y muchos otros.

Jesús los curó a todos. Los cojos anduvieron, los ciegos vieron, los mudos hablaron y los lisiados recuperaron la fuerza.

Todos ellos dieron gracias a Dios y le veneraron por lo que había hecho por ellos.

Jesús es glorificado

MATEO 16-17

Un día, mientras estaban en Cesarea de Filipo, Jesús preguntó a sus discípulos: «¿Quién dice esta gente que soy?».

Ellos contestaron: «Algunos dicen que eres Juan el Bautista, y otros que eres uno de los profetas: Elías o Jeremías».

«¿Y vosotros? —preguntó Jesús—. ¿Quién creéis que soy?»

Pedro contestó: «Eres el Mesías, el Hijo del Dios vivo».

«Pedro, eres bienaventurado, porque ha sido el propio Dios quien te lo ha enseñado —contestó Jesús—. Tú, Pedro, eres una roca, la roca sobre la que edificaré mi iglesia».

Jesús explicó a los apóstoles que estaba predestinado a morir en Jerusalén.

Una semana después, Jesús se llevó a tres de ellos, Pedro, Santiago y Juan, a la cima de una alta montaña. Mientras estaban allí, Jesús se transfiguró ante sus ojos. Su rostro brilló como el sol del mediodía y sus ropas se tornaron de un blanco deslumbrante. En aquel momento, Moisés y Elías se aparecieron y hablaron con Jesús.

Pedro, sobrecogido por lo que veía, dijo a Jesús: «Señor, ¡qué bien estar aquí todos! ¿Quieres que te construya tres refugios?».

Mientras Pedro hablaba, una nube luminosa descendió y los cubrió. De la nube salió una voz que dijo: «Este es mi Hijo amado. Escuchad su palabra, pues me siento muy orgulloso de él».

Aquello alarmó a los tres discípulos que se arrojaron al suelo, demasiado aterrorizados como para alzar la vista. Allí se quedaron, tumbados, hasta que una mano los tocó con suavidad en el hombro. Era Jesús. «Levantaos. No temáis.» Cuando reunieron valor para mirar a su alrededor, vieron que Jesús estaba solo.

Mientras descendían por la montaña, Jesús les advirtió: «No contéis lo que habéis visto. Solo debéis mencionarlo cuando el Hijo del Hombre resucite de entre los muertos».

JESÚS TRANSFIGURADO

Este relato se conoce como «la transfiguración», que significa cambio de forma o de aspecto. Cuando Jesús se transfiguró en la montaña, la gloria de Dios resplandeció a través de él. Esta suele mostrarse como un halo de luz alrededor de la cabeza, halo que permitió a sus discípulos comprobar que se trataba del Hijo de Dios.

LA IGLESIA DE LA TRANSFIGURACIÓN

Esta iglesia moderna se alza en el monte Tabor, Galilea, el lugar donde se produjo la transfiguración. En el siglo VI se erigieron allí tres iglesias en memoria de los tres refugios que Pedro quiso construir para Jesús, Moisés y Elías. Sin embargo, muchos expertos creen que fue en el monte Hermón, cerca de Cesarea, donde tuvo lugar la transfiguración.

El buen samaritano

LUCAS 10

UADI SECO
Este uadi seco cercano a Jericó da fe de la aridez del terreno por el que discurría la carretera entre Jerusalén y Jericó, un trayecto de 30 km. La carretera desciende en picado y el terreno rocoso provee muchos escondrijos para los bandidos.

En una ocasión, un doctor de la Ley desafió a Jesús diciéndole: «Maestro, dime qué debo hacer para lograr la vida eterna».

«¿Qué dice la Ley?», le interrogó Jesús.

«"Ama al Señor con todo tu corazón, con toda tu alma, con todas tus fuerzas y con toda tu mente" y "Ama al prójimo como a ti mismo"», fue su respuesta.

«Así es —replicó Jesús—. Haz lo que dice la ley y vivirás.»

«¿Pero quién es mi prójimo?», preguntó el hombre. Jesús le respondió con un relato:

«Un hombre viajaba desde Jerusalén por una remota carretera que conduce a la ciudad de Jericó. Fue atacado por bandidos, que lo molieron a golpes, le robaron todo lo que tenía y lo dejaron medio muerto. Pasó por allí un sacerdote, pero lo único que hizo fue pasar de largo y continuar su camino como si no hubiera visto nada. Pasó entonces un levita e hizo exactamente lo mismo. Al fin, pasó un samaritano que, al ver al hombre apaleado tumbado en el suelo, se acercó inmediatamente, lleno de compasión, a ayudar al herido. Lo vendó lo mejor que pudo, lo ayudó a subir a su burro y lo llevó a una posada.

A la mañana siguiente, el samaritano tenía que partir, pero dejó algún dinero al posadero y le encargó: "Cuide de ese hombre por mí. A mi regreso le pagaré lo que gaste de más".»

Jesús acabó la historia y preguntó al doctor de la Ley: «¿Cuál de estos tres hombres actuó como prójimo para con el hombre al que habían malherido?».

«El que tuvo misericordia de él», contestó.

«Ve y haz tú lo mismo», concluyó Jesús.

PRENSA DE OLIVAS
El aceite de las olivas se extraía prensándolas con una pesada piedra circular. El aceite, que hoy se considera uno de los alimentos grasos más sanos, se usaba para cocinar y para quemar en las lámparas. El «buen samaritano» lo usó como antiséptico, pero no debió resultar muy eficaz.

El gran festín nupcial

MATEO 22; LUCAS 14

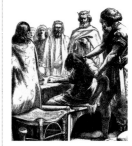

Jesús contó a sus discípulos otra parábola: «Si queréis saber cómo es el reino de los cielos, os lo explicaré.

Había una vez un rey que encargó unos preparativos extravagantes para celebrar el festín nupcial de su hijo. Cuando todo estaba listo, ordenó a los sirvientes que llamaran a los invitados, pero estos se negaron a acudir.

Sin amilanarse, encargó a más sirvientes que fueran a buscar a los invitados y les dijo: "Informad a todo el mundo de que el banquete está listo. Decidles que he sacrificado mis mejores bueyes y que las vacas cebadas especialmente para esta ocasión están asándose en el espetón. Todo está listo. Lo único que falta ahora es gente con quien compartir mi alegría. Venid a mi fiesta".

Pero los invitados rehusaron la invitación y continuaron con sus tareas como si no hubiera ocurrido nada. Algunos incluso capturaron a los mensajeros, los apalearon y les dieron muerte. Cuando el rey lo supo, se puso furioso. Consumido por la ira, mandó llamar a su ejército y le ordenó matar a los asesinos y destruir su ciudad.

Una vez más, el rey se volvió hacia sus sirvientes y les dijo: "El banquete sigue a punto. Las personas a las que había invitado no lo merecían. Quiero que vayáis a caminos y carreteras e invitéis a quien encontréis a vuestro paso para que venga a compartir mi dicha".

Los sirvientes partieron e invitaron a todo el mundo con quien tropezaron en las calles de la ciudad. Fue tanta la gente que acudió al banquete que había allí representantes de todos los estratos de la sociedad.

Más tarde, mientras el rey conversaba con sus invitados, encontró a un hombre que no iba vestido con ropas de boda. "Amigo mío —le preguntó—, ¿por qué no vistes ropas de boda?"

El hombre enmudeció, por lo que el rey llamó a sus sirvientes y les ordenó: "Atad a este hombre y expulsadlo de mi fiesta".»

Jesús concluyó la parábola diciendo: «Muchos reciben invitaciones, pero son pocos los elegidos».

EL VESTÍBULO DE LAS BODAS

Las bodas eran motivo de júbilo. En sus celebraciones se servían suntuosos manjares y el vino corría sin límite. Los invitados vestían ropas de ceremonia. Rehusar una invitación se consideraba un insulto. La parábola de Jesús ilustra que Dios invita a los indignos a participar en las bendiciones de su reino.

En busca de los perdidos

LUCAS 15

Cuando los fariseos vieron a Jesús conversar con los recaudadores de impuestos y los pecadores, expresaron su desaprobación. «Si Jesús fuera de verdad santo, no se mezclaría con gente de esa calaña», pensaron. Pero Jesús quería demostrarles que el deseo de Dios es que todos le conozcan, ya sean buenos o malos.

«Imaginad que tuvierais un rebaño de cien ovejas y un día descubrierais que falta una», empezó a explicar Jesús a la multitud.

«¿No dejaríais a las otras noventa y nueve pastando seguras en el campo y removeríais cielo y tierra hasta encontrarla? Imaginad la alegría y el alivio que sentiríais al encontrarla. Tendríais ganas de ir corriendo a casa con la oveja a hombros para compartir vuestra felicidad con vuestros amigos y vecinos.»

Jesus miró con ternura a los congregados, muchos de los cuales eran tratados como parias. «Sed valientes, amigos míos, porque los ángeles en el cielo se alegran cuando un solo pecador se arrepiente y se vuelve hacia Dios. Es mayor su alegría por un pecador converso que por noventa y nueve justos que ya llevan una vida de bondad.

Os pondré otro ejemplo —continuó Jesús—. Imaginad que una mujer tuviera diez monedas de plata y perdiera una. ¿No barrería hasta el último rincón de la casa y la buscaría con la lámpara hasta encontrarla? Y cuando la encontrara, ¿no correría a celebrarlo con sus amigos y vecinos? Dios también busca cuidadosamente a todos los perdidos. Y su alegría es inmensa cuando un solo pecador se vuelve hacia Él.»

LA MONEDA DE PLATA PERDIDA

En esta historia, la mujer barre el suelo para buscar la moneda de plata. En los tiempos del Nuevo Testamento, las casas eran muy oscuras, porque las ventanas eran muy pequeñas y estaban muy altas. A la mujer le habría resultado difícil ver la moneda perdida en el suelo de tierra batida. La moneda equivaldría al salario de un día.

¡Bienvenido a casa!

LUCAS 15

Jesús contó a la multitud otro relato sobre el amor y el perdón inconmensurables de Dios. «Un hombre tenía dos hijos. El más joven le pidió que le entregara su parte de la herencia para poderse ir de casa —empezó Jesús—. Pero era un insensato y despilfarró el dinero en una vida licenciosa en un país extranjero. Sobrevino una terrible hambruna y hubo de ponerse a trabajar para un lugareño cuidando de sus cerdos. Era tal el hambre que ansiaba comer el pienso de los puercos.

Cuando no pudo soportarlo más, pensó que, si pedía perdón a su padre, tal vez podría trabajar en la granja de la familia.

Partió entonces de regreso a casa, pero, antes de llegar, su padre lo divisó y salió corriendo a su encuentro. El corazón del padre estaba lleno de amor y perdón por su hijo, y lo recibió con un gran abrazo.

"Padre, tienes derecho a repudiarme como hijo", dijo, avergonzado por sus actos.

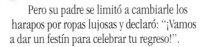

Pero su padre se limitó a cambiarle los harapos por ropas lujosas y declaró: "¡Vamos a dar un festín para celebrar tu regreso!".

Cuando el hijo mayor escuchó la música y vio el baile, sintió celos. "¡No es justo! —protestó ante su padre—. Yo he trabajado duro durante años sin causarte ningún problema y nunca has dado una fiesta en mi honor."

Su padre le explicó con serenidad: "Hijo mío, todo lo que tengo es tuyo. Pero te ruego que compartas mi alegría, porque tu hermano estaba muerto y ha vuelto a la vida".

Del mismo modo —concluyó Jesús—, Dios siempre recibe a los pecadores que llaman a la puerta de su casa.»

ALGARROBAS

El algarrobo es un árbol perenne que produce vainas de 15 a 25 cm de longitud. En tiempos del Nuevo Testamento, las algarrobas se usaban para alimentar a los cerdos y las vacas, y también las comían los pobres, pues eran baratas. Es posible que fueran el pienso que el hijo del relato daba a los cerdos.

BIBLIA ILUMINADA

Los relatos como esta parábola se transmitieron inicialmente de palabra y luego se escribieron. Antes del invento de la imprenta, todas las Biblias se copiaban a mano. Esta labor solían realizarla los monjes, que decoraban los libros con bellas caligrafías e ilustraciones.

JABALÍ

Los cerdos domésticos de Oriente Próximo descienden del jabalí. En los días de Jesús, los jabalíes poblaban Palestina y, en ocasiones, destruían viñedos enteros o campos sembrados en busca de algo que comer. Los judíos tenían prohibido comer cerdo por considerarlo un animal sucio y feo.

El buen pastor

JUAN 10

Jesús dijo a sus seguidores: «En verdad os digo que quien no entra en el redil por la puerta, sino que lo intenta por otro sitio, es un ladrón o un saqueador. Cuando el pastor llega a la puerta, el vigilante la abre amablemente. El pastor conoce el nombre de cada una de sus ovejas y estas reconocen su voz cuando las llama para que le sigan. Nunca irán tras un extraño, sino que huirán de él, porque no reconocen su voz.

Yo soy la puerta de las ovejas. Todos los que vinieron antes de mí son ladrones y salteadores, pero las ovejas no les siguieron porque no reconocieron su voz. Yo soy la puerta y quien entre a través de mí se salvará, y esa persona podrá ir y venir a su libre albedrío y siempre encontrará campos en los que pastar. Cuando viene un ladrón, roba y destruye, pero yo he venido para que mi pueblo disfrute de la vida plenamente.

Yo soy el buen pastor. Entrego mi vida por mis ovejas. Si un asalariado ve a un lobo que se acerca al rebaño, huirá corriendo, porque el destino de las ovejas reviste poca importancia para él. En cuanto haya abandonado el rebaño, el lobo se abrirá paso entre las ovejas, y causará estragos a su antojo. Pero mi rebaño está protegido y a salvo en mi amor.

Yo soy el buen pastor. Mi Padre me conoce y yo a Él. Del mismo modo, mis ovejas me conocen a mí. Voy a dar mi vida por ese rebaño. Me preocupo por mi rebaño. Y, cuando haya dado mi vida por mis ovejas, volveré a recuperarla.

Además de las ovejas de este redil, tengo muchas otras. Cuando haya logrado reunirlas a todas, habrá un solo rebaño y un solo pastor para todas ellas.

Mi Padre me ama porque estoy a punto de entregar mi vida por mi rebaño. Voy a dar mi vida por voluntad propia, nadie puede obligarme a hacerlo, es una decisión personal».

EL BUEN PASTOR
Todos los pastores llevaban un cayado, o una vara, para poderse sujetar y rescatar a las ovejas que se despeñaban por un barranco o que quedaban atrapadas en un arbusto. De noche, los pastores colocaban el cayado atravesado en la puerta del redil y, al pasar las ovejas por debajo, las iban contando. Además, el pastor iba armado con un garrote de madera para ahuyentar a los animales salvajes que intentaban atacar el rebaño. Jesús se describe con frecuencia como el buen pastor y a sus seguidores como las ovejas a las que Él cuida y mantiene alejadas del peligro.

Ir a Jesús

MATEO 19

Muchas personas llevaban a sus hijos ante Jesús para que rezara por ellos y los bendijera poniendo las manos sobre ellos. Sus discípulos desaprobaban este acto y se enfurecieron con los padres. Cuando Jesús supo de su actitud, les dijo: «Dejad que los niños se acerquen a mí. El reino de los cielos es de ellos y de los que son como ellos». A continuación, posó sus manos sobre los niños y se fue.

En una ocasión, un joven se acercó a Jesús y le preguntó: «Maestro, ¿qué buenas obras debo hacer para ganarme la vida eterna?».

«¿Por qué me preguntas qué es una buena obra? —le contestó Jesús—. Dios es el único que es bueno. Si quieres conseguir la vida eterna, debes obedecer los mandamientos.»

«¿Qué mandamientos?», inquirió el joven.

«No matarás, no cometerás adulterio, no robarás y no levantarás falso testimonio. Honrarás a tus padres y amarás al prójimo como a ti mismo», respondió Jesús.

«Los he obedecido todos —dijo el joven—. ¿Hay algo más que deba hacer?»

«Sí —contestó Jesús mirándole a los ojos, con amor—. Si buscas la perfección, vende tus bienes, entrega lo recaudado a los pobres y sígueme. Así tendrás un tesoro en el cielo.»

Al oír aquello, el joven se fue invadido por una enorme tristeza, porque era muy rico.

Jesús se volvió hacia sus discípulos y les dijo: «¿Veis lo difícil que es para los ricos entrar en el reino de los cielos? Es más fácil que un gran camello pase por el ojo de una aguja diminuta que un rico entre en el reino de Dios.»

«Pero entonces, ¿quién podrá salvarse?», le preguntaban los discípulos.

«Lo que resulta imposible para los seres humanos es posible para Dios», dijo Jesús.

Pedro exclamó entonces: «Nosotros lo hemos abandonado todo para seguirte. ¿Cuál será nuestra recompensa?».

«Cuando empiece la nueva era y el Hijo del Hombre ocupe su trono, sus seguidores juzgarán a las doce tribus de Israel. Y todos los que hayan dejado sus posesiones y a sus familias por mí, recibirán cien veces más de lo que tenían, así como la vida eterna. Pero —concluyó Jesús— muchos de los primeros pasarán a ser los últimos y los últimos serán los primeros.»

CAMELLOS

Los camellos recorren largas distancias con pesadas cargas a cuestas. La joroba es un cúmulo de grasa que les permite subsistir varios días con poca comida y agua.

EL OJO DE LA AGUJA

El ojo de la aguja era una pequeña puerta abierta en los portones de la ciudad a través de la cual era posible acceder a la ciudad de noche, cuando estos estaban cerrados. Un camello no habría podido entrar por ella.

La resurrección de Lázaro

JUAN 11

María y Marta, las hermanas de Lázaro, enviaron un mensaje a Jesús explicándole que su hermano estaba muy enfermo. Pese a ser buen amigo de la familia, Jesús no acudió a visitarlas de inmediato.

Unos días después, Jesús dijo a sus discípulos: «Lázaro está dormido, pero iré y lo despertaré».

«Si solo está dormido, entonces se recuperará» le contestaron ellos.

«No me habéis entendido bien —continuó Jesús—. Está muerto y, de algún modo, estoy contento, porque ahora creeréis. Vayamos.»

Al llegar a casa de Lázaro, descubrieron que llevaba enterrado cuatro días.

«Si hubieras estado aquí —le reprochó Marta—, Lázaro seguiría vivo. Pero incluso ahora Dios te concederá lo que le pidas.»

MUERTE Y SEPULTURA
En el cálido clima de Palestina, un cadáver empezaría a descomponerse muy rápidamente, por lo que cuando las personas morían, se enterraban el mismo día. El cuerpo se lavaba y se envolvía en tiras de lino aromatizadas con especias. El rostro se cubría con una servilleta de lino.

«Resucitará», declaró Jesús.

«Por supuesto, cobrará vida el día de la gran resurrección», replicó Marta.

«Yo soy la resurrección y la vida. Aquel que confía en mí jamás morirá.»

Marta fue corriendo hacia María y le dijo que Jesús había llegado. Cuando esta fue junto a Jesús, María repitió las palabras de Marta: «Si hubieras venido, Lázaro no habría muerto», dijo entre lágrimas.

Jesús, sobrecogido por la emoción, rompió a llorar. Lo condujeron hasta la tumba, una cueva cerrada con una gran roca.

TRABAJO FEMENINO
Las mujeres realizaban las tareas arduas en los tiempos del Nuevo Testamento, pese a lo cual ocupaban una posición muy baja en la sociedad. La actitud de Jesús hacia ellas contrastaba enormemente con las ideas dominantes en la época. Al honrarlas, las situó al mismo nivel que los hombres. Varias mujeres acogieron a Jesús con hospitalidad y le abastecieron durante sus viajes.

«Retirad la roca», ordenó Jesús. Marta protestó: «Lleva muerto cuatro días. El hedor será terrible».

«Créeme», le dijo Jesús.

Retiraron la piedra y Jesús oró: «Te doy gracias, Padre, por oír mis oraciones. Te doy gracias por haber dado a esta gente la oportunidad de ver tu gloria». Y tras decir aquello, gritó en dirección a la tumba: «¡Lázaro, sal!».

Cuando la figura de un hombre salió del sepulcro, con el cuerpo envuelto en las mortajas de lino, se hizo un silencio sepulcral entre la multitud.

«Quitadle las mortajas y dejadlo ir», ordenó Jesús.

Prudentes y necias

En una ocasión, los discípulos preguntaron a Jesús cómo podían saber cuándo se aproximaría el fin del mundo. «Nadie lo sabe —contestó él—, pero, si sois prudentes, estaréis preparados para mi regreso, para poder ascender conmigo a los cielos.»

Luego Jesús les narró la historia de diez muchachas que aguardaban el cortejo para un banquete nupcial. «Cinco de ellas eran necias y no se llevaron aceite adicional para alumbrar sus lámparas, mientras que las otras cinco prudentes tenían tarros con aceite para que sus lámparas no se apagaran.

El novio tardó en llegar y las diez muchachas cayeron dormidas. A medianoche, alguien las despertó gritando: "¡Ya viene! ¡Id a buscar al novio!".

Con emoción, alumbraron sus lámparas, pero las de las necias empezaron a titilar.

"Nuestras lámparas se apagan —dijeron a las muchachas prudentes—. Por favor, dadnos un poco de vuestro aceite."

Pero las muchachas prudentes se negaron: "No, no sea que no nos alcance para todas nosotras. Es mejor que vayáis a comprar aceite para vuestras lámparas".

Cuando se hubieron ido, el novio llegó. Las muchachas prudentes lo siguieron hasta el banquete nupcial y la puerta se cerró tras ellos.

Las necias regresaron a toda prisa, con las lámparas llenas de aceite. Llamaron a la puerta, llorando: "¡Dejadnos entrar!".

Pero el novio dijo: "No os conozco. Llegáis demasiado tarde"».

Jesús advirtió a sus discípulos: «Estad siempre preparados, porque nunca sabréis a qué hora ni qué día regresaré».

JESÚS, LA LUZ DEL MUNDO

En el Nuevo Testamento, Jesús suele describirse como un novio y la iglesia, como la novia. Las bodas se celebraban siempre de noche, por lo que las damas de honor llevaban lámparas y antorchas y escoltaban al novio hasta el banquete nupcial en una suerte de procesión. Del mismo modo, Jesús promete guiar a su pueblo a lo largo de sus vidas.

LAS CINCO VÍRGENES NECIAS

Las lámparas consistían en una mecha y un recipiente con aceite que se sostenía sobre un palo de madera. Dado que solo había aceite para unos minutos, siempre había que llevar de repuesto. El futuro retorno de Jesús a la tierra se compara con la llegada repentina del novio. La parábola enseña a estar siempre preparados.

Los talentos

MATEO 25

« Cuando el reino de los cielos llegue por fin —dijo Jesús a sus discípulos— será como el hombre que decidió iniciar un largo viaje.

Antes de partir, reunió a todos sus criados, los dejó a cargo de su propiedad y entregó a cada uno de ellos una suma de dinero.

Dio al primer criado cinco talentos; al segundo, dos, y al tercero, uno. Luego, el hombre inició su periplo, dejando tras de sí a sus criados.

El primer criado hizo negocio con sus cinco talentos inmediatamente y no tardó en ganar otros cinco. El segundo criado también utilizó sus dos talentos para ganar otros dos. En cambio, el criado que solo había recibido un talento cavó un hoyo en la tierra, enterró en él el dinero y lo dejó allí escondido.

Cuando el amo regresó de su largo viaje, mandó llamar a sus criados para ajustar cuentas.

El primer criado dijo al amo: "Señor, me confiaste cinco talentos y, mira, he ganado otros cinco".

"¡Bien hecho! —exclamó el amo encantado cuando vio los cinco talentos adicionales—. Has sido un criado bueno y leal, y has demostrado ser capaz de estar al cargo de pequeños asuntos. Como recompensa, he decidido poner en tus manos asuntos de mayor envergadura. Ven y comparte conmigo mi felicidad."

Luego se presentó el segundo criado y también dijo: "Señor, me confiaste dos talentos y, mira, he ganado otros dos".

De nuevo el amo, satisfecho, alabó al sirviente y le prometió recompensarle poniéndole al cargo de mayores responsabilidades.

Por fin se presentó el criado que había recibido un solo talento y dijo: "Señor, sé que eres un hombre inflexible y que esperas cosechar donde no sembraste. Tuve miedo, por lo que escondí el dinero que me diste en un hoyo. Aquí lo tienes".

El maestro, enfurecido, gritó: "Has sido un criado malvado. Si sabías que era un amo tan duro, ¿por qué no ingresaste el dinero en un banco para que, al menos, pudiera recuperar los intereses a mi regreso?".

Luego hizo llamar a sus otros criados y les ordenó: "Quitadle a este hombre su talento y entregádselo al criado que ahora tiene diez monedas.

Porque a todo el que tiene se le dará más, para que tenga más de lo que nunca había soñado. Pero al que no tiene se le arrebatarán sus pocas posesiones. Y ahora arrojad a este criado inútil a la oscuridad de la noche.»

LOS TALENTOS

En un principio, un talento era una unidad de peso equivalente a unos 34 kg. En la época de Jesús, el talento se había convertido en una moneda preciada, valorada en 3.000 siclos. El significado actual de la palabra «talento», 'don' o 'aptitud', procede de este relato bíblico, que suele recibir el nombre de «La parábola de los talentos».

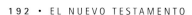

Las ovejas y las cabras

MATEO 25

Llegará el día —informó Jesús a sus discípulos— en que el Hijo del Hombre venga en su gloria, rodeado de ángeles, para ocupar su trono. Ese día, todas las personas serán congregadas ante Él y, tal y como el pastor separa las ovejas de las cabras, las dividirá colocando a las ovejas a su derecha y a las cabras a su izquierda.

Luego el rey dirá a las personas que se hallen a su derecha: "Venid y heredad el reino que os pertenece. Vuestro es, porque me alimentasteis cuando tuve hambre, me disteis de beber cuando estuve sediento, me hospedasteis en vuestro hogar pese a ser forastero, me vestisteis cuando mis ropas se hicieron harapos, os preocupasteis por mí cuando estuve enfermo, y me visitasteis cuando me encarcelaron".

Y las buenas gentes responderán: "Pero, Señor, nunca te vimos hambriento y te dimos de comer, ni sediento y saciamos tu sed. ¿Cuándo te invitamos a nuestros hogares? ¿Cuándo te vestimos con ropas nuevas? ¿Cuándo te vimos enfermo o en la cárcel, y fuimos a visitarte?".

Y el rey les responderá: "En verdad os digo que todo cuanto hicisteis por cualquiera de mis hermanos, lo hicisteis por mí".

Luego se volverá hacia las gentes de la izquierda y dirá: "Malditos sois. Cuando tuve hambre o sed, me negasteis el pan y el agua; cuando llegué como forastero, me cerrasteis la puerta; cuando mis ropas eran harapos, me desdeñasteis, y cuando estuve enfermo o encarcelado, me abandonasteis a mi suerte".

"Pero, Señor —alegarán ellos—, nunca te vimos hambriento o sediento, o forastero, o con las ropas hechas harapos, o enfermo o en la cárcel. ¿Cómo podíamos ayudarte?"

Y él les responderá: "En verdad os digo que cada vez que elegisteis ignorar a alguna de estas personas, me ignorasteis a mí".

Luego serán enviados al castigo eterno, mientras que quienes hayan hecho el bien disfrutarán de la vida eterna».

JESÚS JUZGA DESDE SU TRONO

El día del Juicio Final, todo el mundo pasará ante el trono de Dios, y Jesús dividirá a las personas entre quienes son dignos de entrar en el reino de Dios y aquellos que deberán sufrir el castigo eterno en el infierno.

AYUDA A LOS HAMBRIENTOS

Los terremotos, las hambrunas, las inundaciones y las guerras pueden ocurrir siempre en cualquier momento. Cada uno de nosotros puede cumplir las enseñanzas de Jesús alimentando y vistiendo a aquellos que lo necesitan.

Jesús llega a Jerusalén

MATEO 21; MARCOS 11; LUCAS 19; JUAN 12

LULAB
Cuando Jesús entró en Jerusalén, las personas cortaron hojas frondosas de los campos cercanos y las depositaron a los pies de su burro. También le saludaron con lulabs como el de la ilustración. Los lulabs estaban confeccionados con ramas de palma o sauce. Eran símbolos de triunfo y victoria y se usaban en ocasiones de gran júbilo.

A LOMOS DE UN BURRO
En la Biblia, los caballos se asocian con la guerra, por lo que, en épocas de paz, los reyes montaban en burros. El burro era un símbolo de humildad y de paz. Un burro que no hubiera sido usado para carga previamente se consideraba de gran valor para fines religiosos.

Jesús iba de camino a Jerusalén. Antes de llegar a la población de Betfagé, junto al monte de los Olivos, pidió a dos de sus discípulos que se le adelantaran.

«Al entrar en la aldea veréis un burro joven atado a la puerta de una casa. Desatadlo y traédmelo.

Si alguien intenta deteneros, decidle que el Maestro necesita el burro.»

Los discípulos hicieron lo que Jesús les había ordenado. Encontraron el burro y, mientras lo desataban, algunos aldeanos les preguntaron qué hacían. «El Maestro necesita el burro», respondieron, y les dejaron en paz.

Luego condujeron el burro hasta donde se encontraba Jesús, le colocaron una manta en el lomo a modo de montura y Jesús montó en él.

Al entrar en Jerusalén, los seguidores de Jesús empezaron a extender sus mantos en el camino para que él los pisara. Otros cortaron ramas de palma y las colocaron a sus pies.

Todo el mundo empezó a cantar, a gritar y a alabar a Dios, agradeciéndole los maravillosos milagros que habían visto obrar a Jesús. «¡Hosanna! —exclamaban—. ¡Bendito el que viene en nombre del Señor! ¡Hosanna!»

Transcurridos unos instantes, era tal el alborozo que parecía que todo Jerusalén había acudido a recibir a Jesús.

Por su parte, los fariseos de la multitud parecían no estar impresionados y exhortaron a Jesús: «Di a tus discípulos que no griten de este modo».

Entonces Jesús les respondió: «Si ellos se callan, serán las piedras las que griten de alegría».

Las señales del regreso de Cristo

MATEO 24

D os días después, cuando Jesús salía del templo se le aproximaron sus discípulos y le dijeron: «¡Observa esos edificios!».

Jesús les respondió: «Sí, son magníficos, lo sé, pero os digo que ni una sola piedra de ellos quedará en pie. Todo será totalmente destruido».

Más tarde, cuando Jesús se hallaba sentado en el monte de los Olivos, sus discípulos le rogaron: «Maestro, dinos cuándo ocurrirá. ¿Qué señales anunciarán tu venida y el fin del mundo?».

«Debéis tener mucho cuidado —les advirtió Jesús—, porque falsos profetas obrarán milagros y afirmarán ser Cristo. Y alejarán a muchas personas de la verdad.

LA ÚLTIMA SEMANA DE JESÚS

Jesús cabalgó a lomos de su burro 3 km, desde Betfagé, pasando por el valle de Cedrón, hasta entrar en Jerusalén por la puerta de Oriente. En este mapa se indican los lugares en los que Jesús estuvo durante su última semana de vida en la Tierra.

Habrá guerras, hambrunas terremotos. Incluso los planetas temblarán, pero no temáis.

Las personas se volverán cada ez más malvadas y mis seguidores erán castigados y asesinados», ontinuó Jesús, mientras los discípulos escuchaban atentamente .

Muchos me darán la espalda, ero tened valor, porque salvaré a uienes se mantengan firmes. Una ez que el mundo entero conozca la erdad sobre mí, llegará la hora de ni regreso.

Vendré en las nubes, para ser isto claramente, como el relámpago que atraviesa el cielo de este oeste. Entonces los ángeles reuirán a mi pueblo y lo pondrán a alvo, y yo lo conduciré al cielo.

Recordad que vendré cuando adie me espere. Estad atentos y evad vidas llenas de bondad y fe —instó Jesús a sus discípulos—. provechad cualquier oportuniad de servir a Dios.»

La Última Cena

MATEO 26; MARCOS 14; LUCAS 22; JUAN 13

JESÚS LAVA LOS PIES DE SUS DISCÍPULOS

A las personas se les ensuciaban mucho los pies al andar con sandalias descubiertas por las calles. Cuando Jesús lavó los pies a sus discípulos estaba realizando un acto de humildad. Con ello dio ejemplo a sus fieles y les mostró que debían servirse con humildad unos a otros.

CÁLIZ DE COMUNIÓN

En la Sagrada Comunión (también llamada misa, eucaristía o el cuerpo de Cristo), los cristianos comen pan y beben vino de un cáliz o copa para dar gracias a Jesús por haber sacrificado su vida por ellos, tal y como Jesús les enseñó en la Última Cena.

FRESCO DE LA ÚLTIMA CENA

Las pinturas al fresco, se hacen sobre estuco fresco. Este ejemplo del siglo XV ilustra la Última Cena a modo de banquete romano. En la primera iglesia, la «comunión» formaba parte de una comida.

El día de Pascua, Jesús dijo a Pedro y Juan que fueran a Jerusalén y siguieran a un hombre que llevaba un cántaro de agua. «Luego pedid al dueño de la casa en la que entre que os conduzca a una espaciosa habitación situada en el piso superior y preparad la cena de Pascua.»

Cuando aquella noche llegaron a la casa, Jesús se quitó la túnica exterior y se enrolló una toalla a la cintura. Virtió parte del agua en un lebrillo, se arrodilló y empezó a lavar los pies a sus discípulos, que estaban polvorientos del camino.

Pedro, atónito al ver que su maestro se comportaba como un sirviente, protestó: «¡No dejaré que me laves los pies!».

«Si no me dejas lavarte —dijo Jesús a Pedro— es que no me perteneces de verdad.»

Pedro dijo: «Señor, no me laves solo los pies. Lava también mis manos y mi cabeza».

Jesús replicó: «El que acaba de tomar un baño no necesita lavarse más que los pies, porque el resto de su cuerpo está limpio. Todos vosotros estáis limpios, salvo uno». Jesús dijo que no todos estaban «limpios» porque sabía que uno de ellos lo traicionaría ante sus enemigos.

Cuando Jesús acabó de lavar los pies a sus discípulos, se puso de nuevo la prenda exterior y se sentó. Les explicó entonces que les estaba dando un ejemplo. «Aunque soy vuestro Señor, os he enseñado a ser humildes y amables. Ahora debéis aprender a servir al prójimo del mismo modo.»

Empezaron a comer y, sabiendo que le había llegado la hora de regresar al cielo junto a su Padre, Jesús se sintió triste de repente y anunció a sus discípulos: «Uno de entre vosotros me traicionará».

Los discípulos quedaron afligidos. «No seré yo, ¿verdad, Señor?», le preguntaron ansiosos, uno por uno.

Para responderles, Jesús mojó un trozo de pan en un cuenco y se lo entregó a Judas, diciéndole: «Dios es el único que ha decidido lo que me ocurrirá, pero este es el hombre que me traicionará». Sin embargo, los discípulos no entendieron a qué se refería.

Más tarde, Jesús tomó un mendrugo de pan, dio gracias a Dios y lo partió en pedazos. «Tomad y comed —dijo a sus discípulos—, porque este es mi cuerpo». A continuación, les entregó una copa de vino, diciendo: «Tomad y bebed, porque esta es la sangre que derramaré para que seáis perdonados. Haced esto para recordarme cuando me haya ido».

LA SALA SUPERIOR
El Cenáculo, situado en el monte Sión, es la Sala Superior tradicional en Jerusalén. Algunos creen que se construyó sobre la cubierta de una casa y otros opinan que se trataba de la estancia más importante de la vivienda, y que estaba reservada para ocasiones especiales.

JUDAS ISCARIOTE
Judas era el tesorero de los doce discípulos. Sin embargo, era un hombre rapaz y, en ocasiones, utilizaba parte del dinero para uso personal. Fue él quien traicionó a Jesús por treinta monedas de plata.

EL PAN Y EL VINO
Durante una tradicional comida de Pascua judía, Jesús otorgó un nuevo significado al pan y a la copa que compartió. La Pascua conmemoraba la liberación de Israel de la esclavitud en Egipto. Los cristianos ven en Jesús a su «cordero de Pascua», que perdona sus pecados, y celebran su perdón con el pan y el vino.

No temáis

JUAN 14-17

CAMINO A CASA DE CAIFÁS
Este mapa del centro de Jerusalén muestra los principales sitios relacionados con el arresto, el juicio y la crucifixión de Jesús. Tras ser apresado en el huerto de Getsemaní, Jesús fue llevado como prisionero hasta la casa de Caifás, el sumo sacerdote. Se desconoce la ruta que siguió. Es posible que incluso pasara por el templo.

LA CAPILLA DE DOMINUS FLEVIT
En la ladera del monte de los Olivos se alza la iglesia de Dominus Flevit (en latín, «el Señor lloró»). Se la conoce como la «capilla de las lágrimas» porque marca el lugar en el que según la Biblia Jesús lloró por Jerusalén. Estaba triste porque sabía que las personas de la ciudad le repudiarían y años después la ciudad sería destruida.

Jesús sabía que se acercaba la hora de su muerte e intentó preparar a sus discípulos para la tragedia que se avecinaba.

«No temáis —los reconfortó—. Confiad en mí y en Dios. Voy a la casa de mi Padre a preparar un lugar para vosotros. Luego regresaré y os llevaré conmigo.

Yo soy el camino, la verdad y la vida. Nadie llega a mi Padre sin pasar a través de mí. Si de verdad me conocéis, también conoceréis a mi Padre. Todo el que me ha visto, ha visto a mi Padre. Yo soy el Padre y Él está en mí. Todo lo que he dicho y hecho ha estado inspirado por mi Padre.

Si me amáis, obedeceréis mis enseñanzas. Y cuando el Padre vea vuestra obediencia, os amará y vendrá a vivir con vosotros.

Yo soy la vid verdadera y vosotros las ramas. Mi Padre es el jardinero. Si no dais fruto, os cortará, pero si lo dais, os podará para que deis aún más fruto. Así será hasta dar el fruto eterno.

Cuando el mundo vea vuestro fruto, os odiará y despreciará, del mismo modo que me ha odiado y despreciado a mí. Pero no os preocupéis. Cuando me haya ido, os enviaré al Espíritu Santo, que os instruirá y os recordará todo lo que he dicho.

Pronto os invadirá la pena, porque ya no podréis verme. Mientras estéis abrumados por la tristeza, el mundo sonreirá. Sin embargo, tal y como una mujer olvida el dolor y el esfuerzo del parto cuando su hijo nace, vuestras lágrimas se convertirán en alegría.

Os he dicho estas cosas para que estéis preparados cuando ocurran.

Dicho esto, Jesús oró: «Padre, glorifica a tu Hijo para que él te glorifique a ti. Protege a mis discípulos. Que todos aquellos que creen en mí, con su mensaje estén unidos en todo lo que digan y hagan».

Dar fruto
Jesús se describió a sí mismo como la vid y a nosotros como las ramas. Tal y como las uvas no pueden madurar sin la vid de la que crecen, nosotros no podemos ser totalmente buenos y dar fruto sin que corra por nosotros la vida de Dios. Nuestra fuerza sola no es suficiente. Jesús nos enseña a confiar en él para hallar el poder.

Apresado en el huerto

MATEO 26; MARCOS 14; LUCAS 22; JUAN 18

Aquella misma noche, Jesús y sus discípulos fueron al huerto de Getsemaní, en las afueras de las murallas de Jerusalén. Jesús estaba muy triste y pidió a sus discípulos que se quedaran despiertos y rezaran con él. Pero uno a uno cayeron dormidos.

De repente, Judas apareció en la penumbra acompañado por un grupo de soldados y oficiales religiosos. Iban armados con espadas y garrotes, y llevaban linternas para alumbrarse.

Para asegurarse de que arrestaban al hombre correcto, Judas les había dicho que daría un beso a Jesús. Cuando Judas vio a Jesús, se le acercó, le dijo: «¡Saludos, maestro!» y le besó.

«Judas, ¿es este el modo que has elegido para traicionar al Hijo del Hombre?», le preguntó Jesús.

En cuanto pronunció aquellas palabras, los soldados se abalanzaron sobre él y lo arrestaron. Cuando Simón Pedro se dio cuenta de lo que estaba ocurriendo, asió su espada y le cortó la oreja a uno de los sirvientes del sumo sacerdote.

«¡Envaina esa espada! —le ordenó Jesús—. Aquel que utilice su espada con ira morirá del mismo modo. ¿No te das cuenta de que podría apelar a mi Padre y Él enviaría inmediatamente a sus ángeles para protegerme? Pero, si lo hiciera, no se cumplirían las palabras de la profecía que explica que es así como deben suceder las cosas.»

Luego Jesús tocó la oreja del sirviente y la sanó.

En medio de la oscuridad, Jesús se volvió hacia sus captores y les preguntó: «¿Por qué habéis venido provistos con todas esas armas? ¿Creéis acaso que estoy al mando de una rebelión? Me habéis visto predicar cada día en el templo y nunca habéis levantado un dedo en mi contra.

Habéis escogido deliberadamente un tiempo y un lugar propicios para vuestros actos, la hora en la que reina la oscuridad. No obstante, lo que hacéis solo ocurre para cumplir las profecías.»

Los soldados apresaron a Jesús y lo condujeron ante los sumos sacerdotes para que se enfrentara a su sino. Pedro los seguía a distancia.

JUDAS

Judas Iscariote era uno de los doce apóstoles de Jesús. La Biblia no explica por qué se volvió en su contra.

EL HUERTO DE GETSEMANÍ

El nombre Getsemaní procede del término arameo que significa 'prensa de aceite'. El huerto era un olivar situado en las laderas bajas del monte de los Olivos.

JUDAS TRAICIONA A JESÚS CON UN BESO

Judas condujo a un grupo de soldados armados con espadas y garrotes hasta el huerto de Getsemaní a arrestar a Jesús. Había acordado con las autoridades judías que identificaría a Jesús dándole un beso, la señal de respeto que los discípulos acostumbraban a usar para saludar a su rabino.

Conspiración contra Jesús

MATEO 26-27; MARCOS 14-15; LUCAS 22-23

EL JUEGO DEL REY

La imagen muestra parte de un juego de los soldados romanos, denominado «el juego del rey». Está grabado en las piedras de un lugar llamado el Litóstrotos, o «pavimento», en Jerusalén. Se dice que fue el patio de la Fortaleza de Antonia, donde Jesús fue juzgado y condenado a muerte.

El sanedrín

El sanedrín era el consejo supremo de los judíos, que se reunía en Jerusalén. Su nombre procedía del término griego para «consejo». Los setenta integrantes del sanedrín eran sumos sacerdotes y doctores de la Ley, capacitados para juzgar todo tipo de casos, pero sin autoridad para condenar a muerte a un prisionero. Para ello necesitaban la confirmación del gobernador romano, que en la época del juicio de Jesús era Poncio Pilato.

LAS ESCALERAS A LA CASA DE CAIFÁS

Después de ser arrestado en el huerto de Getsemaní, Jesús debió subir por estas escaleras hasta la casa de Caifás, donde los miembros del sanedrín se habían reunido para juzgarlo. Caifás era el sumo sacerdote del sanedrín. El consejo pudo haberse reunido en su casa para garantizar que el juicio se celebrara en secreto.

Jesús fue conducido en presencia de Caifás, el sumo sacerdote, que había reunido a los doctores de la Ley y ancianos del sanedrín. Estos esperaban encontrar a alguien que testificara falsamente en contra de él para poderlo condenar a muerte. Llamaron a muchos testigos, pero ninguno aportó pruebas convincentes.

Finalmente se presentaron dos hombres de dudosa reputación quienes afirmaron: «Oímos a este hombre decir que podía destruir el templo del Señor y reconstruirlo en tres días». Jesús permaneció en silencio.

Cuando el sumo sacerdote oyó la acusación, miró a Jesús y proclamó: «Has oído los cargos que se te imputan. ¿Tienes algo que decir en tu defensa?». Jesús permaneció en silencio.

Caifás, a punto de perder la paciencia, ordenó a Jesús: «En nombre del único Dios, ¡dinos la verdad! ¿Eres tú el Cristo, el Hijo de Dios?».

«Lo soy —respondió Jesús—. Pero quiero añadir algo: llegará un tiempo en que veréis al Hijo del Hombre sentado junto a Dios sobre las nubes del cielo».

En aquel preciso instante el sumo sacerdote, indignado, empezó a rasgarse las vestiduras. «No tenemos necesidad de oír a más testigos. Hemos escuchado a este hombre hablar en contra de Dios. ¿Cuál es vuestro veredicto?», gritó a sus colegas.

«¡Debe morir!», respondieron todos. Acto seguido, algunos de ellos escupieron a Jesús y otros le propinaron puñetazos. Luego le vendaron los ojos y le abofetearon. «¿Quién de nosotros ha sido el que te ha golpeado, Cristo?», le preguntaron en tono de burla.

Condujeron entonces a Jesús frente a Pilato, el gobernador romano, para que este lo sentenciara.

Pedro reniega de Jesús

MATEO 26; MARCOS 14; LUCAS 22; JUAN 13 Y 18

Pedro había seguido discretamente al grupo de soldados que había arrestado a Jesús. Mientras llevaron a Jesús ante los sacerdotes, Pedro permaneció sentado en el patio, intentando quitarse el frío junto a una fogata.

Mientras se frotaba las manos, una joven criada se le acercó y se le quedó mirando. Luego, ante un grupo de personas, le preguntó: «¿No eres tú uno de esos hombres que andaban con Jesús el Galileo?».

«¿Yo? No sé de qué hablas», gruñó Pedro. Se alejó de ella y se quedó de pie junto a la puerta. Pero, mientras permanecía allí, otra criada lo vio y comentó a quienes la rodeaban:

«Este estaba con Jesús el Nazareno».

Y Pedro volvió a negarlo. «¡Pongo al cielo por testigo de que no conozco a ese hombre!», exclamó.

Se acurrucó contra la pared, confiando en no llamar más la atención, pero al poco se le aproximó una tercera persona.

«¿Cómo puedes decir que no estabas con Jesús? —preguntó el hombre a Pedro—. Tienes acento de Galilea... ¡Debes de ser uno de sus discípulos!»

Pedro empezó a maldecirse y, luego, volviéndose hacia quienes le acusaban, juró: «¡Ya he dicho que no conozco a ese hombre!».

Tan pronto salieron de su boca estas palabras, cantó un gallo.

Entonces Pedro se acordó de lo que Jesús le había dicho aquella misma tarde: «Antes de que cante el gallo, me negarás tres veces».

Desconsolado, Pedro salió del patio y se adentró en la fría y desértica noche, llorando amargamente con una profunda pena y vergüenza.

SAN PEDRO
Cuando Jesús llamó a Pedro a convertirse en su discípulo, era un pescador llamado Simón. Jesús lo bautizó con el nombre de Pedro, que significa «piedra» en griego. Los católicos romanos creen que Jesús lo eligió para convertirse en el fundador de la Iglesia cristiana.

LA NEGACIÓN DE PEDRO
Jesús profetizó la negación de Pedro. Cuando Pedro oyó el canto del gallo por tercera vez se sintió profundamente abatido por haber sido débil y haber renunciado a su Señor y Maestro.

Pilato juzga a Jesús

MATEO 27; MARCOS 15; LUCAS 23; JUAN 18-19

Tras decidir acabar con la vida de Jesús, el consejo religioso lo condujo ante Poncio Pilato, el gobernador romano de Judea, la única persona con autoridad para dictar una sentencia a muerte, y lo acusó de incitar al pueblo a rebelarse.

«¿Eres tú el rey de los judíos?», le preguntó Pilato, sorprendido de que Jesús no alegara nada en su defensa.

«Sí, lo soy, pero mi reino no pertenece a este mundo», contestó Jesús.

Pilato quería liberar a Jesús porque veía claramente que no suponía ninguna amenaza para el Gobierno romano y creía que los sumos sacerdotes lo habían arrestado movidos por los celos. Como era costumbre en las celebraciones de Pascua, pidió a la multitud que escogiera al prisionero que deseaba liberar: Jesús o un asesino llamado Barrabás, que había participado en un motín contra los romanos.

«¡Suelta a Barrabás!», gritó la multitud.

«¿Pero por qué? —les preguntó Pilato—. No hay pruebas de que Jesús haya cometido ningún delito. Le castigaré y le dejaré ir.»

La multitud empezó a impacientarse y Pilato, temeroso de que estallara un disturbio y de perder su puesto, se lavó públicamente las manos para demostrar que no se hacía responsable de la muerte de un inocente.

Pilato liberó entonces a Barrabás y ordenó que azotaran sin compasión a Jesús antes de entregarlo a los soldados para su crucifixión.

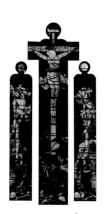

LA CRUCIFIXIÓN
La crucifixión era un medio cruel de ejecutar a las personas. Además del terrible sufrimiento que les ocasionaba, debían luchar por respirar, porque tenían el cuerpo estirado. La cruz devino el símbolo del Cristianismo ya que los cristianos creen que Jesús murió por ellos, asumiendo el castigo de Dios por sus pecados.

Clavado a una cruz

MATEO 27; MARCOS 15; LUCAS 23; JUAN 19

Antes de crucificarlo, los soldados de Pilato vistieron a Jesús como a un rey, con una túnica púrpura, y le colocaron una corona de ramas de espino. «¡Salve, rey de los judíos!», exclamaron en tono de burla, antes de empezar a golpearle.

Querían que Jesús llevara a cuestas una pesada cruz de madera hasta Gólgota, donde iba a ser ejecutado, pero, como estaba malherido, obligaron a un transeúnte a cargar con ella.

Clavaron las manos y los pies de Jesús a la cruz con largos clavos y, tras levantarlo, se repartieron sus ropas echándolas a suertes.

«Perdónalos, Padre, porque no saben lo que hacen», dijo Jesús.

«¡Perdóname a mí también!», imploró uno de los dos ladrones crucificados junto a él, mientras el otro se limitaba a proferir insultos.

Varias seguidoras de Jesús permanecieron junto a la cruz. Entre ellas se encontraba María, su madre. Compartían el sufrimiento de Jesús, sintiendo una profunda pena en el corazón. En cambio, a otros poco les importaba. «Si es el hijo de Dios, ¿por qué no viene a rescatarlo?», se burlaban algunos líderes religiosos de entre la multitud. Jesús estaba sediento y le acercaron a los labios una esponja empapada en vinagre.

A mediodía, el cielo quedó sumido en las tinieblas. Tres horas más tarde, Jesús exclamó a viva voz: «¡Mi trabajo ha concluido! ¡Te entrego mi alma, Padre!», y exhaló el último aliento.

En aquel preciso instante, un terremoto sacudió la tierra y el velo del templo se rasgó de arriba abajo, mostrando que la barrera entre Dios y el pueblo había caído.

Al anochecer, José de Arimatea, un hombre rico integrante del consejo religioso judío que se había convertido en discípulo de Jesús, fue ante Pilato para solicitarle el cuerpo de Jesús. Este le autorizó a llevárselo y, una vez descendido de la cruz, José lo envolvió en una sábana, lo puso en un sepulcro nuevo que había hecho cavar en la roca para sí mismo e hizo rodar una gran piedra para sellar la entrada.

VÍA DOLOROSA

El camino que recorrió Jesús desde el lugar en el que fue juzgado hasta el de su crucifixión se conoce como la Vía Dolorosa. Por tradición, catorce «estaciones de la cruz» marcan varios incidentes en dicha vía y los peregrinos que viajan a Jerusalén siguen esta ruta franciscana del siglo XV cada Semana Santa. La calle actual es mucho más amplia que en los días de Jesús.

ESPINO NEGRO

No se sabe a ciencia cierta con qué planta se elaboró la corona de espinas de Jesús. En Palestina crecen muchas variedades de plantas con espinas punzantes, entre las cuales figura el espino negro que aparece en la ilustración. Los soldados romanos trenzaron la corona y se la colocaron a Jesús en la cabeza antes de crucificarlo. Lo hicieron para zaherirle, porque Jesús afirmaba ser el rey de los judíos.

¡Jesús vive!

MATEO 28; MARCOS 16; LUCAS 24; JUAN 20

Al despuntar el alba del primer día de la semana, María Magdalena, María (la madre de Santiago) y Salomé partieron en la oscuridad de la madrugada hacia la tumba donde yacía el cuerpo de Jesús.

«¿Quién retirará la piedra para que podamos ungir el cuerpo de Jesús con aceite?», se preguntaban, mientras caminaban sigilosamente por las calles vacías portando manojos de especias para tal fin.

Cuando se hallaban próximas a la tumba, hubo un violento terremoto. La tierra tembló y se agrietó. Asustadas, las mujeres quedaron consternadas al ver que la pesada piedra había sido desplazada a un lado. Nerviosas, se agacharon y entraron en el sepulcro, donde descubrieron que el cuerpo había desaparecido. El terror hizo presa de ellas, sobre todo cuando vieron a un joven sentado a la derecha de la tumba, cerca de donde debería haber estado el cadáver. Iba vestido con un ropaje blanco como la nieve y su cuerpo resplandecía como un relámpago. Las mujeres le reverenciaron con la mirada clavada en el suelo.

«No tengáis miedo —las tranquilizó—. Sé que buscáis a Jesús, el profeta de Nazaret. Pero, ¿por qué buscar a los vivos entre los muertos? No está aquí. ¡Está vivo! Ha resucitado de entre los muertos tal como anunció que haría. Venid y ved el sitio donde yacía su cuerpo. Se dirige a Galilea, donde tenía previsto encontrarse con vosotras. Si vais allí, lo veréis, como prometió. Pero antes id y explicad a Pedro y al resto de los apóstoles lo ocurrido, contadles que Jesús ha resucitado de entre los muertos.»

Las mujeres abandonaron el sepulcro conmocionadas, pero con una alegría renovada por lo que habían visto y oído. Partieron al encuentro de los discípulos y, apenas creyendo sus propias palabras, narraron lo ocurrido esa mañana. La mayoría de los hombres creyeron que estaban locas, pero Pedro y otro discípulo fueron corriendo hacia la tumba. El otro era más rápido que Pedro y llegó antes al lugar, pero le dio miedo adentrarse en ella.

Cuando Pedro apareció, entró resueltamente y presenció una escena inquietante: junto a la mortaja, perfectamente plegada, yacían retales de lienzo. Por fin su amigo logró reunir el valor suficiente para entrar y ambos se miraron maravillados. Lo que las mujeres habían contado era cierto. ¡Jesús no estaba allí! ¡Estaba vivo!

LA TUMBA EN EL JARDÍN

Esta es una tumba judía del siglo I d.C que se ha conservado en buen estado. Se halla en un jardín donde hay, además, una prensa de uva y una cisterna más antiguas. La tumba coincide con la descripción del sepulcro de Jesús que da la Biblia.

Aparición de Jesús a los apóstoles

LUCAS 24; JUAN 20

María permaneció en pie, sola, frente a la tumba vacía. Al girarse para volver a mirar dentro, empezó a llorar de nuevo. En el interior había dos ángeles, que le preguntaron: «¿Por qué lloras?».

«Porque se han llevado su cuerpo y lo han enterrado en un lugar desconocido», les respondió entre sollozos. Mientras pronunciaba aquellas palabras, oyó unos pasos a sus espaldas.

Un hombre le preguntó: «¿Por qué lloras? ¿Buscas a alguien?».

Creyendo que se trataba del hortelano, contestó: «Amable señor, si has sido tú quien se ha llevado su cuerpo, te ruego que me digas dónde está».

«¡María!», exclamó una voz familiar.

Entonces María alzó la vista y miró al hombre.

«¡Maestro!», exclamó con un grito ahogado, mientras extendía los brazos para abrazar a Jesús.

Pero Él le dijo: «No me abraces, porque he de regresar con mi Padre. Ve y cuéntaselo a los demás».

Inmediatamente, María partió corriendo con la buena nueva.

Más tarde, aquel mismo día, Cleofás y un amigo caminaban con paso cansino hacia una aldea a las afueras de Jerusalén llamada Emaús mientras comentaban los acontecimientos del día.

«¿De qué habláis?», les preguntó un extraño.

Sorprendido, Cleofás contestó: «Sin duda debes saber lo que ha sucedido en Jerusalén en los últimos días».

«¿Qué ha ocurrido?»

Le explicaron entonces todo lo relativo a Jesús y sus actos antes de ser crucificado por las autoridades romanas.

«Pero lo más sorprendente de todo es que su cuerpo ya no está en el sepulcro. Ha desaparecido de la faz de la Tierra.»

«¡Si hubierais creído a los santos profetas!», exclamó el forastero antes de explicar todo lo que las Escrituras recogían sobre estos hechos.

Los hombres invitaron al extraño a compartir con ellos su cena. Estando con ellos a la mesa, tomó el pan, lo partió y lo bendijo. Fue entonces cuando se dieron cuenta de que era Jesús, pero en ese preciso instante, se desvaneció ante sus ojos.

«Eso explica nuestra emoción cuando nos hablaba por el camino», se dijeron.

Sin dilación, ambos amigos se apresuraron a regresar a Jerusalén e, irrumpiendo en una reunión de los discípulos, les contaron lo acontecido en su viaje: «¡Es verdad! ¡El señor ha resucitado!», dijeron.

LA CENA EN EMAÚS

Emaús era una aldea emplazada, según Lucas, a 60 estadios (11 km) de Jerusalén. Aunque no ha sido posible identificar su ubicación exacta, hay quien cree que podría tratarse de El-Qubeibeh.

EL SUDARIO DE TURÍN

El Sudario de Turín es un retal de lino de color marfil de cuatro metros con las vagas huellas de un hombre crucificado. Durante la Edad Media floreció el negocio de reliquias religiosas y fue entonces cuando apareció este sudario, la mortaja en la que supuestamente se envolvió el cuerpo de Jesús. Desde entonces existe una gran polémica sobre su autenticidad.

Tomás, el incrédulo

JUAN 20

TOMÁS, EL INCRÉDULO

A las personas escépticas se las llama «Tomás». Tomás era uno de los discípulos de Jesús, pero no estaba con el resto cuando el Maestro se les apareció el Domingo de Resurrección. Tomás dijo que no creería que Jesús estaba vivo hasta ver y tocar las cicatrices de su cuerpo. Una semana más tarde, sus dudas y su escepticismo quedaron disipados al ver a Jesús con sus propios ojos.

כלך יהודים

REX IVDAEORVM

OBACIΛEΥCTωNIOΥΔAIωN

SUPERSCRIPCIÓN

La superscripción era una tabla que se colgaba del cuello del delincuente al llevarlo hasta el lugar de su ejecución y se clavaba en la cruz, sobre su cabeza. En ella se indicaba su nombre y el delito por el que se le ejecutaba. La superscripción que Pilato encargó para Jesús rezaba: «Jesús el Nazareno, rey de los judíos». Aquí se reproduce parte de ella, escrita de arriba abajo en hebreo, latín y griego.

En la noche de aquel día, los discípulos se hallaban apiñados en una estancia cerrada, ocultándose de las autoridades judías cuando, de repente, se les apareció Jesús. Al darse cuenta de quien era, su sorpresa se trocó en deleite.

«¡La paz sea con vosotros!», exclamó Jesús antes de mostrarles las cicatrices que le habían dejado en las manos los clavos con los que le sujetaron a la cruz, y la herida que tenía en el costado.

«Como el Padre me ha enviado, así también os envío yo». Dicho esto, sopló sobre ellos y exclamó: «Recibid el Espíritu Santo. A quienes perdonéis los pecados, les serán perdonados; a quienes se los retengáis, les quedarán retenidos».

Tomás, uno de los apóstoles, estaba ausente cuando todo esto ocurrió. Al contarle los otros que habían visto a Jesús, se negó a creerlos, diciendo: «Si no veo las cicatrices en sus manos y toco con mis dedos sus heridas, no lo creeré».

Una semana más tarde, los apóstoles volvieron a reunirse y, en aquella ocasión, Tomás estaba presente. Aunque las puertas estaban cerradas como la vez anterior, Jesús volvió a aparecer en la estancia. «¡La paz sea con vosotros!», dijo. Y luego se dirigió a Tomás: «Toca las heridas de mis manos. Mete tu mano en mi costado. ¡No seas incrédulo, sino fiel!».

Tomás, arrodillándose, exclamó: «¡Señor mío y Dios mío!».

«Has creído porque me has visto —dijo Jesús—. Bienaventurados quienes creen en mí sin haberme visto.»

Almuerzo con Jesús

JUAN 21

De nuevo en Galilea, varios discípulos salieron de pesca una noche con Simón Pedro. No obstante, pese a todos sus esfuerzos, cuando regresaron a la orilla al despuntar el alba no habían capturado ni un solo pez.

Desde la orilla, un hombre les preguntó: «¿Habéis pescado algo?».

«Nada», le respondieron.

«Echad la red a la parte derecha de la barca y pescaréis», les replicó el hombre. Sin saber muy bien por qué, hicieron como les dijo y, cuando fueron a sacar la red, estaba tan llena que no conseguían subirla a la barca.

«¡Es Jesús!», exclamó Juan. Al oírlo, Pedro saltó al agua y caminó por ella hacia el Señor. Los demás le siguieron, arrastrando tras de sí las pesadas redes.

Al llegar junto a él vieron que Jesús estaba ya preparando un almuerzo con pescado y pan sobre unas brasas calientes.

«Echad al fuego algunos peces de los que acabáis de pescar y almorzad conmigo», dijo Jesús. Compartió con ellos los alimentos que había preparado y comieron juntos.

Al acabar de almorzar, Jesús se llevó a Pedro aparte. «Simón, ¿me amas?», le preguntó.

«Sí, Señor, tu sabes que te quiero», respondió Pedro.

«Apacienta mis corderos», le pidió Jesús.

«Simón, ¿de verdad me amas?», volvió a preguntarle Jesús, mirando fijamente a Pedro a los ojos. Pedro respondió que sí. «Cuida de mis ovejas», le dijo Jesús.

Y una tercera vez Jesús le preguntó: «Simón, ¿me amas?».

Pedro estaba disgustado porque Jesús le hubiera repetido la pregunta. Frustrado, le contestó: «Señor, tú lo sabes todo, y también que te quiero».

«Apacienta mis ovejas —le ordenó Jesús. Y luego añadió—: Cuando eras joven, hacías lo que querías, pero cuando seas viejo te llevarán de la mano a sitios donde no quieras ir.»

Jesús le dijo aquello a Pedro para mostrarle cómo sería su muerte. Tras aquella solemne advertencia, le dijo: «¡Sígueme!».

PESCA NOCTURNA

En este relato, los discípulos pasan la noche pescando en el mar de Galilea. Los pescadores solían salir a faenar de noche, porque a esas horas los peces nadaban más cerca de la superficie y eran más fáciles de pescar.

El mar de Galilea

Pese a su nombre, el mar de Galilea no es un mar, sino un gran lago de agua dulce. Hoy se le conoce como el lago de Tiberíades, pero su nombre original era mar de Quinéret, derivado del término hebreo para «arpa» y que se asignó a este mar por su contorno.

REDES DE PESCADOR

En los tiempos bíblicos se usaban tres tipos de redes. El esparavel era una red con forma acampanada que se hundía con ayuda de unos plomos, podía lanzarse desde la orilla y se usaba para pescas a pequeña escala. La red de arrastre era larga y se hundía desde el bote en un semicírculo. Desde la orilla se tiraba de los extremos para cerrarla y atrapar a los peces. La tercera era la red de enmalle, larga y con flotadores. Es probable que los discípulos usaran esta última.

Jesús asciende al cielo

LUCAS 24; HECHOS 1

**LOS APÓSTOLES
Y LA ASCENSIÓN**

Tras resucitar de entre los muertos, Jesús permaneció en la Tierra cuarenta días antes de regresar al cielo para retomar su puesto de autoridad a la diestra de Dios. Su regreso al cielo, o ascensión, tuvo lugar en presencia de sus discípulos, en el monte de los Olivos. Fue elevándose en los cielos hasta que una nube lo ocultó a la vista de sus discípulos.

Después de resucitar de entre los muertos, Jesús se apareció a sus discípulos en varias ocasiones, durante las cuales, además de infundirles paz y sabiduría, les explicó a grandes rasgos lo que les deparaba el futuro.

Un día, Jesús se reunió con ellos en el monte de los Olivos, en Jerusalén, adonde sus discípulos acudieron emocionados y llenos de preguntas que hacerle. Jesús era su Mesías, el Salvador de Israel del que habían hablado los profetas del Antiguo Testamento. Era su rey y anhelaban ver a los romanos expulsados al fin de su país.

«Señor, nos has enseñado mucho sobre el reino de Dios, pero ¿cuándo vas a restituir el reino a Israel?», le preguntaron.

Jesús, pese a entender su impaciencia, respondió sin titubeos: «No os corresponde a vosotros saber el día y la hora que el Padre ha fijado para mi regreso. Esperad aquí en Jerusalén, porque pronto os enviaré al Espíritu Santo, que os conferirá la fuerza para hablar de mí a todo el mundo. Estoy construyendo mi reino espiritual aquí en la Tierra y vuestro papel en él es muy importante».

Cuando Jesús cesó su discurso, una nube lo ocultó a ojos de sus discípulos. Estos forzaron la vista, buscándolo en el cielo, pero Jesús se había desvanecido.

De repente, se les aparecieron dos hombres vestidos de blanco, dos ángeles, que preguntaron a los aturdidos discípulos: «¿Por qué buscáis a Jesús en el cielo? Ha ascendido al paraíso y un día regresará a la Tierra del mismo modo».

La venida del Espíritu Santo

HECHOS 2

Diez días después de que los apóstoles presenciaran cómo Jesús ascendía a los cielos empezaron a celebrar la festividad judía de Pentecostés, junto con los judíos de muchas naciones llegados a Jerusalén.

El domingo por la mañana los cristianos estaban reunidos como era su costumbre cuando, de repente, vino del cielo un estruendo como de viento que irrumpió en la casa en que se hallaban. Atónitos, contemplaron cómo unas lenguas de fuego se posaban sobre sus cabezas, llenándoles con el poder del Espíritu Santo.

Rebosantes de una fantástica alegría interior, empezaron a venerar a Dios a viva voz. Atraída por el alboroto, se congregó una muchedumbre que observó con asombro cómo los apóstoles empezaban a hablar a los visitantes en sus distintas lenguas.

«¿Pero no son galileos? —preguntó alguien de entre la multitud—. ¿Entonces cómo pueden hablar sobre las maravillas obradas por Dios en nuestra propia lengua?». Otros creyeron que los apóstoles estaban borrachos.

«No estamos borrachos —les explicó Pedro—. ¡Solo son las nueve de la mañana! Lo que ocurre es que Dios ha derramado sobre nosotros el Espíritu Santo y, justo como había vaticinado el profeta Joel, ahora podemos profetizar, ver visiones y sueños sorprendentes y obrar milagros. Jesús, a quien crucificasteis, está vivo, y Dios lo ha hecho el Señor de todos.»

Al oír aquello, la multitud, avergonzada, preguntó a los apóstoles qué debía hacer.

«No temáis —continuó Pedro—. Arrepentíos ante Dios por vuestros pecados y seréis bautizados. Dios os perdonará y os enviará el Espíritu Santo.»

Aquel día, unas tres mil personas se convirtieron en creyentes.

EL ESPÍRITU SANTO EN FORMA DE PALOMA
El Espíritu Santo encarna a Dios tal como lo experimentan personalmente los cristianos. El símbolo del fuego recordaba a los cristianos su santidad, mientras que el viento daba fe de su imponente presencia. Jesús apareció en el bautismo como una paloma, símbolo del amor y de la paz de Dios.

Los primeros cristianos

El día de Pentecostés, el Espíritu Santo descendió sobre los discípulos. Pedro oró valientemente ante los congregados en Jerusalén y tres mil personas se unieron a ellos aquel día: fue el inicio de la Iglesia cristiana.

Apóstoles

Los apóstoles son los «enviados» por Jesucristo. En concreto, la palabra hace referencia a los doce discípulos de Jesús y, sobre todo, a Pablo, que fue proclamado apóstol de los gentiles por Jesús resucitado. Los apóstoles de la primera iglesia compartían algo: habían sido testigos de la resurrección de Jesús, así como sirvientes de Cristo y figuras de autoridad en la iglesia, predicaban y difundían las enseñanzas, y fundaron numerosas iglesias nuevas.

Judíos y gentiles

Eran gentiles aquellas naciones y personas que no descendían directamente de Abraham y que, en consecuencia, se consideraban excluidas de las promesas que Dios hizo a Abraham y a sus descendientes. En un principio, Jesús instruyó a sus discípulos para predicar entre los judíos, pero, tras su resurrección, les encomendó difundir el Evangelio a todas las naciones. La iglesia no hizo jamás distinciones de raza o color y aceptó tanto a los judíos como a los gentiles.

Pablo

Saulo, más tarde conocido por su nombre romano, Pablo, era ciudadano romano de educación judaica. Nació en Tarso, una importante ciudad de Asia Menor, en el seno de una familia acaudalada que lo crió en la tradición judía ortodoxa. Fue educado como un fariseo bajo la tutela de Gamaliel, en Jerusalén, y persiguió afanosamente la iglesia desde sus principios. Fue uno de los que presenciaron la lapidación de Esteban, el primer mártir cristiano. Aunque su persecución amenazaba con destruir la iglesia, en realidad sirvió para difundir el cristianismo más allá de las fronteras de Jerusalén, pues obligó a los creyentes a huir a otros lugares.

Apóstoles

De camino a Damasco

La conversión de Pablo

Saulo había emprendido un viaje de seis días de duración hacia Damasco, donde debía arrestar a algunos creyentes, cuando quedó cegado por una luz deslumbrante. Cayó al suelo y oyó a Jesús decirle: «Saulo, Saulo, ¿por qué me persigues?». Fue llevado a Damasco y, durante tres días no comió ni bebió, hasta que un discípulo se le acercó y le devolvió la vista. Se bautizó entonces y asombró a todo el mundo al predicar en las sinagogas que Jesús era el Mesías. Los judíos urdieron su muerte, pero los creyentes lo descolgaron de las murallas de la ciudad en una cesta y logró escapar a Jerusalén. La iglesia, al ver que su fe era real, lo envió a Tarso para ponerlo a salvo.

Los viajes de Pablo

Pablo fue el primer apóstol que viajó profusamente con el fin de compartir el mensaje del Cristianismo. Realizó varios periplos misioneros. El primero de ellos lo llevó a Chipre, desde donde partió hacia la costa meridional de Asia Menor. En el segundo visitó varios puntos del noroeste de Asia Menor. Luego viajó a Macedonia e introdujo el cristianismo en Europa. También visitó Grecia y Malta, y fue apresado en Roma.

Los evangelistas

Los primeros evangelistas viajaban en barcos como este

Los evangelistas son los llamados por Dios para proclamar la buena nueva del Evangelio, para dar fe de su veracidad y para alentar a las personas a creer. Esta tarea se encomendó originalmente a los apóstoles y luego a otros creyentes a los que el Espíritu Santo dotó para llevarla a cabo. El papel de los evangelistas se considera vital en el contexto de los viajes misioneros como los realizados por Bernabé y Felipe, y en el seno de la iglesia local, donde sus líderes (como Timoteo) fueron instruidos para realizar la labor de un evangelista. Los primeros evangelistas realizaron muchos viajes por el Mediterráneo.

La difusión de la iglesia
Los apóstoles como Pablo visitaron ex profeso las ciudades clave para fundar iglesias, pero algunos cristianos tuvieron que huir de Judea y crearon iglesias allá donde se establecieron.

Las enseñanzas de Pablo

Pablo consideraba la muerte y resurrección de Jesucristo esenciales para la salvación de Dios. Recalcaba que para establecer una relación adecuada con Dios debe confiarse en él. Quienes se convierten en cristianos forman «parte de Cristo» y el Espíritu Santo les infunde vida. Pablo también profetizó la segunda venida de Jesús, en la que los muertos resucitarán, se destruirá el mal y la oposición a Dios, y llegará el reinado de Dios. Alentó a los cristianos a conducir sus vidas con fe, santidad y obediencia mientras aguardaban el regreso de Jesús.

El Espíritu Santo

El Espíritu Santo es la fuerza oculta del poder de Dios, en ocasiones comparada con el viento. La gente tomaba conciencia de su poder cuando otros creían en Jesús o eran sanados. En Pentecostés, el viento y el fuego eran las señales con las que Dios anunciaba la llegada del Espíritu. Tras ser bendecida, la persona se convertía en cristiana.

Antioquía

Antioquía, la capital de Siria, era la tercera metrópoli del imperio romano. En ella habitaba una numerosa comunidad judía. Tras la muerte de Esteban, muchos creyentes perseguidos huyeron de Jerusalén a Antioquía, donde se fundó una de las iglesias católicas más grandes, activas y tempranas. Allí fue donde los conversos fueron llamados por primera vez «cristianos». Pablo y Bernabé predicaron allí y fue la iglesia de Antioquía la que los envió en sus misiones a Chipre y otros lugares del mundo. La ciudad fue destruida por un terremoto en el año 526 d.C.

Lectura de las buenas nuevas

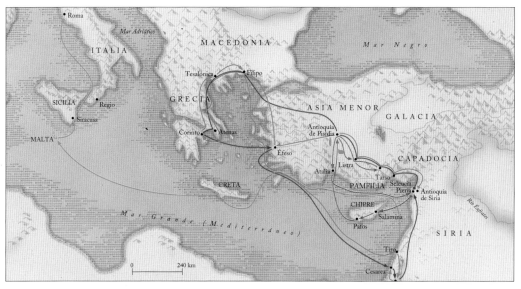

Los primeros cristianos creyentes

HECHOS 2, 4, 5 Y 9

JOPPE

Joppe, donde Pedro hizo resucitar a Tabitá, es una población portuaria del mar Mediterráneo situada al noroeste de Jerusalén. Fue fundada en el siglo XVII a.C., por lo que para cuando se redactó el Nuevo Testamento ya era una ciudad antigua. En la actualidad, Joppe se conoce como Jaffa y forma parte de Tel-Aviv. Durante largo tiempo estuvo ocupada por los filisteos.

LOS AUTORES DE LOS CUATRO EVANGELIOS

La vida y las enseñanzas de Jesús están registradas en los cuatro evangelios. Sus autores, Mateo, Marcos, Lucas y Juan, fueron todos discípulos o seguidores de Jesús. San Lucas escribió además el libro de los Hechos, que narra la historia de los primeros cristianos.

El número de seguidores de Jesús fue en aumento. Cada día se congregaban en los patios del templo, donde los apóstoles hablaban con vehemencia acerca de la resurrección de Jesús. Los creyentes compartían sus alimentos en casas de otros fieles, tras dar gracias a Dios por ellos.

Los creyentes, unidos por el deseo de ayudarse mutuamente, velaban por que nadie pasara necesidades. Un hombre llamado José vendió un campo y entregó el dinero a los apóstoles. Su talante generoso y humanitario le valió el apodo de Bernabé, que significa 'hijo de la consolación'. Pero Bernabé fue tan solo uno de los muchos que vendieron sus tierras y casas y entregaron su importe a los apóstoles para que lo distribuyeran entre los necesitados.

Pedro viajó por el país. Un día, durante una visita a un grupo de creyentes en Lida, conoció a un hombre llamado Eneas, que llevaba paralítico ocho años.

«Jesucristo te sanará, Eneas», le aseguró Pedro. Tan pronto profirió aquellas palabras, Eneas se levantó. Cuando los habitantes de Lida vieron a Eneas de pie, creyeron en Jesús.

Mientras Pedro permanecía en Lida, una mujer llamada Tabitá murió en la cercana Joppe. Tabitá era una mujer muy querida por su extrema bondad hacia los pobres, para los que confeccionaba ropas. Sus amigos le enviaron un mensaje a Pedro en el que le solicitaban que acudiera de inmediato.

Cuando Pedro llegó, lo condujeron escaleras arriba hasta la habitación en la que yacía el cuerpo de Tabitá. Pedro ordenó que los dejaran solos, se arrodilló y oró. Volviéndose hacia la mujer inerte, dijo: «Tabitá, levántate».

Tabitá abrió los ojos y se sentó. Pedro la ayudó a ponerse en pie y luego invitó a los creyentes a entrar. Aquellos que presenciaron este milagro difundieron la noticia por toda la ciudad y gracias a ello se multiplicó el número de creyentes en Jesús.

En Jerusalén, los demás apóstoles curaron a muchos enfermos. Pronto acudió a ellos en busca de cura una multitud de personas aquejadas por todo tipo de males, incluso poseídas por demonios. Ninguna de ellas fue decepcionada. Todas fueron sanadas.

Pedro sana al mendigo

HECHOS 3

EL MURO DE LAS LAMENTACIONES

La pared oeste, el Muro de las Lamentaciones, es todo lo que queda del templo de la época de Jesús. El resto fue destruido por los romanos en el año 70 d.C. Los judíos acuden al Muro de las Lamentaciones para llorar la desaparición del templo.

C aminaban Pedro y Juan en dirección al templo una tarde cuando vieron que unas personas llevaban a cuestas a un hombre hasta la puerta del mismo llamada Hermosa. Llevaban a aquel hombre cojo de nacimiento hasta el lugar donde solía pedir limosna, en el patio del templo. Cuando vio a los dos apóstoles, les pidió limosna.

Pedro le observó atentamente y le dijo: «¡Míranos bien!». Y el hombre lo hizo, con la esperanza de que le dieran algo.

«No poseo oro ni plata —le explicó Pedro—, pero tengo algo para ti. En el nombre de Jesús de Nazaret, levántate y anda.»

Luego Pedro tendió la mano al hombre y lo levantó. Mientras lo hacía, el hombre sintió que los pies y los tobillos se le fortalecían. Dio un salto y entró caminando junto a ellos en el patio del templo. Brincaba como un niño, mientras alababa a Dios.

Todos lo reconocían como el pobre tullido que solía pedir limosna en la puerta y quedaron perplejos al comprobar lo que le había ocurrido. El comportamiento del hombre causó algún revuelo y en breve una multitud rodeaba a Pedro y Juan.

Pedro les dijo: «Israelitas, ¿por qué os maravilláis? ¿Por qué nos miráis como si hubiéramos hecho andar a este hombre por nuestro propio poder?

Esto es obra de Jesús, el siervo de Dios, el hombre a quien entregasteis a Pilato para su ejecución. Preferisteis liberar a un asesino y negasteis a este santo. Pensasteis haber puesto fin a su vida, pero Dios lo resucitó y es por su poder por el que este hombre es ahora capaz de andar.

Lo que hicisteis a Jesús fue por ignorancia, pero Dios utilizó su muerte para cumplir lo que los profetas habían vaticinado. Os insto a arrepentiros de vuestros pecados y a confiar en Dios.

¿Recordáis la promesa que Dios hizo a Abraham? Dios le dijo que todas las naciones del mundo serían bendecidas a través de Él. Dios os envía a Jesús resucitado. Arrepentíos de vuestros pecados y seréis bendecidos por Dios».

La mentira de Ananías y Safira

HECHOS 5

Uno de los creyentes era un hombre llamado Ananías, el cual vendió sus posesiones para obtener dinero para los pobres. No obstante, su mujer, Safira, y él decidieron quedarse para sí parte de las ganancias.

Ananías entregó el resto del dinero a los apóstoles, afirmando que era todo lo que había obtenido por sus ventas.

Pero Pedro le acusó duramente: «¿Por qué has dejado que Satán se apodere de tu alma? Te has quedado parte del importe de la venta de tu campo. ¿Por qué has mentido al Espíritu Santo?

¿No eras dueño de tus tierras antes y podías haber dispuesto del precio de su venta? ¿Cómo has podido hacer lo que has hecho? No nos has mentido a nosotros, sino a Dios».

Lleno de miedo y vergüenza, Ananías cayó fulminado y murió. Pedro hizo venir a algunos jóvenes, que envolvieron el cuerpo de Ananías, se lo llevaron y lo enterraron.

Unas tres horas después llegó Safira, ignorante de lo que le había ocurrido a su marido. Pedro le mostró el dinero que Ananías le había entregado.

«¿Es este todo el dinero que Ananías y tú recibisteis por la venta del campo?», preguntó a la mujer.

«Sí», respondió ella, inquieta por la naturaleza de la pregunta.

«¿Por qué acordaste con tu marido poner a prueba a Dios? Los hombres que acaban de enterrar a Ananías han regresado del cementerio y ahora será a ti a quien tengan que dar sepultura», sentenció Pedro.

Tal y como le había ocurrido a Ananías, Safira cayó fulminada. Los jóvenes levantaron el cuerpo y repitieron la penosa tarea que acababan de realizar con su marido.

Cuando las noticias de estos trágicos eventos se propagaron, un gran temor se apoderó de todos los presentes en la iglesia y de quienes oyeron lo ocurrido.

LA CRUCIFIXIÓN DE PEDRO
Según cuenta la leyenda, Pedro murió en Roma durante el reinado del emperador Nerón, que lo mandó crucificar cabeza abajo. Nerón culpó a los cristianos del devastador incendio que destruyó gran parte de Roma en 64 d.C. Por ello los persiguió y les dio muerte.

DINERO OCULTO
Ananías y su mujer Safira querían que los apóstoles creyeran que eran unos donantes generosos. Les entregaron parte del dinero que habían cobrado por la venta de un campo, afirmando que se trataba de todo lo obtenido. Pagaron su falta de honradez con sus vidas.

Felipe y el etíope

Un ángel informó al apóstol Felipe de que debía viajar hacia el sur, por el camino del desierto, hasta Gaza. Obediente, Felipe se puso en marcha, preguntándose cuál sería la labor que Dios quería encomendarle.

Por aquel camino viajaba un importante oficial etíope que cuidaba de la fortuna de la reina de Etiopía. Había acudido a Jerusalén para venerar a Dios y ahora se hallaba de regreso a su hogar. Mientras viajaba en su carro, el etíope leía las escrituras del profeta Isaías.

El Espíritu Santo instruyó a Felipe para que le diera alcance. Felipe corrió entonces en paralelo al carro y preguntó al etíope: «¿Entiendes lo que lees?».

«Llevo mucho tiempo esperando a que alguien me lo explique —le contestó el etíope—. Por favor, sube y viaja conmigo.» Y Felipe trepó al carro.

«Isaías habla de alguien que acude a su muerte como un cordero que va a ser sacrificado —comentó el etíope, perplejo—. Fue tratado injustamente y asesinado por quienes le negaron a concederle un juicio justo. ¿Hablaba Isaías de sí mismo o de otra persona?»

«Hablaba del Mesías que murió por salvarnos a todos de nuestros pecados», respondió Felipe. Luego explicó al etíope que Jesús era el Mesías y había resucitado de entre los muertos. Por fin, el etíope conoció la respuesta a sus preguntas.

Viajaron juntos hasta llegar a un estanque. «Ahora que he comprendido y creo en Jesús, ¿por qué no me bautizas?», preguntó el etíope.

Felipe lo bautizó de buen grado. En cuanto salieron del agua, el Espíritu Santo se llevó a Felipe y el etíope no volvió a verlo, pero prosiguió su viaje rebosando de alegría.

ETIOPÍA
Esta ciudad es Addis Abeba, la capital de la actual Etiopía. El país se encuentra en el nordeste de África, una zona de mayoría musulmana. Pese a ello, Etiopía siempre ha albergado grandes comunidades cristianas. Hoy más de un tercio de los etíopes son cristianos. Pertenecen a la iglesia ortodoxa etíope, fundada en el siglo IV.

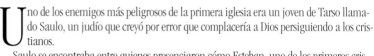

DAMASCO

Damasco era la capital de la provincia romana de Siria, situada al norte de Palestina. La ciudad se erigía en la encrucijada de una importante red de rutas comerciales. Se calcula que el viaje de Saulo por el camino que unía Jerusalén con Damasco debió llevarle entre cuatro y seis días. Esta casa está construida en la muralla de la antigua ciudad, que aún se alza en pie.

Uno de los enemigos más peligrosos de la primera iglesia era un joven de Tarso llamado Saulo, un judío que creyó por error que complacería a Dios persiguiendo a los cristianos.

Saulo se encontraba entre quienes presenciaron cómo Esteban, uno de los primeros cristianos, fue lapidado hasta la muerte. Saulo apoyaba a quienes lo asesinaron.

Después de aquel acontecimiento, Saulo intentó destruir la iglesia de Jerusalén. Fue de casa en casa buscando a los cristianos y envió a la prisión a todos aquellos a los que encontró. Algunos incluso fueron ejecutados. Muchos creyentes tuvieron que huir de la ciudad para escapar de la persecución de Saulo.

Saulo se presentó ante el sumo sacerdote y le solicitó permiso para acudir a la ciudad de Damasco. Allí tenía previsto arrestar a todos los seguidores de Jesús y devolverlos a Jerusalén. El sumo sacerdote le concedió autoridad y Saulo emprendió su macabro viaje.

Sin embargo, mientras marchaba a pie por el camino, una luz cegadora procedente del cielo lo deslumbró. Saulo se cubrió los ojos y cayó al suelo.

Oyó entonces una voz que le decía: «¿Por qué me persigues, Saulo?».

Temeroso, Saulo respondió: «¿Quién eres, Señor?».

«Soy Jesús —respondió la voz—. Levántate ahora y ve a la ciudad. Allí se te dirá lo que debes hacer.»

Saulo se levantó y, al abrir lo ojos, se dio cuenta de que había quedado ciego. Los hombres con los que viajaba lo condujeron hasta Damasco. Saulo permaneció ciego tres largos días durante los cuales la humillación que le provocó su encuentro con Jesús le llevó a negarse a comer y beber.

En Damasco había un discípulo llamado Ananías. Un día, Dios le habló y le ordenó acudir a una casa de la calle Recta en busca de un hombre de Tarso llamado Saulo.

Pero Ananías sintió miedo. «Señor, he oído que ese hombre ha causado problemas a tus seguidores en Jerusalén —alegó presa

de los nervios—. Ha venido
hasta aquí para arrestarnos.»

Dios repitió su orden y explicó:
«He escogido a Saulo para difundir
mis enseñanzas. Le mostraré los sufrimientos que padecerá en mi nombre».

Ananías acudió a la casa, encontró
a Saulo y le impuso las manos.
«Hermano Saulo —le dijo—, me envía
Jesús, nuestro Señor, que se te apareció
en el camino.» Inmediatamente una
especie de escamas de pez se despren-
dieron de los ojos de Saulo, quien recuperó la vista y fue ocupado por el
Espíritu Santo.

Saulo fue bautizado sin tardanza y
luego se unió al resto de los discípulos
en Damasco, quienes se mostraron sorprendidos del cambio operado en él.
Pronto empezó a predicar sobre Jesús
en las sinagogas.

SAN PABLO

Tras convertirse en cristiano, Saulo pasó a ser conocido por la versión romana de
su nombre, Pablo, y devino
uno de los principales apóstoles. Fundó muchas nuevas
iglesias y fue el responsable
de difundir el Cristianismo
por Europa. Las cartas que
escribió a algunas de las
primeras iglesias ocupan
buena una parte del Nuevo
Testamento de la Biblia.

Dios ama todas las cosas

HECHOS 10

MOSAICO DE LEOPARDO

Este mosaico de leopardo se descubrió al excavar en la sinagoga de Maón. Se remonta a algún momento entre los siglos IV y VI. Maón se halla a 14 km al sur de la actual Hebrón, en Israel. Esta rodeada de tierras de pasto, probablemente la «jungla de Maón» donde la Biblia afirma que David se escondió de Saulo.

En la ciudad de Cesarea vivía un centurión temeroso de Dios llamado Cornelio. Una tarde se le apareció un ángel en una visión. «Dios ha oído tus plegarias —le dijo el ángel—. Envía a tus hombres a Joppe para recoger a Pedro. Está en casa de Simón, el curtidor.»

Cornelio mandó llamar al instante a algunos de sus criados y les dio instrucciones para que cumplieran los deseos del ángel. Partieron y llegaron a Joppe el día siguiente.

Al llegar, Pedro se hallaba en la azotea de la casa, adonde había subido a rezar. Mientras rezaba había caído en trance. Vio lo que le pareció una gran sábana que descendía de cielo. La sábana transportaba todo tipo de animales, reptiles y aves.

«Anda, Pedro, mata y come», dijo una voz.

«¡No! —respondió Pedro—. Jamás en mi vida he comido nada impuro.»

La voz volvió a hablar: «No llames impuro a lo que Dios ha purificado».

La escena se repitió tres veces y, acto seguido, la sábana se desvaneció con tanto misterio como había aparecido.

Mientras Pedro intentaba descifrar el significado de aquella visión, el Espíritu Santo le habló: «Han venido a buscarte unos hombres. Parte con ellos».

El día siguiente, los hombres de Cornelio y Pedro regresaron a Cesarea. Tras saludarlo, Cornelio explicó a Pedro la visita del ángel.

Pedro comprendió entonces la visión. «Dios me ha demostrado que no tiene predilectos. Acepta a cualquiera, independientemente de su nacionalidad, siempre y cuando le tema y le obedezca. Soy testigo del mensaje de Jesucristo. Aunque mi pueblo lo ejecutó, Dios resucitó a Jesús y lo escogió para juzgar a los vivos y los muertos, como profetizaron las antiguas escrituras.»

Mientras hablaba, descendió el Espíritu Santo, como había hecho en Pentecostés. Los judíos que se hallaban con Pedro quedaron asombrados al ver que incluso quienes no eran judíos rezaban a Dios y hablaban en distintas lenguas.

«No veo motivo para no bautizar a estas personas, ya que el Espíritu Santo ha descendido sobre ellas tal como vino a nosotros», anunció Pedro.

Así fueron bautizados Cornelio y sus acompañantes en el nombre de Jesucristo.

Un ángel libera a Pedro

El rey Herodes arrestó a algunos creyentes y ejecutó a Santiago, el hermano de Juan. Luego mandó arrestar a Pedro y conducirlo a prisión, donde estuvo custodiado por 16 soldados. Herodes tenía previsto juzgar a Pedro en Pascua. Entre tanto, lo tuvo encerrado bajo llave. Pero en la iglesia siguieron rezando por él.

La víspera del día en que debía celebrarse el juicio, Pedro se durmió muy rápidamente. Estaba encadenado entre dos soldados y muchos otros velaban la entrada a la cárcel.

De repente se apareció un ángel en la celda y la inundó de luz. El ángel despertó a Pedro y le dijo: «¡Levántate!». Al hacerlo, las cadenas que sujetaban las muñecas de Pedro cayeron al suelo.

«Vístete y sígueme», prosiguió el ángel. Pedro, creyendo que se trataba de un sueño, siguió al ángel.

Burlaron la primera guardia, y luego la segunda. Cuando finalmente llegaron a la pesada puerta de hierro de la prisión, esta se abrió por sí misma y Pedro quedó en libertad. El ángel lo acompañó por la calle y luego se desvaneció en el aire.

Pedro supo entonces que no soñaba. «El Señor me ha rescatado», pensó. Apretó el paso para ir a casa de la madre de Marcos, María. En su interior, algunos creyentes rezaban. Una muchacha llamada Rode acudió a su llamada. Cuando se dio cuenta de quién era, olvidándose de abrir la puerta, fue corriendo a avisar a los demás. «¡Pedro está aquí!», gritó.

«¡Estás loca!», le contestaron. Sin embargo, Pedro seguía llamando a la puerta y fueron a ver qué ocurría. Para su sorpresa, allí estaba Pedro, tal y como había afirmado Rode.

Cuando Pedro les relató lo que había ocurrido, los demás apenas podían creerlo. Para acabar, Pedro les alentó a que difundieran entre los demás las emocionantes noticias de cómo Dios lo había rescatado.

ÁNGELES

Los ángeles aparecen en repetidas ocasiones en el libro de los Hechos. Rescatan a personajes de la cárcel y, en ocasiones, instruyen y guían a personas, ya sea directamente o a través de sueños y visiones.

LLAVES DE LA PRISIÓN

Los prisioneros solían permanecer encadenados o encerrados en calabozos donde pudieran estar bajo vigilancia permanente. Sus guardas se enfrentaban a la muerte si permitían que un prisionero escapara. Es probable que la prisión en la que estuvo Pedro fuera la Fortaleza de Antonia, en Jerusalén.

Prédica de la buena nueva

HECHOS 13-14

Los líderes de la iglesia de Antioquía se hallaban reunidos, orando y ayunando, cuando el Espíritu Santo les habló y les anunció que Pablo y Bernabé debían abandonar la ciudad porque tenían una misión importante que cumplir en otro lugar.

Así, Pablo y Bernabé zarparon hacia Chipre, donde había un falso profeta llamado Barjesús. Pablo le preguntó: «¿Por qué no dejas de oponerte al Señor? Él te alcanzará y te cegará por un tiempo». Barjesús quedó ciego al instante y tuvo que ser conducido a otro lugar. Sergio, el gobernador de la isla, quedó tan sorprendido por aquel hecho que se convirtió en seguidor de Jesús.

Desde Chipre, Pablo y Bernabé viajaron a Antioquía de Pisidia. Una vez allí, el sábado acudieron a la sinagoga, donde Pablo habló sobre la resurrección de Jesús. Les invitaron a regresar el sábado siguiente. Para aquella ocasión se reunió en la sinagoga prácticamente toda la ciudad con el fin de oír su mensaje.

«Primero acudimos a los judíos, pero, como rechazaron nuestras enseñanzas, nos dirigiremos a los gentiles —explicó Pablo—. El Señor habla de llevar la luz a todo el mundo.»

Los gentiles se mostraron encantados, pero los judíos incitaron a algunas personalidades de la ciudad contra ellos y se vieron obligados a huir.

Pablo y Bernabé fueron entonces a predicar a Iconio, pero los judíos habían confabulado para darles muerte, por lo que una vez más tuvieron que abandonar la ciudad.

En Listra sanaron a un cojo y fueron aclamados como dioses por las multitudes. Pablo, horrorizado, intentó convencerlas de que él y Bernabé eran personas corrientes. Pese a ello, el pueblo intentó ofrecerles sacrificios.

Poco después llegaron a la ciudad algunos judíos procedentes de Iconio y volvieron a los habitantes de Listra contra Pablo. Lo atacaron, lo lapidaron y lo expulsaron de la ciudad, dándolo por muerto. Pero algunos discípulos acudieron junto a él y lo revivieron. Pablo abandonó la ciudad al día siguiente.

Pablo y Bernabé regresaron a Antioquía para relatar todo lo que les había acontecido.

ZEUS

Zeus era el dios griego de los cielos y el patrón de la ciudad de Listra. De acuerdo con una antigua leyenda, los dioses Zeus y Hermes habían visitado en una ocasión la zona y solo habían sido reconocidos por una pareja de ancianos. El pueblo de Listra no quería cometer el mismo error dos veces, por lo que cuando Pablo y Bernabé sanaron al inválido, creyeron que se trataba de Zeus y Hermes, e intentaron ofrecerles sacrificios.

Un terremoto sacude la prisión

HECHOS 16-17

Al poco, Pablo se embarcó en un segundo viaje, llevándose consigo a un amigo llamado Silas. Viajaron a Filipos, en Macedonia.

Había en la ciudad una esclava poseída por un espíritu. Sus dueños se enriquecían gracias a sus predicciones. Durante varios días, la muchacha siguió a Pablo y a su comitiva a todos sitios, gritando: «Estos hombres os anuncian el camino de la salvación». Harto, Pablo instó al espíritu a abandonarla.

Cuando los amos de la muchacha se dieron cuenta de que el espíritu la había abandonado, se enfadaron, pues significaba la pérdida de su fuente de ingresos. Llevaron a Pablo y Silas ante los magistrados y realizaron contra ellos falsas acusaciones. Sus mentiras fueron aceptadas, y Pablo y Silas fueron azotados y encerrados en prisión.

En mitad de la noche, un gran terremoto sacudió la cárcel. Las puertas se abrieron y se soltaron las cadenas de los prisioneros. Cuando el carcelero despertó, le asombró ver las puertas abiertas de par en par. Convencido de que los prisioneros habían escapado, desenvainó su espada y ya se disponía a matarse cuando Pablo gritó: «¡No! ¡Estamos aquí!».

El carcelero pidió antorchas y la luz le permitió ver que Pablo decía la verdad. Perplejo, preguntó a Pablo: «¿Qué debo hacer para salvarme?». «Confía en Jesús, nuestro Señor, y tú y tu familia seréis salvados», le contestó Pablo. Luego explicó al hombre y su familia las hazañas de Jesús y estos, llenos de felicidad, pidieron ser bautizados.

La mañana siguiente, los magistrados mandaron liberar a Pablo y Silas, pero estos se negaron a abandonar la prisión.

«Nos han azotado y encerrado sin escucharnos, aunque somos ciudadanos romanos —protestó Pablo—. Si los magistrados quieren que nos vayamos, que vengan ellos mismos y nos liberen.»

Cuando los magistrados descubrieron que Pablo y Silas eran ciudadanos romanos, sintieron una gran preocupación y acudieron ellos mismos a sacarlos de prisión y les urgieron a abandonar Filipos.

Tras una breve visita de aliento a los creyentes, Pablo y Silas partieron rumbo a Tesalónica.

Discusión con sus enemigos

HECHOS 21-26

En muchos de los lugares que visitó, Pablo se enfrentó a quienes intentaron evitar que predicara la palabra de Jesús. Al saber sus amigos que el profeta Ágabo predecía que lo apresarían en Jerusalén, le rogaron que no fuera.

«En cada ciudad, Dios me advierte de que me enfrento a la prisión y las penurias —alegó Pablo, negándose a abandonar su empresa—, pero mi vida entera está dedicada a difundir el evangelio de la gracia de Dios. ¿Por qué lloráis? Estoy dispuesto a morir por mi amado Jesús.»

En el templo de Jerusalén, algunos judíos azuzaron a la multitud para que atacara brutalmente a Pablo hasta darle muerte. El tribuno romano ordenó que lo arrestaran, pero, al saber que Pablo era ciudadano romano, decidió no castigarlo, por no hallarlo culpable. Deseoso de conocer la verdad, el tribuno llevó a Pablo ante el consejo judío para que respondiera por sus cargos, pero los jueces se limitaron a discutir entre ellos.

Tras desentrañar el sobrino de Pablo una trama para emboscar y asesinar a Pablo, el tribuno ordenó a sus soldados que lo escoltaran hasta Cesarea. Allí pasó dos años en prisión. Pablo no perdió la oportunidad de hablar a los dirigentes romanos sobre Jesús. «Solo repito lo que los profetas predijeron: que Jesús sufriría y luego resucitaría de entre los muertos —protestó—. No he cometido ningún delito contra la ley religiosa o el César.»

Y las autoridades le dieron la razón.

RUINAS DE CESAREA

Cesarea era un puerto profundo construido por Herodes el Grande y bautizado en honor a César Augusto. La ciudad se convirtió en capital de la provincia romana de Judea y en residencia de los gobernadores romanos. Excavaciones recientes han desenterrado una piedra con el nombre de Poncio Pilato inscrito. Pablo visitó la ciudad en al menos tres ocasiones antes de ser juzgado por el gobernador Félix. Pablo apeló al César de Roma. Según la ley romana, Pablo tenía derecho a un juicio justo en Roma.

Naufragio de camino a Roma

Tras varios años de prisión, Pablo decidió apelar su caso ante el emperador de Roma. Hecho esto, zarpó rumbo a Italia junto con otros prisioneros y algunos amigos. La estación de tormentas mediterráneas se desató y fuertes vientos desviaron el barco de su rumbo. Finalmente, Pablo advirtió a un centurión romano llamado Julio: «Es demasiado arriesgado continuar. Nuestras vidas corren peligro».

El capitán del barco no estaba de acuerdo y decidió proseguir el viaje. Al acercarse a Creta, se desencadenó un huracán que zarandeó el barco con tal violencia que todos los que se hallaban a bordo perdieron la esperanza de conservar la vida.

«Deberíais haberme escuchado —les dijo Pablo—, pero no temáis. Dios me ha dicho que, aunque naufragaremos, ninguno de nosotros morirá.»

Tras dos semanas de tormentas, la tripulación se dio cuenta de que se hallaban en aguas poco profundas e intentó escapar en el bote salvavidas para evitar chocar con las rocas. «Deben permanecer en el barco —insistió Pablo a Julio— o se ahogarán.» Pablo sabía que Dios los protegería. Empezó a comer y alentó a todo el mundo a unírsele.

Cuando por fin divisaron tierra, el barco colisionó con un banco de arena y se hizo añicos. Los soldados querían matar a todos los prisioneros para evitar que escaparan, pero Julio los detuvo porque deseaba salvar a Pablo. Los 276 pasajeros alcanzaron la orilla con vida, tal como Dios había prometido.

La isla a la que arribaron fue Malta, donde permanecieron el invierno antes de zarpar hacia Roma. Al llegar a Roma, Pablo estuvo bajo arresto domiciliario durante dos años a la espera de su juicio. Jamás cesó de predicar con fervor la palabra de Jesús.

JULIO CÉSAR

Con el auge del imperio romano en el siglo I a.C., hombres ambiciosos empezaron a disputarse el poder. Julio César venció a Pompeyo y asumió el título de «dictador». Magnífico gobernante, fue asesinado por Bruto y Cayo el año 44 a.C.

CRETA

Creta es la mayor isla griega. Los romanos la designaron provincia en 66 a.C. Hoy muchos cretenses pertenecen a la iglesia ortodoxa.

ESCAÑO ROMANO

Los romanos llevaron la ley, el orden y la estabilidad a los países que gobernaron, haciendo respetar la paz mediante el despliegue de soldados en todo el Imperio. Este escaño romano se utilizaba durante las gestiones oficiales. La ciudad de Roma se convirtió en la sede del gobierno civil.

Los ciudadanos de la antigua Roma llevaban una prenda exterior llamada «toga». La toga era un trozo de tela semicircular que se enrollaba al cuerpo y caía hasta los pies haciendo pliegues. En principio era una prenda de hombre y mujer, pero con el tiempo las mujeres empezaron a llevar un manto llamado «palla».

EL FORO ROMANO

El foro era una plaza pública situada en el corazón de la antigua Roma. Todos los templos, edificios gubernamentales y monumentos importantes de la ciudad circundaban el foro, que era, además, un centro de reunión en el que los ciudadanos discutían los temas cotidianos importantes.

ABRAHAM

En esta carta, Pablo cuenta que Abraham no se convirtió en el padre del pueblo hebreo por nada especial, sino por confiar en Dios. En la misma línea, Pablo afirma que todos debemos confiar en Dios para recibir el don de una nueva vida espiritual.

En buenas relaciones

ROMANOS 1-16

L a carta a los romanos es la primera de las 21 cartas o «epístolas» que recoge el Nuevo Testamento. Se cree que 13 de ellas son obra del apóstol Pablo. Estas cartas se enviaron a iglesias e individuos. Muchas de ellas describen las visitas que Pablo realizó durante sus misiones. Este las escribió para alentar la fe de los nuevos creyentes y advertirles de los peligros y las dificultades que les acechaban. A continuación se reproduce parte de una carta que Pablo escribió a los cristianos de Roma:

«Desde la creación del mundo, Dios ha mostrado claramente su poder y su carácter y, sin embargo, hemos escogido ignorarlo. No hay una persona en la Tierra que obedezca a Dios con el honor que merece. Todos hemos fallado en seguir las órdenes sagradas de la ley de Dios. Todos somos pecadores. Pero Dios nos ha mostrado ahora un camino para estar en buena relación con él, un camino que no depende de mantener la ley. Dios envió a su hijo, Jesucristo, para sufrir y morir por nosotros».

Nuestro antepasado Abraham fue aceptado no por lo que hizo, sino por el simple hecho de confiar en la palabra de Dios. Dios bendijo a Abraham. Le dio un hijo y perpetuó su vida en sus descendientes. Abraham se convirtió en el padre de muchas naciones. Del mismo modo, Dios nos ha entregado a su propio Hijo. Como Abraham, somos incapaces de hacer nada por nosotros mismos, pero también hemos recibido la vida a través del don que el Hijo de Dios hizo al mundo.

Ya no tenemos que intentar complacer a Dios obedeciendo la Ley. El antiguo sistema de la Ley murió con Jesús. Cuanto más estudiábamos y acatábamos la Ley, más nos tentaba desobedecerla. Ahora que está muerto y enterrado somos libres para vivir una vida que complazca a Dios. Tal y como resucitó a Jesús, Dios nos da vida para que le sirvamos. Antes éramos esclavos de nuestros pecados, ahora debemos serlo del bien y del buen comportamiento.

Aún deberemos luchar para superar nuestro antiguo modo de vida y las tentaciones cotidianas que intentan destruirnos. Pero Dios ha enviado al Espíritu Santo para que nos guíe y nos llene de fuerza y determinación para vivir por él. El poder del Espíritu resucitó a Jesús. Si el Espíritu vive en nosotros, su energía y su poder ilimitados nos ayudarán a servir a Dios. Todo el bien que hagamos procede de Dios y no de nuestros esfuerzos. ¡Suya es la gloria! Amén.

La armadura de Dios

EFESIOS 6

É feso era la ciudad más importante de la parte occidental de Asia Menor (la actual Turquía). Estaba situada en la ruta de caravanas que unía Europa y Asia, y constituía un bullicioso centro comercial, político y religioso. Durante su tercera misión, el apóstol Pablo permaneció en Éfeso durante dos años. Más tarde escribió a los cristianos de la ciudad acerca de las bendiciones espirituales que les había concedido Jesucristo, de los planes de Dios para su pueblo y de su desarrollo día a día. He aquí un extracto del final de la carta.

Por lo demás, sed valientes. Confiad en el Señor y en su inmenso poder. Revestíos de la armadura de Dios para poder resistir las asechanzas del diablo. Recordad: vivir como un creyente en el mundo no es fácil. Estamos en guerra. No luchamos contra cosas visibles, sino contra los gobernantes y reinos de este mundo pecaminoso y contra fuerzas malignas que están en las alturas.

Por este motivo debéis protegeros con la armadura de Dios y con sus armas. Cuando el diablo ataque, como atacará, podréis manteneros firmes. Ceñíos bien el cíngulo de la verdad a la cintura. Cubríos el pecho con la coraza de la justicia. Calzaos los pies con la alerta que inspira el evangelio de la paz. Protegeos con el escudo de la fe, utilizándolo para desviar los dardos del diablo. Llevad orgullosamente el casco de la salvación en la cabeza y sostened la espada del Espíritu, que es la palabra de Dios, firmemente en la mano. No lograréis sobrevivir sin estas armas.

Y no ceséis de orar, porque la oración es indispensable. Cualesquiera que sean las circunstancias, rezad bajo la inspiración del Espíritu y recordad a los demás creyentes en vuestras oraciones.

Finalmente, rezad también por mí, para que cuando tenga la oportunidad de difundir la palabra del Señor, predique su evangelio con valentía. Orad porque pueda proclamar el evangelio sin miedo, como se me ha encomendado.

RUINAS DE ÉFESO
Éfeso era la capital de la provincia romana de Asia. San Pablo y san Juan ayudaron a establecer en ella una iglesia floreciente, que se convirtió en la principal comunidad cristiana de Asia. Los arqueólogos descubrieron las ruinas de Éfeso a finales del siglo XIX.

ARTEMISA DE ÉFESO
El templo de Artemisa de Éfeso era una de las siete maravillas de la Antigüedad. El culto a la diosa Artemisa estaba relacionado con la fertilidad. Durante su visita a Éfeso, Pablo oró en el templo de Artemisa y provocó un disturbio.

JUANA DE ARCO
Los cristianos luchan una batalla espiritual en la que deben protegerse con la armadura espiritual que se menciona en Efesios 6. Sin embargo, algunos cristianos tuvieron que librar batallas reales en nombre de su fe o país, como Juana de Arco, retratada en la ilustración.

Los dones espirituales

1.ª CORINTIOS 12-14

P ablo escribió una carta a la iglesia de Corinto en la que explicaba que Dios concede a todos los cristianos unos dones espirituales que estos deben utilizar.

Al reunirse los domingos para rendirle culto, los cristianos deben recordar que Dios ha entregado a todos algo valioso para alentar a los demás, ya sea un himno o un mensaje. Dios actúa a través del Espíritu de distintos modos. Una persona puede recibir un mensaje de sabiduría de Dios y otra, uno de conocimiento. Hay quien recibe un don especial de fe o de la sanación o el poder para obrar milagros. Otros tienen el don de la profecía y son capaces de distinguir entre espíritus. También está el don de hablar en distintas lenguas e interpretar lo dicho. Pero ninguno de estos dones es mejor que el resto.

Imaginemos que la iglesia es como un cuerpo humano. Cada parte tiene una finalidad y funciona en combinación con el resto del cuerpo. Ninguna de ellas es más importante que las demás. Por ejemplo, no tendría sentido que el ojo le dijera a la mano: «No te necesito». A aquellos que en la iglesia parecen menos importantes Dios también les ha asignado un papel especial.

En el cuerpo de Cristo en la Tierra, Dios escogió a apóstoles, profetas, maestros y obradores de milagros. Hay quien tiene el don de la sanación, de la administración o de hablar varios idiomas. Cada uno descubrirá los dones que Dios le ha otorgado.

Resucitaremos

1.ª CORINTIOS 15

Al saber Pablo que algunos de los cristianos de Corinto afirmaban que no existía vida después de la muerte, escribió con firmeza para corregirlos:

«Queridos amigos, Jesús fue castigado en la cruz por nuestros pecados, fue enterrado y, el tercer día, resucitó de entre los muertos. Lo sabemos porque en una ocasión se apareció ante más de quinientos creyentes, y también porque se mostró ante Pedro y los apóstoles. De hecho, yo mismo le vi con mis propios ojos rumbo a Damasco.

¿Por qué entonces algunos de vosotros afirmáis que no existe la resurrección? Si Cristo no está vivo, entonces nuestra fe no vale nada y no seréis perdonados. Si no hubiera un hogar eterno en los cielos, seguiríamos comiendo, bebiendo y disfrutando, en lugar de vivir con cautela, porque un día Dios nos juzgará.

Vosotros preguntáis: "¿Cómo serán nuestros cuerpos cuando resucitemos de entre los muertos?".

Y yo os digo que nuestros cuerpos naturales, se descompondrán, pero tendremos unos nuevos cuerpos, espirituales y hermosos, mucho mejores que los carnales, que no padecerán enfermedades.

Llegará un día en que la trompeta anunciará la resurrección de los muertos. En un abrir y cerrar de ojos, todos seremos como Jesús, aunque es un misterio cómo se obrará dicha transformación. Demos gracias a Dios porque Jesús ha ganado la victoria final sobre la muerte.

No dejéis que nada os impida difundir la obra de Dios, porque, incluso aunque la vida sea difícil, seréis recompensados en los cielos».

La segunda venida

2.ª TESALONICENSES 1-2

Los cristianos de Tesalónica estaban confusos en cuanto a la segunda venida de Jesucristo. Algunos sostenían que ya había regresado de los cielos. Pablo les escribió para contarles la verdad:

«Hermanos, recordad que ninguno de nosotros sabe exactamente cuándo regresará Jesús a la Tierra. No os dejéis engañar por quienes anuncian la llegada del día de la venida del Señor. Ese día llegará como un ladrón por la noche, cuando menos se lo espera.

No desesperéis por vuestros familiares y amigos fallecidos, porque también ellos resucitarán de entre los muertos. Entonces los vivos nos uniremos a ellos en las nubes y permaneceremos junto a Jesús para siempre.

Mientras tanto, lo más importante es complacer a Dios llevando una vida pura. Aunque nuestros enemigos nos hagan sufrir calamidades, ello no implica que el fin del mundo esté cerca. Antes de ese día, se propagará el mal en la Tierra. Debéis manteneros firmes en la verdad que os hemos enseñado y dejar que Dios nuestro Padre os haga fuertes.

Algunos de vosotros os habéis vuelto perezosos, pero debéis prepararos para encontraros con Dios sin sentir vergüenza por vuestro comportamiento. Sed amables con el prójimo y trabajad duro.

Ayudad a los débiles y sed pacientes con vuestros hermanos. Sed dichosos, rezad a Dios y eludid el mal».

IGLESIA ORTODOXA GRIEGA
Tesalónica era y es una importante ciudad griega. Fue la primera ciudad en la que una gran comunidad respondió al mensaje de Pablo.

SANTOS EN EL CIELO
Nadie sabe exactamente cómo es el cielo. Solo sabemos que allí veremos y conoceremos a Dios sin veladuras y que no existirá en él el sufrimiento ni el mal. Los halos de esta pintura griega sugieren la pureza del cielo, donde todo el mundo recibe el nombre de «santo».

Cartas a los pastores

1–2.ª TIMOTEO; TITO

Allá donde Pablo establecía nuevas iglesias en sus viajes misioneros, dejaba tras de sí a colaboradores para que difundieran las enseñanzas entre los nuevos cristianos. Escribió cartas con instrucciones a dos de ellos, Timoteo y Tito:

«A Timoteo, mi querido hijo. Asegúrate de designar pastores a cristianos maduros, tras comprobar que su comportamiento es digno y que son capaces de enseñar. Subraya ante tus hermanos que todo lo que Dios ha hecho es bueno y no deben dejarse confundir por falsos maestros.

No permitas que nadie te menosprecie, Timoteo, solo por ser joven. Dales ejemplo con tus actos y predicación, muéstrales amor, fe y pureza. Enseña a las personas que el dinero es la causa de todos los males, y que Dios sabrá hacerlas felices con lo que tengan.

Recuerda que el Espíritu de Dios nos da poder, amor y contención. Ten valor y predica el evangelio. Como buen soldado de Jesús, sufrirás, ¡como yo he sufrido! Pero, tras luchar valientemente y una vez concluida la batalla, ahora espero la recompensa de Dios».

En esta carta, Pablo instaba a Tito a alentar a los creyentes de Creta a abandonar la pereza y la mentira.

«Escoge pastores piadosos para cada iglesia y predica con el ejemplo. Asegúrate de que te respeten, aliéntalos y corrígelos.»

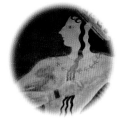

LA CIVILIZACIÓN MINOICA

Entre aproximadamente el 3.000 y el 1.150 a.C., Cnossos, en Creta, era el principal centro de la civilización minoica, así llamada en honor al rey Minos de Creta. Con ocasión de su visita, Pablo debió de ver muchos ejemplos de arte y arquitectura minoicas.

BARCO MERCANTE

En los tiempos del Nuevo Testamento, muchos barcos mercantes surcaban el Mediterráneo. Pablo los utilizaba para realizar sus viajes misioneros. Propulsados por velas y remos, los había de hasta 90 m de eslora. Pocos barcos navegaban entre noviembre y marzo, cuando la mar estaba más gruesa y, al ser la estación de lluvias, las nubes oscurecían las estrellas imposibilitando la navegación.

LA FE DE MOISÉS

La carta a los hebreos concluye con un llamamiento a los cristianos para que muestren la misma fe en Dios que los héroes del Antiguo Testamento. Moisés confió en que Dios separaría las aguas del mar Rojo.

SELLO E INSCRIPCIÓN

En los tiempos bíblicos, las cartas solían marcarse con un sello que indicaba quién era su remitente. El sello daba fe de que la carta era auténtica. El sello de alguien importante implicaba que la carta portaba su autoridad.

SAN PABLO

San Pablo escribió muchas de las cartas del Nuevo Testamento. Antaño se le atribuyó erróneamente la autoría de la carta a los hebreos.

La importancia de la fe

HEBREOS 11

La carta a los hebreos fue enviada a los cristianos judíos para infundirles ánimo, pero no se sabe a ciencia cierta quién la escribió. El autor describe la relación entre Jesucristo y el Antiguo Testamento e indica cómo Jesús cumplió la ley del Antiguo Testamento. La carta dice lo siguiente:

La fe verdadera nos infunde esperanza y seguridad en lo que no podemos ver. Es la fe lo que nos permite saber que Dios creó el mundo. Es la fe que observamos en los hombres y las mujeres que sirvieron a Dios en el pasado.

Abel mostró fe cuando ofreció un sacrificio más apropiado que el de su hermano Caín. Empujado por su fe, Noé construyó un arca pese a no poder ver la acumulación de nubarrones.

Cuando Dios lo ordenó, Abraham abandonó su país para vivir en una tierra desconocida. Fue padre de un hijo cuando ya era anciano y logró formar una nación tan numerosa como las estrellas del cielo. Sin embargo, Abraham no recibió nada para sí. Tenía la vista fija en el futuro, pues anhelaba ver lo que Dios tenía reservado para él. Incluso cuando Dios le pidió que matara a su propio hijo, Abraham no dudó, porque tenía fe en que Dios devolvería la vida a Isaac.

Por la fe, Isaac y Jacob bendijeron a sus hijos. La fe llevó a la familia de Moisés a protegerlo nada más nacer. Cuando creció, los recompensó mostrando fe frente a la testarudez del faraón y prefirió sufrir junto a su pueblo a disfrutar de los lujos de Egipto. La fe llevó a los israelitas a atravesar el mar Rojo. Por la fe se desmoronaron las murallas de Jericó y Rajab sobrevivió a la matanza de sus ciudadanos.

La lista es interminable. Podría hablar de Gedeón, de Sansón, de David y de todos los profetas. Algunos se enfrentaron a leones, sobrevivieron a incendios, escaparon a la muerte en la guerra o fueron resucitados de entre los muertos; otros fueron torturados y azotados; y también otros encarcelados y ejecutados. Muchos erraban como harapientos sin un hogar o un lugar donde cobijarse.

Todos y cada uno de estos héroes vivieron en la fe de Dios, creyendo que un día, como todos nosotros, serían perfectos, según los planes sagrados de Dios.

Vivir para Dios

1.ª PEDRO 2 Y 4; 2.ª PEDRO 1

Pedro era uno de los discípulos más cercanos a Jesús. Después de que Jesús ascendiera a los cielos, se convirtió en el dirigente de los primeros cristianos de Jerusalén. Fue uno de los primeros que predicaron la buena nueva sobre Jesús entre los gentiles, un pueblo no judío. La primera carta de Pedro está dirigida a los cristianos perseguidos, tanto judíos como gentiles, repartidos por gran parte del norte de Asia Menor (la actual Turquía). En ella, Pedro escribe:

JESUCRISTO
En esta carta, Pedro se concentraba en el tema del sufrimiento, puesto que los cristianos a los que se dirigía estaban siendo duramente perseguidos. Pedro les recordaba cómo sufrió Jesús por todos nosotros y les explicaba que debían sentirse agradecidos por compartir ese dolor con Jesús.

Jesús es la piedra angular viva sobre la que estáis edificados. Habéis sido elegidos por el mismo Dios para hablar a otras gentes sobre Jesús, quien os sacó de las tinieblas para mostraros la luz.

Sois una comunidad de sacerdotes reales, una nación sagrada unida para dar nacimiento al pueblo de Dios. Habéis dejado de pertenecer a este mundo. Ahora sois súbditos del reino de los cielos. Por ello os suplico que no convirtáis este mundo en vuestro hogar. No sucumbáis al mal camino. Comportaos de tal manera que, aunque los demás hablen mal de vosotros, vean el bien que obráis y la gloria que entregáis al Señor.

Haced caso omiso de quienes os insultan por haber hecho lo que sabéis que está bien. No os sorprendáis si alguien se ríe de vosotros por seguir a Jesús. Si sufrís por el mero hecho de ser cristianos, no os sintáis abatidos. Debéis sentiros alabados y glorificar a Dios. Es mejor sufrir por complacer a Dios que por desobedecerle. Cristo sufrió y vosotros debéis estar preparados para sufrir. Manteneos firmes hasta el final.

Haced todo lo posible para mejorar lo mejor de vuestras vidas: sed bondadosos y cuidad la fe de la que ya disfrutáis. A la bondad añadid la comprensión, a la comprensión, la templanza, a ésta la persistencia, y a la persistencia, la caridad. Con caridad debéis mostraros amables con todas las personas de fe. Y a la amabilidad, añadid el amor. Si todas estas virtudes van creciendo, no encontraréis límites a la hora de satisfacer al Señor. Pero, si cejáis en vuestro empeño, será prueba de que habéis olvidado lo que el Señor ha hecho por vosotros.

Llevad una vida que complazca a Dios. Si lo hacéis, nada os impedirá subir a los cielos y ser recibidos con alegría cuando entréis en el reino eterno de Jesucristo. Amén.

EL SUFRIMIENTO EN LA ACTUALIDAD
En ciertas partes del mundo, los cristianos continúan hoy en día siendo perseguidos. También otras personas, como por ejemplo los refugiados, sufren a consecuencia de guerras o de desastres naturales.

TINTERO Y LÁPIZ DE CAÑA
Es probable que Pedro escribiera sus cartas con un tintero y lápiz de caña. La tinta se elaboraba con hollín, agua, aceite y resina, y se guardaba en un tintero.

El cielo según Juan

APOCALIPSIS 1-3

LA VISIÓN DE JUAN

La visión de Juan revela la gloria de Jesucristo resucitado. Cuando Juan contempló la majestuosidad y el poder de Jesús supo que, incluso ante la muerte, los creyentes tenían asegurada la eternidad en su gloriosa presencia, en la cual ningún mal podría interponerse entre Dios y su pueblo.

LAS SIETE IGLESIAS DE ASIA

El Libro de las Revelaciones comienza con cartas a las siete iglesias de la provincia romana de Asia, la actual Turquía. Las cartas contienen elogios, quejas y correcciones.

onvertido en anciano, Juan fue encarcelado en la isla de Patmos, donde Jesús le ofreció una magnífica visión de lo que es. Juan escribió: «Estaba orando un domingo cuando oí una voz estentórea que me ordenaba infundir ánimos a las siete iglesias de Asia.

Luego apareció una figura vestida con una túnica hasta los pies decorada con la faja dorada de un sumo sacerdote ceñida al pecho. Tenía el pelo blanco como la nieve, señal de su sabiduría, y sus ojos resplandecían con la llama del juicio. Sus pies eran como de bronce fundido y su voz sonaba como agua que fluye con fuerza. En la mano derecha sostenía siete estrellas, los ángeles de las siete iglesias, y el mensaje que pronunció era como una espada de doble filo que saliera de su boca. Su rostro brillaba como el sol.

Al ver su glorioso esplendor, caí a sus pies como si estuviera muerto. Pero él me anunció que no había motivo para sentir miedo.

"Soy el Primero y el Último, el inmortal —me dijo—. Tengo las llaves de la muerte y del mundo de los muertos."»

Cuando Juan vio la majestuosidad y el poder del Señor supo que, cualesquiera que fueran los problemas que acecharan a la iglesia, incluida la muerte, Dios siempre sería más fuerte que ellos y los pondría a salvo. Cometían errores, pero Dios los perdonaba y les daba la oportunidad de cambiar. Ningún mal podría separarlos de su amor.

Los nuevos cielo y tierra

APOCALIPSIS 20-22

En su visión, Juan alcanzó a ver un atisbo de los magníficos cielo y tierra nuevos que Dios creará en el futuro. Juan escribió:

«Vi la ciudad santa de Jerusalén hecha hermosa, como una novia engalanada para su esposo. Piedras preciosas deslumbrantes decoraban sus murallas y resplandecía con la pureza y la gloria sagrada de Dios. Una gran muralla franqueada por doce puertas bautizadas en honor a las doce tribus de Israel rodeaba la ciudad, y en sus cimientos estaban inscritos los nombres de los doce apóstoles.

En ella Dios creará el hogar para su pueblo, a quien Jesús, el Cordero de Dios, ha perdonado. El nombre de sus gentes está escrito en el libro de la vida. Dios secará las lágrimas de nuestros ojos y no habrá más muerte ni más sufrimiento, más lloros ni más dolor, porque el pasado y el mal desaparecerán para siempre. Reinarán entonces la paz y el amor.

Por desgracia, fuera de la ciudad permanecerán quienes no se hayan arrepentido de sus pecados. Ellos no compartirán este glorioso mundo nuevo. Dejad que todos los sedientos de vida eterna entren y beban del río por el que fluyen las aguas cristalinas de la vida procedentes del trono de Dios.

Quien os enseñó os dice: "Vendré pronto".

¡La llegada del Señor se avecina!»

LA CIUDAD DE DIOS

Juan vió la ciudad santa de Jerusalén rodeada de murallas de jaspe, con puertas de perla y calles de oro, construida sobre cimientos con piedras preciosas engastadas. Atravesaba la ciudad el río de la vida, un lugar de perfección donde no habrá más muerte, dolor ni sufrimiento. No serán necesarios ni el sol de día ni la luna de noche, porque la gloria del Señor iluminará la ciudad. La visión está repleta de símbolos que describen la paz y la belleza.

Referencia bíblica

¿Cómo era la vida cotidiana en los tiempos bíblicos? ¿Cómo eran los hogares de las gentes? ¿Qué plantas y animales poblaban la Tierra? ¿Cómo se difundió el mensaje de Jesús a otros lugares? ¿Cómo fueron los inicios de la iglesia católica?

Del Señor es la tierra y cuanto hay en ella: el mundo y todos los que en él habitan.

(Salmos 24:1)

La vida en el Antiguo Testamento

Los acontecimientos que se describen en el Antiguo Testamento se desarrollaron durante más de 2.000 años en los cuales el modo de vida de las personas cambió radicalmente. Los personajes de las primeras narraciones bíblicas, como Abraham, Isaac y Jacob, eran nómadas que viajaban de lugar en lugar y vivían en tiendas. Sin embargo, en la época del rey David, los israelitas se habían convertido en un pueblo sedentario, vivían en casas y se ganaban la vida cultivando la tierra.

La vida nómada

Abraham, Isaac y Jacob eran nómadas. No tenían casa, sino que viajaban de un sitio a otro en busca de pastos y agua para sus rebaños de ovejas y cabras. Vivían en tiendas que podían plegar y trasladar a lomos de sus animales cuando cambiaban de lugar. Los nómadas solían viajar en grupos familiares, dirigidos por el patriarca. Según explica la Biblia, el grupo de Abraham englobaba a varias esposas, a sus hijos con sus respectivas esposas y a sus esclavos.

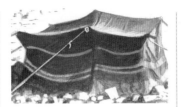

Los nómadas de hoy en día viven en tiendas muy parecidas a las de los tiempos de Abraham.

La vida en una tienda nómada

Abraham y su familia debieron de vivir en tiendas confeccionadas con pelo de cabra tejido, sostenidas por hileras de mástiles y afianzadas con cuerdas tensoras. Este tipo de tienda solía estar dividido en dos partes por una cortina. Las mujeres y los niños ocupaban la parte trasera, mientras que la delantera la utilizaban los hombres y servía, además, para recibir a los invitados. Lo más probable es que el mobiliario de las tiendas fuera muy básico, compuesto tan solo por colchones de paja para las camas y una piel de cabra extendida en el suelo a modo de mesa. Sus únicas pertenencias adicionales debieron de ser utensilios de cocina y algunas lámparas de barro.

Cuidado del rebaño

Las familias nómadas como la de Abraham vivían de sus rebaños de ovejas y cabras. Bebían su leche y utilizaban la lana y las pieles para confeccionar las tiendas y su ropa. Los animales eran muy valiosos para ellos, por lo que solo los sacrificaban para comer su carne en ocasiones especiales. En los últimos tiempos, cuando los israelitas se habían convertido ya en agricultores sedentarios, el ganado continuaba siendo muy importante. El rebaño permanecía

En muchas partes del mundo sigue siendo habitual ver a un joven cabrero o pastor cuidando de su rebaño.

en el campo, fuera de los pueblos, y estaba vigilado por un pastor, cuyo trabajo consistía en conducirlo hasta los pastos y el agua, y protegerlo de la amenaza de los animales salvajes.

Una casa típica

Una vez que los israelitas se asentaron en Canaán, abandonaron sus tiendas y comenzaron a vivir en casas. Normalmente, las casas se construían con piedra, madera y revoque, y se encontraban dentro de las murallas de la ciudad. La mayoría tenía un patio y una estancia principal, que se utilizaba para cocinar, comer y dormir, además de como establo para las ovejas, las cabras y las gallinas de la familia.

El término «nómada» procede del griego y significa 'el que viaja en busca de pastos'. Los nómadas acostumbran a viajar en familia o con su tribu.

En la azotea

En el exterior de la casa, una escalera conducía hasta la azotea, que estaba construida con pesadas vigas de madera y recubierta con capas de caña, barro, hierba y arcilla. La familia pasaba gran parte del tiempo en la azotea de sus hogares. Allí las mujeres tejían, lavaban y hacían el pan, y también la usaban para secar higos, dátiles y lino. Por las noches, la familia disfrutaba de la tranquilidad en la azotea, donde dormía en verano.

Una vida agrícola

Cuando los israelitas se establecieron en Canaán, empezaron a labrar las tierras. Cultivaban, sobre todo, cereales, olivas y uvas. Al llegar las lluvias de octubre, los campesinos araban los campos y sembraban los cereales. Recolectaban la cosecha entre abril y mayo. Segaban el grano con un cuchillo curvo llamado hoz y lo ataban en fajos llamados

La uva se recolectaba en septiembre. El agricultor contrataba a trabajadores para ayudarle en la vendimia.

Las casas israelitas estaban hechas de adobe. Tenían la azotea plana y una única estancia, iluminada por ventanucos y lámparas de aceite.

gavillas. En los meses estivales, los campesinos cuidaban de sus vides, que debían azadonarse y podarse constantemente.

Alimentos

El plato típico era un guiso elaborado con alubias, lentejas, guisantes, cebolla y ajo, y acompañado de pan. Como postre se servía fruta: higos, dátiles o granadas. La leche de cabra u oveja constituía una parte importante de la dieta. Se batía para hacer mantequilla y la cuajada se utilizaba para elaborar queso o una especie de yogur llamado «leben». Únicamente se comía carne en ocasiones especiales, como festividades religiosas o cuando se recibían invitados honorables.

Las leyes dietéticas judías

En los tiempos bíblicos, los israelitas seguían las leyes dietéticas escritas en los libros Levítico y Deuteronomio. Según estas leyes, los cerdos, conejos, camellos, mariscos y cualquier animal muerto por causas naturales no podían ser ingeridos. Estaba prohibido comer carne y leche en la misma comida, así como ingerir la sangre de los animales. Cuando se sacrificaba un animal, debía extraérsele toda la sangre. La carne así tratada se llama «kosher». Hoy en día, muchos judíos ortodoxos siguen estas leyes.

Las ropas

Los hombres vestían una túnica de lana o lino que les llegaba hasta las rodillas o los tobillos. Sobre ella llevaban un manto

Las leyes dietéticas judías prohíben comer cigalas y otros mariscos por considerarlos alimentos «impuros».

sin mangas, un retal cuadrado de lana con agujeros para los brazos. Era una prenda muy adaptable que podía usarse como alfombra para sentarse y como manta. Las mujeres llevaban prendas similares, pero de colores más vivos. Calzaban sandalias de cuero, sobre todo cuando viajaban.

Las israelitas dedicaban gran parte del tiempo a las labores del hogar. Eran ellas quienes se ocupaban de la casa.

Las labores femeninas

Una de las tareas más importantes y laboriosas de las mujeres era hacer pan. Tenían que moler el grano con dos piedras para obtener la harina, elaborar la masa y hornear el pan. Dos veces al día, la mujer iba a buscar el agua que necesitaba la familia al pozo del pueblo y la transportaba en una gran vasija que llevaba sobre la cabeza. Otra de las faenas era hilar la lana y tejer la ropa para toda la familia.

La vida en el Nuevo Testamento

A diferencia de lo que ocurre en el Antiguo Testamento, el Nuevo Testamento abarca un periodo de tiempo relativamente corto. Los acontecimientos que describe comienzan con el nacimiento de Jesús (que hoy se sitúa en el año 6 ó 7 a.C.) y concluyen unos setenta años más tarde, con la muerte de san Pablo. En esta época, algunos habitantes de Palestina seguían viviendo de la agricultura, pero gran parte de la población había emigrado a las ciudades. Una diferencia notable con la época del Antiguo Testamento es que Palestina estaba integrada en el Imperio romano, y estaba ocupada y gobernada por los romanos.

La vida en una aldea

Jesús se crió en la aldea de Nazaret, en la región de Galilea. Se trataba de un pueblo muy pequeño, en comparación con los actuales, con una población de apenas unos cientos de habitantes. Es probable que muchos de ellos fueran agricultores y que unos cuantos fueran artesanos, como carpinteros, alfareros o tejedores. El padre de Jesús, José, era carpintero. Los principales puntos de encuentro

En los tiempos de Jesús, Nazaret era una aldea insignificante. Hoy es un popular lugar de peregrinaje y alberga varias iglesias.

La Torá estaba escrita en largos rollos de papel que se guardaban en un nicho o altar especial de la sinagoga, como el de la fotografía.

eran la sinagoga y el mercado, donde los artesanos tenían sus tiendas.

Ir a la sinagoga

En los tiempos de Jesús, la mayoría de poblaciones tenía una sinagoga donde los judíos se congregaban para orar a Dios y estudiar la Ley. En el interior de la sinagoga había un oratorio, invariablemente orientado hacia Jerusalén. Los hombres y las mujeres se sentaban en zonas separadas. La parte más importante del servicio consistía en leer y estudiar la Torá, el primero de los cinco libros del Antiguo Testamento, donde se recoge la ley judía. A menudo se invitaba a maestros de otros lugares a leer la Torá en voz alta. La Biblia recoge varios pasajes en los que se narran las lecturas y prédicas de Jesús en la sinagoga de Galilea.

La escuela

Normalmente, la escuela estaba adosada a la sinagoga. En ella, el rabino (maestro) enseñaba a los niños la ley judía. En la época del Nuevo Testamento, los judíos hablaban arameo, por lo que los alumnos debían aprender primero a leer y escribir en hebreo, el idioma en el que estaba escrita la Torá. Luego memorizaban la ley. Las niñas no iban a la escuela. Sus madres les enseñaban a tejer, cocinar y otras labores del hogar.

La pesca

Muchos habitantes de Galilea eran pescadores. Al anochecer, salían al mar de Galilea en sus pequeños veleros de madera. Pescaban con redes que arrastraban por las aguas y luego recogían y subían a los botes. La captura principal era la tilapia, o pez de san Pedro. Al amanecer, regresaban a las orillas y clasificaban los pescados en cestos, para luego venderlos frescos, o salados y desecados. Pasaban

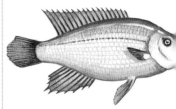

La tilapia es un pez propio del mar de Galilea, también conocido como el pez de san Pedro.

Niños judíos ortodoxos de camino a la escuela, en el distrito Mea Shearin de Jerusalén.

Cada religión tiene su sabbat, o día de descanso. Los musulmanes lo celebran el viernes; los judíos, el sábado, y los cristianos, el domingo.

el día reparando sus barcos y remendando sus redes y velas.

El sabbat

En el relato de la creación, Dios trabajó durante seis días y descansó el séptimo. Para recordarlo, los judíos descansan el sábado, o sabbat. En los tiempos del Nuevo Testamento, el sabbat se extendía entre el anochecer del viernes y el del sábado. Las familias se reunían el viernes por la noche para comer juntas. Después de la comida, se pronunciaba una oración especial de bendición, llamada Kiddush. Durante el sabbat, los judíos no podían realizar ninguna tarea, ni siquiera cocinar o ir a buscar agua.

Viajes

Los ciudadanos corrientes viajaban a pie o en burro, por lo que los viajes eran largos y pesados. Por ejemplo, cuando Jesús oró en el templo, Él y su familia caminaron desde Nazaret hasta Jerusalén para la Pascua, un viaje que debió llevarles unos seis días. Bandas de ladrones solían merodear por los parajes solitarios, al acecho de los viajeros. Por ello, era frecuente viajar en grupo para estar más protegido. La carretera de Jerusalén a Jericó, donde fue asaltado el buen samaritano, era especialmente peligrosa.

En muchas partes del mundo, los burros siguen usándose como medio de transporte.

Moneda romana *Cada cinco años, los romanos subastaban el trabajo de recaudador de impuestos, que iba a parar al mejor postor, quien tenía derecho a gravar tantos impuestos como quisiera y quedarse con los beneficios.*

Los romanos

En los tiempos del Nuevo Testamento, Palestina no era un país independiente, sino que pertenecía al Imperio Romano, un vastísimo territorio que abarcaba gran parte de la Europa occidental, Asia occidental y el norte de África, y se conocía como la provincia de Judea. Aunque el país estaba regido técnicamente por un rey local, el poder real recaía en las autoridades romanas. Había soldados romanos desplegados en todos sitios y los judíos pagaban impuestos a Roma, por lo que los romanos gozaban de muy poca popularidad.

El candelabro de siete brazos, o menorah, es uno de los principales símbolos de la fe judaica.

Festividades judías

Rosh Hashanah (septiembre-octubre)
Año Nuevo judío.

Yom Kippur (septiembre-octubre)
Día de la Expiación, cuando el pueblo judío ayuna y reza.

Succoth (septiembre-octubre)
Celebración de la vendimia, la cosecha de la oliva y el fin del año agrícola. La gente acampaba en cabañas o casetas para el Succoth, que es la «fiesta de las cabañas».

Hanuka (diciembre)
La Fiesta de las Luces celebra la purga del templo de Jerusalén que Judas Macabeo realizó en 164 a.C. Se encienden velas durante los ocho días que dura.

Purim (febrero-marzo)
Celebración de cómo la reina Ester salvó a los judíos de sus enemigos.

Pascua (marzo-abril)
Conmemoración del Éxodo desde Egipto. El ángel de la muerte mató a todos los primogénitos egipcios, con excepción de los israelitas.

Shavuot (mayo-junio)
Recuerda el día en el que Moisés recibió los Diez Mandamientos. También llamada Fiesta de las Semanas.

Plantas y animales

La creación, el arca de Noé, Jonás y la ballena, y las parábolas de Jesús acerca de los pastores y sus ovejas son algunos de los relatos de la Biblia en los que aparecen plantas y animales. En los tiempos bíblicos, la mayoría de las personas dependía de la agricultura y la ganadería para vivir. Por ello, no es extraño que aparezcan con tanta frecuencia animales y plantas en la Biblia. En ella encontramos más de 400 referencias solo a las ovejas. Por desgracia, algunos de los animales que se mencionan en la Biblia, como los leones, osos y cocodrilos, ya no habitan en Israel, donde el ser humano les ha dado caza hasta su extinción.

ÁRBOLES
Cedros
Los cedros crecían en Líbano, un país situado al norte de Israel. Su madera, dura y longeva, se utilizaba para los edificios importantes. El rey Salomón importó cedros de Líbano para erigir el templo de Jerusalén.

Higueras
Zaqueo, el recaudador de impuestos que quería ver a Jesús, trepó a una higuera para mirar por encima de la multitud. La higuera era un árbol cultivado en todo Israel por sus frutos. Los higos se comían tanto frescos como secos y prensados.

Palmeras
Las palmeras datileras se cultivaban sobre todo en los alredededores de Jericó. También aparecen en la historia de la entrada de Jesús a Jerusalén, cuando el pueblo cortó palmas y las depositó en el suelo ante él.

Olivos
Los olivos viven muchos años y dan fruto durante siglos. Las olivas se prensaban entre dos grandes muelas para elaborar aceite, un producto esencial que se utilizaba para cocinar y como combustible para lámparas.

CULTIVOS
Vid
Las vides se cultivaban en hileras en las laderas y se vendimiaban en septiembre. Algunas uvas se comían frescas y otras se secaban para obtener pasas, pero la mayoría se prensaba y fermentaba para elaborar vino.

Trigo y cebada
La cebada era el cereal más cultivado porque crecía en suelos pobres. Tanto el trigo como la cebada se molían para hacer harina con la que elaborar el pan. Además, la cebada se empleaba para fabricar cerveza.

Fruta
Los israelitas cultivaban higos, uvas, dátiles, manzanas, granadas y otras frutas. La granada se convirtió en símbolo de provecho y se usaba para decorar las túnicas de los sumos sacerdotes.

ANIMALES DOMÉSTICOS
Ovejas
Las ovejas eran los animales domésticos más importantes. Se criaban por su leche, carne, lana y piel. Los corderos más hermosos y cebados se ofrecían a Dios en sacrificio.

Vacas
Los israelitas criaban algunas vacas por su leche, pero eran mucho menos comunes que las ovejas o las cabras. Sabemos por la parábola del hijo pródigo que para celebrar las ocasiones más importantes se sacrificaba un ternero engordado especialmente.

Cabras

Las cabras solían formar parte del rebaño, junto con las ovejas. A menudo resultaba difícil distinguirlas, de ahí el relato de Jesús sobre la separación de las ovejas y las cabras. Las cabras sobrevivían en las tierras yermas y se criaban por su leche, carne y pieles.

Burros

Los burros se usaban para transportar a las personas y las cargas pesadas. Jesús entró en burro a Jerusalén el Domingo de Ramos.

Camellos

Los camellos sobreviven mucho tiempo sin agua, lo cual los hace ideales para lugares desérticos. En los tiempos bíblicos eran muy preciados. La

numerosa manada de camellos de Abraham era un símbolo de la riqueza de su familia.

Cerdos

Los israelitas no criaban cerdos porque sus leyes dietéticas les prohibían comerlos. Había cerdos en Israel, pero solían pertenecer a los gentiles, los que no eran judíos.

ANIMALES SALVAJES
Leones

Había en Israel muchos leones en los tiempos del Antiguo Testamento. Solían atacar a las personas o sus rebaños. Sansón fue atacado por un león, al que mató con sus simples manos.

Lobos

Los lobos atacaban a los rebaños de ovejas y cabras. El pastor defendía su rebaño con un garrote, con el cual ahuyentaba a los lobos y a otras fieras.

Íbice

El íbice es una especie de cabra montés que aún vive hoy en algunas zonas rocosas de Israel. En los tiempos bíblicos se cazaba por su carne.

Serpientes

En Israel vivían varias especies de víboras. La gente les tenía terror, porque una mordedura podía resultar letal. En tiempos bíblicos, la serpiente se utilizaba como símbolo del mal: el ejemplo más famoso es el de la serpiente del Jardín del Edén.

Langostas

Las langostas son el insecto que más se menciona en la Biblia. En ocasiones, las plagas de langosta arrasan las cosechas. En tiempos bíblicos, una de las diez plagas de Egipto fue la langosta.

AVES
Cuervos

El cuervo fue la primera ave que Noé liberó del arca. De acuerdo con las leyes dietéticas judías, el cuervo era un ave «impura» que no podía comerse ni sacrificarse.

Palomas

En la Biblia, la paloma simboliza el Espíritu Santo, que adoptó su forma para aparecerse cuando Jesús fue bautizado en el río Jordán. También es el símbolo de la paz, lo cual posiblemente provenga de la historia de Noé, ya que fue una paloma la que regresó al arca llevando una rama de olivo.

Codornices

La codorniz es un ave pequeña, marrón y moteada, pariente del faisán. Cuando los israelitas erraban por el desierto, Dios les envió una bandada de codornices para alimentarse.

Tierra Santa

El país que hoy conocemos como Israel, o Tierra Santa, se halla en el extremo oriental del mar Mediterráneo y es el escenario de muchos de los relatos bíblicos. En el Antiguo Testamento, esta zona se conocía como Canaán. Estuvo habitada desde el principio de los tiempos, ya que es una zona muy fértil en la que resulta fácil cultivar. Canaán también se beneficiaba de una posición estratégica como punto de encuentro entre África y Asia. Muchas rutas comerciales pasaban por ella. En los tiempos de Jesús, el país formaba parte del imperio romano y se conocía como Palestina.

La Tierra Prometida

Cuando Dios liberó a Moisés y los israelitas de la esclavitud en Egipto, les dijo que los conduciría a una tierra que podrían hacer suya. Tras cuarenta años de errar por páramos, los israelitas llegaron a Canaán, la Tierra Prometida, que describieron como «una tierra rebosante de leche y miel» por su fertilidad.

Jerusalén, la ciudad de David

Cuando los israelitas se establecieron en Canaán, Jerusalén era una aldea llamada Jebús habitada por los jebuseos. Se erigía en el monte Sión y estaba rodeada de murallas de piedra. El rey David la conquistó en torno al año 1000 a.C. y la nombró capital de su reinado y centro del culto de Jehová, el dios de Israel. David llevó el Arca de la Alianza a Jerusalén y su hijo Salomón mandó construir un templo donde albergarla. Pese a que en el Antiguo Testamento Jerusalén se describe como una ciudad poderosa, es probable que no fuera mayor que un pueblo actual.

Jesús y Jerusalén

Para cuando nació Jesús, Jerusalén había crecido espectacularmente y es probable que contara con una población de unos 25.000 habitantes. El rey Herodes había construido un nuevo templo y la ciudad era hogar del gobernador romano. Muchos de los acontecimientos más importantes de la vida de Jesús tuvieron lugar en Jerusalén. De niño, sus padres lo llevaron a ser consagrado al mismo templo en cuyos patios Él enseñaría más tarde a sus seguidores. Jerusalén fue también el lugar en el que murió: allí se le juzgó y crucificó. Muchos lugares vinculados con Jesús siguen en pie: el huerto de Getsemaní, donde oró la noche de su arresto, la ruta que recorrió cargado con la cruz y Gólgota, el lugar donde fue crucificado.

La Vía Dolorosa traza el recorrido que Jesús realizó cargado con la cruz hasta el lugar en el que fue crucificado.

Belén

En tiempos bíblicos, Belén no era más que un pueblecito situado a unos ocho kilómetros al sur de Jerusalén. Es célebre por ser el lugar de nacimiento de dos personas destacadas: David, el rey más amado de Israel, y Jesús, nacido mil años más tarde. El lugar en el que se cree que nació Jesús era una cueva que hacía las veces de establo, situada a las afueras de Belén. En la actualidad, dicha cueva ha quedado cubierta por la iglesia de la Natividad.

Jerusalén es una ciudad santa para los judíos, musulmanes y cristianos. La Cúpula de la Roca es un templo islámico levantado sobre la roca en la que Abraham casi sacrificó a Isaac.

Belén alberga muchos lugares históricos de culto. En hebreo, «belén» significa 'casa de pan'.

Nazaret

María, la madre de Jesús, y su esposo, José, vivían en una aldea de la región de Galilea llamada Nazaret, en la cual creció Jesús. Según cuenta el Evangelio de san Lucas, Jesús inició su ministerio en Nazaret, donde predicó en la sinagoga. Sin embargo, los nazarenos, que reconocían en él al hijo de un carpintero humilde del lugar, se negaron a aceptarlo y lo expulsaron de la ciudad.

El milagro de Jesús amainando la tormenta tuvo lugar en el mar de Galilea.

El mar de Galilea

Pese a su nombre, el mar de Galilea no es un mar, sino un extenso lago de agua dulce de unos 20 km de longitud por 11 de ancho. En la época de Jesús, la pesca era la actividad primordial de la zona que circundaba el lago, y sus primeros discípulos fueron pescadores. Muchos de los eventos importantes del ministerio de Jesús tuvieron lugar en las zonas urbanas y rurales que rodean el mar de Galilea. Allí sanó a muchos enfermos, obró milagros como amainar una tormenta y alimentar a cinco mil personas,

y pronunció el Sermón de la Montaña. Tras resucitar, Jesús se apareció a sus apóstoles mientras pescaban en el lago.

El río Jordán

El Jordán es el río más largo y caudaloso de Israel. Nace en el norte del país y fluye en dirección sur, atravesando el mar de Galilea, hasta desembocar en el mar Muerto. El Jordán aparece profusamente en la Biblia. Los israelitas tuvieron que cruzarlo para llegar a la Tierra Prometida, Juan el Bautista lavó en sus aguas a los fieles para librarlos de sus pecados, y el propio Jesús fue bautizado en él. En la actualidad, personas de todo el mundo viajan a Israel para recibir el bautismo en el Jordán, como Jesús.

El desierto

El desierto de Judea es una zona yerma y rocosa que se extiende al oeste del río Jordán. Resultaba imposible cultivar en ella, por lo que, en los tiempos bíblicos, era un páramo solitario y desolado. Sin embargo, varios personajes bíblicos habitaron en él. El profeta Elías vivió allí, alimentado por los cuervos. Juan el Bautista sobrevivió comiendo langostas y miel silvestre. Y Jesús pasó cuarenta días con sus noches en el desierto, donde lo tentó el diablo.

El río Jordán fluye a través de un valle profundo y angosto. En verano, la temperatura ambiente supera los 38°C.

El mar Muerto se formó hace varios millones de años. Contiene minerales a los que se atribuyen propiedades curativas para la piel.

El mar Muerto

El mar Muerto es un lago salado que yace a 400 metros bajo el nivel del mar, lo cual lo convierte en el punto más bajo de la Tierra. Sus aguas son tan saladas que ningún pez sobrevive en él, lo cual explica su nombre. Hoy se cree que el relato bíblico de Sodoma y Gomorra ocurrió en esta zona y que podría haber dos ciudades sumergidas en algún punto meridional del mar. En algunos lugares, depósitos de sal flotan en las aguas, lo cual nos recuerda el destino de la esposa de Lot, que fue convertida en un pilar de sal.

Elías fue alimentado por cuervos mientras permaneció solo en el desierto.

Otros lugares bíblicos

A pesar de que muchos de los relatos bíblicos se desarrollan en la zona que conocemos como Tierra Santa, algunos de ellos ocurren en otros lugares. Por ejemplo, en el Antiguo Testamento, los israelitas pasaron una larga temporada en Egipto y, muchos años después, fueron exiliados a Babilonia. Jesús realizó su ministerio en Tierra Santa, pero el cristianismo se extendió rápidamente a otros países. El Nuevo Testamento narra en detalle los viajes de san Pablo y el resto de los apóstoles a Siria, Turquía y Europa, donde difundieron la buena nueva de Jesús.

Ur

Antes de que Dios le ordenara abandonar su hogar y viajar a Canaán, Abraham vivía en la ciudad de Ur, la capital del antiguo reino sumerio, situada a orillas del río Éufrates, en el actual Irak. En los tiempos de Abraham, la ciudad estaba gobernada por los caldeos y, más tarde, quedó integrada en Babilonia. En la década de 1920, los arqueólogos descubrieron el lugar donde se hallaba la antigua ciudad de Ur. Encontraron los restos de un templo piramidal llamado zigurat y sepulcros reales en los que había joyas y armaduras de oro, y otros tesoros.

Esta cabeza de toro decoraba un instrumento musical llamado lira. Fue uno de los tesoros descubiertos en las fosas mortuorias de Ur.

Los egipcios construían colosales pirámides a modo de monumentos mortuorios.

Egipto

Egipto era un país muy rico y próspero. Pese a ser en gran parte desértico, una delgada franja de tierra fértil bordeaba las orillas del río Nilo, donde habitaba la mayoría de la población. Estaba gobernado por unos reyes llamados faraones, quienes construyeron magníficos palacios, templos y tumbas. El vínculo de los israelitas con Egipto se estabeció cuando José fue vendido como esclavo y acabó convirtiéndose en ministro del faraón. José llevó allí a su familia, y sus descendientes vivieron largo tiempo en Egipto, pero los egipcios acabaron tratándolos como esclavos. Moisés condujo a los israelitas desde Egipto hasta la Tierra Prometida, en un viaje llamado «el Éxodo».

El Sinaí

El Sinaí es una región desértica que se extiende entre las dos bifurcaciones del mar Rojo, al este de Egipto. De acuerdo con la Biblia, los israelitas erraron por ella durante cuarenta años, en su viaje desde Egipto hasta la Tierra Prometida. A medio camino, Moisés subió al monte Sinaí y recibió los Diez Mandamientos de Dios. El camino exacto que siguieron y el enclave del monte Sinaí nunca se han identificado con exactitud. No obstante, muchos expertos creen que Jabal Musa («la montaña de Moisés»), en la parte sur de Sinaí, sea probablemente la montaña que en la Biblia se describe como el monte Sinaí.

El Sinaí es una región árida donde el ser humano no puede vivir con normalidad.

Babilonia

Babilonia fue la capital de una zona homónima que se extendía en la parte sur del actual Irak. Era una ciudad hermosa en la cual se hallaban los célebres Jardines Colgantes, una de las siete maravillas de la Antigüedad. En el siglo VI a.C., los babilonios empezaron a conquistar las tierras vecinas, incluidos los reinos de Israel y de Judá. En 586 a.C. tomaron Jerusalén, destruyeron el templo y se llevaron presos a numerosos israelitas a Babilonia. Muchos de ellos trabajaron como artesanos y reconstruyeron la ciudad durante el reinado del rey babilonio Nabucodonosor.

La puerta de Ishtar era la entrada ceremonial a la ciudad de Babilonia. Sus paredes estaban decoradas con figuras de toros, dragones y leones elaboradas con mosaicos de colores.

Damasco

Damasco, la capital de Siria, es una de las ciudades más antiguas del mundo. En el año 2000 a.C. era ya una población de pleno derecho. Se menciona varias veces en la Biblia, si bien es famosa por ser el lugar en el que san Pablo se convirtió al Cristianismo. Mientras viajaba por la carretera de Damasco tuvo una visión de Jesús y quedó ciego. Recuperó la vista días más tarde, en una casa de la calle Recta de Damasco, que aún existe.

Roma

En los tiempos del Nuevo Testamento, Roma era la capital de un inmenso imperio que se extendía por la mayor parte de Europa y los alrededores del mar Mediterráneo. Roma era una ciudad excelsa, tal vez la mayor del mundo por entonces. En el centro de la ciudad había una plaza llamada el Foro, donde había varios templos importantes, arcos triunfales y los edificios donde se reunía el Senado (Parlamento) para discutir y aprobar leyes. Según la tradición cristiana, san Pedro y san Pablo fueron asesinados en Roma. Actualmente, es la sede de la iglesia católica romana.

Corinto, Tesalónica y Filipo

San Pablo visitó Grecia en dos de sus viajes misioneros. Allí fundó importantes iglesias pioneras en las ciudades de Corinto, Tesalónica y Filipo, que fue el primer lugar que visitó en Europa. San Pablo escribió más tarde a las iglesias de dichas

Ejemplo de una típica iglesia ortodoxa griega

ciudades. Sus cartas se recogen en el Nuevo Testamento.

Atenas

Atenas fue en su día la ciudad-estado griega más importante. En ella se conservan muchos templos magníficos y otros edificios de este periodo, concretamente en la colina conocida como la Acrópolis. En los tiempos del Nuevo Testamento, Atenas había sido conquistada por los romanos y formaba parte de su imperio. San Pablo visitó la

ciudad con ocasión de su segundo viaje misionero. Allí discutió con los filósofos lugareños en la plaza del mercado y en la colina del Areópago, donde se reunía el Consejo de la ciudad.

Éfeso entró en decadencia tras el siglo IV y ha permanecido deshabitado durante siglos, si bien quedan en él muchas ruinas. La imagen muestra las ruinas de la biblioteca de Éfeso.

Éfeso

La ciudad de Éfeso estaba situada en la desembocadura del río Caistro, en la costa de la Turquía actual. La ciudad se fundó en el siglo X a.C. y fue el centro de culto de la diosa Artemisa, conocida como Diana por los romanos. San Pablo visitó Éfeso en dos de sus viajes misioneros y contribuyó a establecer una iglesia en la ciudad. Sus prédicas ofendieron a los seguidores de Diana y acabaron por provocar una revuelta popular.

Atenas se bautizó en honor a Atenea, diosa griega de la sabiduría. Sus templos más importantes se hallaban en la Acrópolis.

Quién es quién en la Biblia

Aarón
Hermano mayor de Moisés y sumo sacerdote, Aarón asistía a Moisés.

Abraham
Obedeció la llamada de Dios para abandonar Ur y viajar hasta Canaán. Es conocido como el padre del pueblo de Dios.

Adán
El primer hombre, creado por Dios en el Jardín del Edén.

Daniel
Interpretó los sueños del rey Nabucodonosor y demostró su fe cuando fue arrojado a los leones.

Ana
Dios respondió a sus fieles plegarias de concebir un hijo y ella se lo entregó al sumo sacerdote para que lo formara para el servicio de Dios. El niño se convirtió en el profeta Samuel.

David
El segundo y mayor rey de Israel, y antepasado de Jesús. Era un pastor cuando fue ungido rey en lugar de Saúl. Es famoso por su victoria frente al gigante Goliat.

Débora
Profetisa y la única mujer juez de Israel.

Elías
Profeta famoso, sobre todo, por haberse proclamado vencedor en el desafío a los profetas de Baal en el monte Carmelo.

Eliseo
Sucesor de Elías como profeta dirigente del reino norte de Israel en el siglo IX a.C.

Esaú
Hijo de Isaac y hermano mayor de Jacob. Vendió su derecho de nacimiento a Jacob por un plato de lentejas.

Ester
Reina judía de Persia que arriesgó su vida por frustrar una conspiración que tenía como objetivo acabar con los judíos. Este hecho se conmemora en la festividad de Purim.

Eva
La primera mujer, cuyo nombre es sinónimo de «viva». Desobedeció junto con Adán a Dios y trajo el pecado al mundo. Fue la madre de Caín y Abel.

Ezequiel
Profetizó a los babilonios exilios y advirtió del juicio de Dios, pero también llevó un mensaje de esperanza para el futuro.

Esdras
Sacerdote y maestro de la ley de Moisés, recibió el encargo del rey persa Artajerjes de repatriar a un grupo de exiliados hasta Jerusalén.

Gedeón
Uno de los jueces llamados a salvar Israel de los madianitas. Su reducido ejército desarmado venció al poderoso ejército de estos.

Isaac
Hijo de Abraham y de Sara que sirvió para comprobar la fe de su padre. Se casó con Rebeca y fue padre de gemelos, Jacob y Esaú.

Isaías
Profeta que instó al pueblo a arrepentirse y confiar en Dios y que predijo la llegada del Mesías. Profetizó en Judá durante unos cincuenta años a partir de 740 a.C.

Jacob
Antepasado de las doce tribus de Israel. Engañó a su hermano mayor Esaú y se quedó con su herencia. Fue rebautizado como Israel tras luchar con el ángel del Señor.

Jeremías
Profeta que advirtió del exilio a los babilonios y desafió a los falsos profetas, si bien también habló de la promesa de la restauración.

Jesús
Nacido de la virgen María y llamado el Hijo de Dios, o Cristo («Mesías») en el Nuevo Testamento. Fue famoso por sus enseñanzas y sanaciones. Fue crucificado por las autoridades, pero resucitó de entre los muertos. Prometió una nueva vida a quienes le siguieran.

Job
Hombre rico célebre por su paciencia y fe en Dios, pese a su gran sufrimiento y desgracia.

José, esposo de María
Descendiente de David, es el esposo de la madre de Jesús, María. Fue un carpintero que vivió en Nazaret.

José, hijo de Jacob
Hijo predilecto de Jacob a quien sus hermanos vendieron como esclavo movidos por los celos. Utilizó el don que Dios le había concedido de interpretar sueños y se convirtió en un sabio gobernante de Egipto.

Josué
Ayudante y comandante militar de Moisés, fue uno de los espías enviados a explorar Canaán. Sucesor de Moisés, condujo al pueblo de Israel hasta la Tierra Prometida.

Juan, el apóstol
Hijo de Zebedeo y hermano de Santiago, fue, junto con Pedro y Santiago, uno de los discípulos más allegados a Jesús. Escribió el Evangelio que lleva su nombre, cartas y el Libro de las Revelaciones o Apocalipsis.

Juan el Bautista
Hijo de Zacarías e Isabel y pariente de Jesús que preparó el terreno a Jesús. Recibió la llamada profética en el desierto. Luego difundió un mensaje de arrepentimiento

y bautizó a muchas personas (entre ellas, Jesús) en el río Jordán. Fue ejecutado por Herodes Antipas.

Judas Iscariote
Zelote judío y tesorero de los discípulos. Traicionó a Jesús por treinta monedas de plata, pero los remordimientos lo impulsaron al suicidio.

Lucas
Doctor y fiel amigo de Pablo, a quien acompañó en sus viajes. Escribió el Evangelio según san Lucas y los Hechos de los Apóstoles.

Marcos
Acompañó a Pablo y Bernabé en su primer viaje misionero y escribió el Evangelio según san Marcos.

María, la Virgen, madre de Jesús
Esposa de José elegida como la madre de Jesús en la Tierra.

Mateo
Recaudador de impuestos empleado por el Gobierno romano y uno de los doce apóstoles, también llamado Leví. Posiblemente escribió el Evangelio según san Mateo.

Moisés
Nacido de padres hebreos en Egipto, fue arrojado en una cesta al río Nilo y hallado por la hija del rey de Egipto. En el arbusto ardiente, Dios le ordenó que condujera al pueblo de Israel fuera de Egipto. Recibió los Diez Mandamientos de Dios en el monte Sinaí, pero falleció antes de llegar a la Tierra Prometida.

Nehemías
Escanciador del rey persa Artajerjes, regresó a Jerusalén para reconstruir sus murallas.

Noé
Un hombre bueno que obedeció la orden de Dios de construir un arca para preservar las criaturas del mundo. Tras el diluvio, Dios bendijo a Noé y a su familia, y les encargó poblar la Tierra.

Pablo
Nacido en Tarso, Pablo era un fariseo judío y ciudadano romano. Trabajaba fabricando tiendas. Persiguió a la iglesia pero sufrió una sorprendente conversión en la carretera a Damasco. Más tarde realizó tres viajes misioneros por Asia Menor y Grecia. Fue arrestado y conducido a Roma. Escribió muchas cartas de aliento e instrucción a las iglesias que estableció.

Pedro
Llamado originalmente Simón, era un pescador que se convirtió en uno de los apóstoles más próximos a Jesús, quien lo rebautizó con el nombre de Pedro, que significa 'roca'. Negó tres veces a Jesús, pero se convirtió en uno de los dirigentes de la iglesia de Jerusalén y fue el primero que trasladó el Evangelio a los gentiles. Es autor de dos de las cartas de la Biblia.

Poncio Pilato
Gobernador romano de Judea entre los años 26 y 37 d.C. Jesús fue llevado ante él para ser juzgado. Pilato creía que Jesús era inocente, pero finalmente cedió ante las demandas de la multitud y permitió que lo crucificaran.

Rut
Joven moabita conocida por su lealtad. Contrajo matrimonio con Booz, el Israelita. Su hijo, Obed, se convirtió en el abuelo del rey David.

Samuel
Profeta y último de los jueces de Israel. Hijo de Ana, quien lo dedicó a Dios. Cuando el pueblo reclamó un rey, Dios ungió a Saúl y, más tarde, a David.

Sansón
Uno de los jueces que rigió Israel, conocido por la destacada fuerza física que Dios le había dado y que se asociaba con su pelo largo. Fue traicionado por Dalila y murió al derrumbar el templo con sus brazos.

Sara
La bella esposa de Abraham, llamada al principio Sarai. Deseó un hijo toda su vida

y, finalmente, a los noventa años, Dios le concedió sus deseos y dio a luz a Isaac.

Saúl
El primer rey de Israel, célebre por sus victorias, su valor y su generosidad. Henchido de orgullo, desobedeció a Dios y fue destronado en favor de David. Al final de su vida, sufrió ataques de locura y acabó por perder la vida en una batalla contra los filisteos.

Salomón
Tercer rey de Israel e hijo de David y Betsabé, fue el rey más rico y sabio de Israel. Amplió el comercio y mandó construir el templo de Jerusalén. Se casó por motivos políticos con varias princesas extranjeras que le hicieron olvidarse de venerar a Dios. Al morir, su reino quedó dividido en dos.

Santiago, hermano de Jesús
Fue uno de los discípulos de Jesús y dirigente de la iglesia de Jerusalén. Es conocido por la carta en la que da consejos prácticos acerca de cómo ser un cristiano.

Santiago, hijo de Zebedeo
Apóstol y hermano de Juan, uno de los discípulos más allegados a Jesús. Fue el primer apóstol que murió por su fe.

Timoteo
Joven cristiano de Listra que acompañó a Pablo en su segundo viaje misionero. Se convirtió en líder de la iglesia de Éfeso. Las dos cartas que Pablo le escribió están repletas de consejos sobre cómo gobernar la iglesia.

Tomás
Discípulo de Jesús cuyo nombre significa 'gemelo'. Conocido por sus dudas e incredulidad, se negó a creer que Jesús había resucitado de entre los muertos hasta ver y tocar las cicatrices por sí mismo.

Zaqueo
Recaudador de impuestos afincado en Jericó. Trepó a un árbol para poder ver a Jesús por encima de las cabezas de la multitud. Como resultado de su encuentro con Jesús, Zaqueo se transformó en un hombre distinto.

Comprueba tus conocimientos

ANTIGUO TESTAMENTO

1. ¿Cómo se llamaban los primeros seres humanos que creó Dios?
   (página 16)

2. ¿Quién fue el padre de Isaac?
   (página 28)

3. ¿Quién fue transformada en un pilar de sal por volver la vista atrás?
   (página 27)

4. ¿Quién fue encarcelado, tuvo sueños y acabó por convertirse en primer ministro de Egipto?
   (página 38)

5. ¿Quién condujo a los israelitas a través del mar Rojo?
   (página 46)

6. ¿Qué mujer protegió a los espías en la ciudad de Jericó?
   (página 56)

7. ¿Cómo se llamaba la suegra de Rut?
   (página 66)

8. ¿Cómo se llamaba el sacerdote a cuyas órdenes sirvió Samuel?
   (página 68)

9. ¿Cómo se llamaba el mejor amigo de David?
   (página 76)

10. ¿Quién es particularmente famoso por su sabiduría?
    (página 85)

11. ¿Qué profeta sucedió a Elías?
    (página 93)

12. ¿Cómo se llamba el niño de siete años que fue coronado rey de Israel?
    (página 100)

13. ¿Quién es especialmente célebre por los sufrimientos que padeció y su paciencia?
    (página 106)

14. ¿A quién lanzaron a la leonera?
    (página 130)

NUEVO TESTAMENTO

1. ¿Cómo se llamaba el padre de Juan el Bautista?
   (página 144)

2. ¿Cuáles fueron las tres ofrendas que llevaron los Reyes Magos a Jesús?
   (página 149)

3. ¿Cómo se llamaba la aldea en la que vivían José y María?
   (página 145)

4. ¿Dónde se celebró la boda en la que Jesús convirtió el agua en vino?
   (página 158)

5. ¿Por cuánto traicionó Judas a Jesús?
   (página 197)

6. ¿Cuál era la profesión de Simón Pedro?
   (página 57)

7. ¿En qué ciudad se encontraba la calle Recta?
   (página 216)

8. ¿A qué clase de árbol trepó Zaqueo para contemplar a Jesús?
   (página 188)

9. ¿Qué significa el nombre de «Pedro»?
   (página 214)

10. ¿Cómo se llamaba la esposa de Herodes Antipas?
    (página 174)

11. ¿Cómo se llamaba el hombre al que Jesús dijo: «Resucitarás»? *(página 170)*

12. ¿Qué había escrito sobre la cruz de Jesús cuando lo crucificaron? *(página 206)*

13. ¿Adónde iba Felipe cuando se encontró con el oficial etíope? *(página 215)*

14. ¿Qué edad tenía Jesús cuando José y María lo encontraron predicando en el templo? *(página 151)*

15. ¿Qué nombre recibe la festividad en la que los cristianos rememoran la venida del Espíritu Santo? *(página 209)*

16. ¿A qué isla del mar Mediterráneo arribó Pablo después de naufragar el barco en el que viajaba? *(página 223)*

GENERAL

1. ¿Por qué otro nombre se conoce el monte Sinaí? *(página 51)*

2. ¿Dónde desafió Elías a los sacerdotes de Baal? *(página 91)*

3. ¿Qué instrumentos musicales tocaba la gente mientras marchaban alrededor de las murallas de Jericó? *(página 58)*

4. ¿Qué se virtió sobre la cabeza de Saúl cuando fue proclamado rey? *(página 72)*

5. ¿Cómo se llamaba la aldea situada en las proximidades de Jerusalén en la que nació Jesús? *(página 147)*

6. ¿De camino a qué ciudad quedó Pablo cegado por la luz de Jesús? *(página 216)*

7. ¿En qué ciudad estaba el famoso templo de Artemisa? *(página 225)*

8. ¿Quién fue engullido por un enorme pez? *(página 134)*

9. ¿Qué significa «evangelio»? *(página 142)*

10. ¿Cuántos libros contiene la Biblia? *(página 9)*

11. ¿Qué emperador romano es famoso por perseguir a los cristianos? *(página 211)*

EL MUNDO DE LA NATURALEZA

1. ¿Qué ave, símbolo del Espíritu Santo, se posó sobre Jesús cuando lo bautizaron? *(página 153)*

2. ¿Qué tipo de animal, perteneciente a Balaam, habló con palabras de Dios? *(página 54)*

3. Cuando Moisés lanzó su cayado al suelo, ¿en qué criatura se convirtió? *(página 42)*

4. ¿Jesús dijo que Pedro le negaría en tres ocasiones antes de oír el canto de qué ave? *(página 201)*

5. ¿De qué árbol procede la valiosa cosecha con la que se elabora el aceite? *(página 240)*

6. ¿Qué aves entregaron José y María en sacrificio cuando presentaron a Jesús en el templo? *(página 149)*

7. ¿Qué aves alimentaron a Elías? *(página 90)*

8. ¿En qué cordillera quedó encallada el arca de Noé después del diluvio? *(página 18)*

9. ¿Junto a qué lago estaban pescando Simón y Andrés cuando Jesús les invitió a ayudarle a pescar gente? *(página 157)*

10. ¿En qué río bautizó Juan el Bautista a Jesús? *(página 152)*

11. ¿Qué criatura utiliza el profeta Joel como advertencia del juicio de Dios? *(página 132)*

Índice

A

Aarón 41, 42, 48, 49, 50–51, 52, 246
Abdías 13
Abed Negó 128
abejas 64
Abel 17, 28
Abigaíl 77
Abinadab 74
Abraham 21–30, 104, 224, 236, 241, 242, 246
Absalón 83
Acán 59
Adán 16, 17, 28, 246
Adonías 84
adulterio 48, 164
Afrodita 226
Agar 23, 25
Ageo 13, 136
Ageo, profeta 101, 123, 136
agricultura 237
agua
  cantimplora 76
  convertida en vino 158
  éxodo de Egipto 47
  extracción del pozo 237
  tinajas 30, 62, 158
águila 116
ahuyentar a los malos espíritus 171, 178, 212, 221
Ajab, rey de Israel 90, 91, 92
Ajías, el profeta 88
alabar a Dios 110
alfarería 9, 23, 30, 36, 60, 118, 221
algarrobas 183
alianza 19, 45
alimentos kosher 237
almendras 50, 172
altar de incienso 144
Amán 105
amistad 111
Amnón 83
Amós 13, 133
Amós, profeta 133
Ana 67, 246
Ana, la profeta 149
Ananías y Safira 214
Ananías, discípulo 216–217
Andrés, apóstol 155, 157
ángeles 32, 114, 148, 219
animales
  arca de Noé 18–19, 241
  bueyes 69, 101

caballos 46, 85, 93
cabras 73, 236, 241
cerdos 241
creación 14
cocodrilos 40
de Israel 240–241
ganado 69, 101, 129, 138, 241
gato 38
íbice 241
jabalí 183
lagartos 226
langostas 132, 152, 241
leopardo 14, 218
leones 64, 130–131, 241
ovejas 29, 33, 41, 138, 149, 182, 184, 236, 240
perros 92, 178
ranas 42
Antiguo Testamento 11–139
  contenido 8, 9
  modo de vida 236–237
Antioquía 211, 220
Antioquía de Pisidia 220
Anunciación 145
Apocalipsis 143, 232, 233
apóstoles
  elegidos por Jesús 155, 157
  enviados en misión por Jesús 171
  Jesús resucita de entre los muertos 204–207
  Jesús se prepara para morir 198
  poderes de sanación 212, 220
  reciben el Espíritu Santo 209
  significado 210
  Última Cena 196–197
  véase también Pablo
árabe, pueblo 25
arameo 123, 129, 238
árbol
  algarrobo 183
  almendro 50, 172
  cedro 87, 240
  de la ciencia 16
  encina 83
  granado 16, 52, 67, 77, 240
  higuera 77, 119, 240
  olivo 18, 55, 72, 156, 240
  palmera 59, 240
  poda 198
  sicámoro 188
  tribus de Israel 22, 24, 44, 55, 57, 60
arca de impuestos 100
Arca de la Alianza

cruce del río Jordán 57
Jericó 58
Jerusalén 71, 80–81, 86
Moisés 45, 51, 55
robo por parte de los filisteos 69
arca de Noé 18–19, 241
arco iris 19
armadura 75, 225
armas 61, 75, 76, 78, 225
Arquelao, rey de Judea 150, 151
arqueología 9, 23, 58, 99, 118
arrayán 82
Artajerjes, rey de Babilonia 102
Artemisa 225
ascensión 208
Asdod 69
Aser 60
asesinato 48, 164
Asia Menor 211, 220, 225, 231, 232
asirios
  conquista de Samaria 70, 114, 122
  imperio 96, 115, 123
  religión 96, 122
astrología 127
Asuero, rey de Persia 105
Atalía 100
Atenas 245
Augusto, emperador romano 147, 154, 155, 189
avaricia 133
aves
  águila 116
  arca de Noé 18
  codornices 44, 47, 90, 241
  cuervos 90, 241
  en la Biblia 90, 241
  gallo 201
  gorriones 164
  paloma 18, 153, 156, 209, 214, 241
  pavo real 87
  Ay 59
ayuda de Dios 109
ayuno 164

B

Baal 45, 62, 91, 96
Babel, torre de 20
Babilonia 245
  cilindro de Ciro 101
  jardines colgantes 128

Nehemías 102
puerta de Istar 124, 129
ruinas 128, 131
Babilonia 245
conquista de Jerusalén 70, 100, 117, 121, 122
conquista de los persas 129, 131
Daniel 127, 129, 130
judíos en el exilio 100, 101, 119
mapa 116, 123, 127
pesos 116
visión del mundo 130
baile 175
Balaán, el profeta 54
Balaq, rey de Moab 54
Baltasar, rey 129, 131
Baraq 61
barcos 229
Barjesús 220
bar-mitsva 68
Barrabás 202
Bartolomé 155
Baruc 120
bautismo 152, 170
Belén 66, 74, 147, 242
bendición 221
Benjamín 38, 39, 60, 89
Bernabé 211, 212, 220
Betel 32, 89, 93
Betfagé 194
Betsabé 82, 84
Betsaida 155
Bet-Semes 69
Biblia
  autores 8
  contenido 8, 9
  iluminada 183
  lenguas originales 8
  mapa de la zona tratada 9
  mensaje 8
  significado de la palabra 8
  bienaventuranzas 164
  bienes ajenos 48
  boda 158, 181, 191
  Booz 66
  bronce
    armadura 75
    bailarina 175
    espejo 50
    serpiente 52, 53
  burro
    Jesús cabalga a Jerusalén 194
    que habla 54
    transporte 150, 239, 241

Agradecimientos

La editorial quiere dar las gracias a los siguientes artistas por su colaboración en este libro:

Artistas principales Mike White (Temple Rogers) con Richard Hook (Linden Artists); Stewart Lees (S.G.A.); y David Ashby (Illustration).
Resto de ilustraciones David Ashby (Illustration); Andy Becket; Jo Brewer; Vanessa Card; Andrew Farmer; Wayne Ford; Richard Hook (Linden Artists); Stuart Lafford (Linden Artists); Stewart Lees (S.G.A.); Alan Male (Linden Artists); Gillian Platt (Illustration); Terry Riley; Martin Sanders; Peter Sarson; Martin Salisbury; Guy Smith; Roger Smith; Sue Stitt.
Mapas Mel Pickering (Contour Publishing).

La editorial también quiere dar las gracias por las fotografías proporcionadas a:

Pág. 8 (ar. d.) Rosalind Desmond; 14 (ar. i.) Mary Evans Picture Library; 15 (ab. d.) York Minster Archives; 17 (ar. d.) York Minster Archives; 33 (ar. d.) Dover Publications; 41 (ar. d.) Jean-Leo Dugast/Panos Pictures; 45 (ar. i.) Dover Publications; 48 (ar. i.) Dover Publications; 49 (ab. d.) Dom Augustine Calmet, Dictionary of the Holy Bible (1732) Mary Evans Picture Library; 52 (ar. i.) Dover Publications; 55 (ab. d.) Rosalind Desmond; 62 (ab. i.) Dover Publications; 66 (ar. i.) Dover Publications; 68 (ab. i.) The Stock Market; 70 (ar.) Dover Publications; 75 (ar. d.) Dover Publications; 76 (ab. i.) Rosalind Desmond; 77 (c. d.) Rosalind Desmond; 79 (ab. d.) Rosalind Desmond; 83 (ab. d.) Dover Publications; 90 (ab. i.) Rosalind Desmond; 91 (ab. d.) Rosalind Desmond; 92 (c. i.) Dover Publications, (ab. i.) York Minster Archives; 93 (ar. d.) Warren Faidley/Oxford Scientific Films; 94 (c. i.) The Stock Market; (ab. i.) Rosalind Desmond; 97 (ab. d.) British Museum/E.T.Archive; 98 (ar. i.) Biblioteca Estense Modena/E.T.Archive; 99 (ar. d.) Professor D.J.Wiseman; 102 (ar. i.) The Stock Market; 103 (c. d.) Dover Publications; 104 (ab. i.) The Stock Market; 106 (c. i.) E.T.Archive; 107 (ab. d.) York Minster Archives; 109 (ar. d.) The Stock Market; 110 (ar. i.) Ariel Skelley/The Stock Market; 111 (ar. d.) Pat Spillane, 111 (c. d.) Dover Publications; 114 (c. i.) Dover Publications; 117 (c. d.) Dover Publications; 121 (ar. d.) Professor D.J.Wiseman, (ab. d.) Dover Publications; 122 (c.) British Museum/E.T.Archive; 123 (ar..) Dover Publications, (ar. d.) Rosalind Desmond; 124 (c. i.) Dover Publications, (ab. i.) Rosalind Desmond; 128 (ar. i.) Professor D.J.Wiseman; 129 (ar. d.) Dover Publications; 130 (c. i.) Dover Publications, (ab. i.) Mary Evans Picture Library; 131 (ar. d.) Professor D.J.Wiseman; 134 (ab. i.) Professor D.J.Wiseman; 133 (ab. d.) Dover Publications; 136 (ar. i.) Rosalind Desmond; 137 (c. d.) Dover Publications; 139 (ar. d.) Voronet Monaster, Rumania/E.T.Archive; 145 (ar. d.) Rosalind Desmond; 147 (ab. d.) Rosalind Desmond; 149 (c. d.) Dover Publications; 151 (c. d.) Rosalind Desmond; 152 (ar. i.) Dover Publications; 153 (ab. d.) Mary Evans Picture Library; 156 (ab. i.) Dover Publications; 159 (c. d.) Jim Holmes/Panos Pictures, (ab. d.) Dover Publications; 161 (ar. d.) York Minster Archives, (ab. d.) Rosalind Desmond; 162 (ar. i.) Dover Publications, (c. i.) Rosalind Desmond; 164 (c. i.) Rosalind Desmond; 166 (c. i.) Rosalind Desmond; 167 (c. d.) Rosalind Desmond, (ab. d.) Dover Publications; 170 (ar. i.) Rosalind Desmond, (c. i.) Gamma/Michael Schwarz/Liaison/Frank Spooner Pictures, (ab. i.) Dover Publications; 173 (ar. d.) Mary Evans Picture Library; 174 (ab. i.) Dover Publications; 175 (ab. d.) Rosalind Desmond; 176 (c. i.) The Stock Market, (ab. i.) Dover Publications; 177 (ar. d.) The Stock Market; 179 (c. d.) Rosalind Desmond; 180 (ar. i.) Rosalind Desmond, (ab. i.) Rosalind Desmond; 181 (ar. d.) Dover Publications; 182 (ab. i.) Dover Publications; 184 (c. i.) Basilica Aquiela, Italy/E.T.Archive; 186 (ab. i.) Rosalind Desmond; 188 (ab. i.) Rosalind Desmond; 189 (ab. d.) The Stock Market; 191 (ab. d.) Dover Publications; 192 (ab. i.) Dover Publications; 193 (ab. d.) The Stock Market; 195 (c. d.) Rosalind Desmond; 196 (ar. i.) Dover Publications, (ab. i.) Castello Della Mante Piemonte/E.T.Archive; 197 (c. d.) Mary Evans Picture Library; 198 (ab. i.) Rosalind Desmond; 199 (ar. d.) Dover Publications, (c. d.) Rosalind Desmond; 200 (ar. i.) Rosalind Desmond, (ab. i.) Rosalind Desmond; 201 (ar. d.) York Minster Archives, (c. d.) Dover Publications; 202 (ab. i.) York Minster Archives; 204 (ab. i.) Rosalind Desmond; 205 (ar. d.) York Minster Archives, (ab. d.) Mary Evans Picture Library; 206 (ar. i.) York Minster Archives; 208 (ar. i.) York Minster Archives; 212 (ar. i.) Abbey of Monteoliveto Maggiore Siena/E.T.Archive; 213 (ar. d.) Rosalind Desmond; 214 (c. i.) York Minster Archives, 214 (ab. i.) Dover Publications; 215 (ar. d.) Jim Holmes/Panos Pictures; 216 (ar. i.) Professor D.J.Wiseman; 217 (ar. d.) York Minster Archives; 222 (c. d.) Rosalind Desmond; 223 (c. d.) Liz Dalby; 224 (ar. i.) Dover Publications, (c. i.) Liz Dalby; 230 (ab. i.) York Minster Archives; 231 (ar. d.) Bib Capitolaire Vercelli/E.T.Archive, (c. d.) Panos Pictures; 232 (c. i.) Rosalind Desmond; 238 (c.) Rosalind Desmond.

Todas las fotografías del archivo del monasterio de York se han reproducido con la autorización del Deán y el Cabildo de York.

Resto de fotografías: Miles Kelly Archives